D0260824

afgeschreven

NEVADA
BARR **13½**

NEVADA BARR $13\frac{1}{2}$

Oorspronkelijke titel: *13 ½*
Oorspronkelijke uitgever:
Vanguard Press, a Member of the Perseus Books Group
Published by arrangement with Lennart Sane Agency AB

Uitgeverij De Kern, een imprint van De Fontein|Tirion bv, Postbus 13288, 3507 LG Utrecht
Vertaling: Jolanda te Lindert
Omslagontwerp: De Weijer Design BNO
Omslagillustratie: Corbis
Auteursfoto omslag: Donald Paxton
Opmaak binnenwerk: ZetSpiegel, Best
ISBN 978 90 325 1223 1
NUR 305

www.defonteintirion.nl

Voor Barbara Peters,
die zonder enige moeite bergen verzet.

Proloog

PER MAAND OF PER NACHT stond op het bord boven de ingang van het caravanpark.

De wind, koud voor april, joeg afval en bierblikjes over de grindweg. Polly stond op het houten trapje voor de deur van haar moeders caravan. Ze klemde haar meetkundeboek tegen de borst en drukte haar oor tegen het aluminium. De ijskoude beet van het metaal riep een herinnering op die zo scherp was dat ze alleen de tanden voelde. Ze was toen bijna negen.

Een nachtmerrie, dacht ze. Haar dromen werden al zolang ze zich kon herinneren verscheurd door nachtmerries. Er lag iets zwaars op haar rug, klemde haar tegen de matras, drukte haar gezicht in het kussen zodat ze geen adem kreeg. Maar toen de geur van whisky en sigaretten haar droom binnen kwam, wist Polly dat het echt was. In haar dromen rook ze nooit iets.

Het was Bernie. Hij had de hele tijd met een geile en hitsige blik naar haar gekeken, tot Hilda boos werd en Polly vroeg naar bed had gestuurd. Ook al werd Polly pas over een paar weken negen, toch wist ze nu al wat het betekende als een man zo'n sentimentele en obscene blik kreeg.

Zijn gloeiend hete hand lag midden op haar rug, brandde door haar dunne pyjamajasje. Als een op een plankje geprikte kever lag ze op haar bed, haar armen en benen vochten met de verwarde lakens.

Zonder enige moeite trok hij haar pyjamabroek uit.

Hilda had haar verteld wat er zou gebeuren als Bernie 's nachts naar haar kamer zou komen: ze zou zijn ballen afsnijden en Polly dwingen ze op te eten.

Met een pijnlijke ruk van haar nek kreeg Polly haar gezicht vrij. Ze begon te gillen.

Bernies hand liet haar rug los, greep haar bij de haren en trok haar hoofd omhoog. Zijn andere grote stinkende klauw sloeg hij voor haar neus en mond. 'Hou je kop! Je ma is zo zat dat ze je toch niet hoort. Bek dicht, dan gaan we neuken. Lekker. We gaan lekker neuken. Bernie weet wel hoe hij een meid moet laten zingen: tjiep tjiep. Oké, hou je nu je bek?'

Polly kon maar heel vaag knikken tussen de beide vleeshompen die haar hoofd vasthielden.

'Tjiep tjiep,' herhaalde hij.

Wat was Bernie toch een klootzak!

Toen hij zijn hand weghaalde, gilde Polly zo hard ze kon. Ze kronkelde en bokte. Haren werden uit haar hoofd getrokken, maar de pijn maakte haar sterker, en ze klauwde naar elk stukje van Bernie dat ze maar te pakken kreeg.

In haar kamer was het nooit echt donker, niet pikdonker in elk geval. Overal in het caravanpark stonden grote bewakingslampen en het licht sijpelde door de kieren van de gordijnen naar binnen – toen ze nog gordijnen had tenminste. Sinds ze door de zon waren vergaan, was het ene hoge raam van haar kamer haar eigen privémaan, altijd vol en vreemd rechthoekig.

Bernie was naakt en ze zag dat zijn ding rechtop stond, als een grote oude dode paal in een moeras. Daardoor gilde ze nog harder.

'Verdomme!' siste Bernie en hij graaide naar haar gezicht om haar mond weer dicht te drukken. Toen ze gilde, gleed zijn dikke vinger in haar mond. Polly beet en beet en beet, en nu gilde Bernie. Hij schudde haar heen en weer en ze voelde dat ze van het bed werd getild, maar ze bleef bijten. Toen smeet hij haar zo hard op de grond dat haar kaken van elkaar gingen; ze kreeg bloed en een stukje vlees in haar mond. Het spul gleed haar keel in. Nu was ze een kannibaal.

'Ik eet mensen!' krijste ze. 'Ik vermoord je en eet je op! Mama snijdt je ballen eraf en dan leg ik ze op mijn cornflakes en eet ze op.'

Het licht ging aan. Hilda stond in de deuropening, nog steeds in dezelfde kleren als toen Polly naar bed ging, maar dan verkreukeld alsof ze met haar kleren aan had geslapen.

'Mama,' fluisterde Polly. Hilda liet haar vriendjes nooit met Polly rotzooien.

'Klootzak!' gilde Hilda. 'Hufterige klootzak!'

'Mama,' huilde Polly. Ze krabbelde overeind, rende naar haar moeder toe en sloeg haar dunne armpjes om Hilda's middel.

'Teef!' gilde haar moeder. 'Verdomde kleine rotteef!' Ze sloeg Polly zo hard dat ze rode dingen zag.

Die nacht begreep Polly dat wat zij altijd als Hilda's liefde had beschouwd in feite niet meer was dan aanvallen van jaloerse woede.

Beng.

Beng.

Beng.

Polly dreunde met haar voorhoofd tegen het koude aluminium van de deur om de herinnering te verdrijven. Ze was vijftien, geen negen. Er zou een wet moeten zijn tegen nare herinneringen.

'D'r is niemand thuis verdomme! Sodemieter op!' schreeuwde iemand binnen.

Polly zuchtte, ging met haar rug naar de herrie staan, legde haar meetkundeboek op de afbladderende verf van de trap zodat de goede rok van haar schooluniform niet vies werd en ging erop zitten, met haar rug tegen de beschadigde en gedeukte deur. Door het dunne aluminium hoorde ze het lawaai van de ruzie aanzwellen en afnemen.

Bij Europese geschiedenis hadden ze de Honderdjarige Oorlog behandeld. Engeland en Frankrijk leken totaal niet op Polly's moeder en stiefvaders; ze gingen eindeloos door, al zolang ze zich kon herinneren. Het enige wat soms veranderde, waren de namen van haar stiefvaders. Vroeger trouwden ze altijd met haar moeder, maar de laatste twee of drie hadden die moeite niet genomen.

Waarom Hilda altijd mannen mee naar huis sleepte, was onbegrijpelijk. Ze brachten echt geen geld of glamour mee. Eerder stinkende schoenen, een behaarde rug en harde vuisten. Polly had zich vast voorgenomen nooit te trouwen. 'Geen mannen!' schreeuwde ze toen er iemand tegen de deur klapte.

Alleen om kinderen te krijgen, voegde ze er zwijgend aan toe. Meer dan wat ook wilde ze kinderen, om te beschermen, van te houden en te onderwijzen; om ze een veilig en gelukkig leven te schenken.

Weer verstoorde een serie vloeken haar gedachten. Het werd koud. En nu moest ze ook nog naar de wc.

Een paar keer, toen ze had gedacht dat er nu echt iemand werd vermoord, had Polly de politie gebeld. Die nam Hilda of haar vriendje dan even mee. Maar als ze dan terugkwamen was het allemaal nog erger dan daarvoor.

'Hou op!' schreeuwde ze over haar linkerschouder. 'Maak elkaar dood of maak het goed. Ik moet pissen! Mijn god!' Ze liet zich weer tegen de caravan zakken.

Dit was al de derde keer deze week dat ze thuiskwam tijdens de Derde Wereldoorlog. Als het lekker weer was, was het niet zo erg. Als er niet te veel insecten waren kon ze naar het bos gaan, ze kon ook naar het winkeltje van Prentiss lopen en een milkshake kopen als ze geld had. En als ze geen geld had, kon ze een tijdje door de tijdschriften in het rek bladeren. Mevrouw Chandler vond dat niet erg, als er tenminste geen andere kinderen waren.

Mevrouw Chandler wist waarom Polly niet naar huis kon, maar ze was te aardig om dat te zeggen. Dat vond Polly prettig. Daardoor was het feit dat ze het goedvond dat Polly in de winkel rondhing geen liefdadigheid maar vriendelijkheid.

'De Farmers houden niet van liefdadigheid,' zei haar moeder altijd als ze nuchter genoeg was om zich te schamen omdat iemand anders iets voor haar dochter wilde doen wat ze zelf niet kon.

Wat een ongelooflijke onzin.

Ze leefden af en toe van de bijstand sinds de derde – of misschien was het de vierde – stiefvader naar het noorden was vertrokken. Hij had gezegd dat hij naar Chicago ging, rijk zou worden bij de oliewinning en hen daarna zou laten overkomen.

Ongelooflijke verschrikkelijke onzin.

Polly's moeder had bij de telefoon zitten wachten tot Polly haar had verteld dat er in Chicago helemaal geen olievelden waren.

Er klapte een vuist of een hoofd tegen de deur. Polly gaf met haar vlakke hand een woedende klap terug.

'Kappen alsjeblieft, ik moet naar de wc!' gilde ze.

Ma Danko, de oude gekleurde vrouw die twee caravans verderop woonde, keek op van de wasmand die zij in haar magere armen had. 'Kom maar met mij mee, dan krijg je een paar koekjes,' zei Ma.

'Bedankt, maar beter van niet,' zei Polly. 'U weet wel...'

'Dat is zo. Maar als het gaat regenen, kom je toch maar.'

'Doe ik.'

Maar dat zou ze niet doen. Van alle liefdadigheid vond Polly's moeder liefdadigheid van negers het ergste. 'Vergeet niet dat je blank bent,' zei ze vaak. 'Het slaat nergens op als negers medelijden hebben met een blanke meid.'

Een felle windstoot tilde met kille spot bladeren en afval op en blies ze naar Polly. 'Het wordt verschrikkelijk kil,' zei Ma. 'De regen zal ijskoud worden. De koekjes komen net uit de oven, zijn nog lekker warm.'

'Het duurt nu niet lang meer,' verzekerde Polly haar. De vechtpartij in de caravan leek rustiger te worden. Ma Danko knikte en liep door.

Polly trok de achterkant van haar rok omhoog en sloeg hem om haar schouders om warm te blijven. Er verstreken tien minuten, vijftien. Eindelijk hield het lawaai op. Polly stond op en streek haar rok glad. Ze draaide de deurknop heel zachtjes om zodat ze geen geluid maakte, trok de deur een paar centimeter open en gluurde naar binnen.

Haar moeder lag huilend op de bank. Tom, haar nieuwste stiefvader, was niet in de woonkamer-keuken. De tv stond aan, *American Bandstand* was erop, een oude tv-show. Meisjes met franje aan hun jurkjes stonden in de schijnwerpers te twisten.

Polly glipte naar binnen en deed de deur dicht. De keuken stond vol vieze borden. Uit een omgevallen bierblikje druppelde bier op het linoleum, maar de lampen stonden nog rechtop en de borden leken heel.

Eind goed, al goed, dacht Polly. Ze was een *sophomore*, wat betekende dat ze in het tweede schooljaar van de highschool zat, en dit was de titel van een toneelstuk dat ze aan het lezen waren. Ze legde haar meetkundeboek op het aanrecht en liep naar de bank om te kijken of haar moeder bloedde.

'Waar kijk je naar!' snauwde Hilda Farmer.

'Nergens naar,' zei Polly. Geen bloed, geen zwellingen. Tom had haar niet geslagen. Tom was de ergste niet. Hij schreeuwde veel, maar hield zijn handen thuis en sloeg Hilda nooit tenzij ze hem te lang dwarszat. Hilda miste twee voortanden, maar dat was Toms schuld niet. Dat was niemands schuld. Ze waren gewoon verrot en de tandarts had ze moeten trekken. De brug met de valse voortanden lag op het aanrecht naast de broodrooster. Als Hilda zin kreeg om te vechten, haalde ze ze er altijd uit zodat ze niet kapotgingen.

'Wat doe je hier?' vroeg Hilda, lallend.

Dronken als een tor. Hilda lalde niet, tenzij ze minstens twaalf blikjes bier achter de kiezen had.

'School is afgelopen. Het is bijna vier uur.'

'Highschooltrutje dat je bent!' zei Hilda hatelijk. 'Je vindt jezelf zo verdomde slim!'

Polly's moeder had nooit op een highschool gezeten. Op haar dertiende was ze zwanger geraakt. Als ze aan het zuipen was, vertelde ze dat tegen iedereen die maar wilde luisteren. Alsof Polly met opzet de goede opleiding van juffrouw Hilda Farmer had verstoord door binnen te dringen in een buik die haar niet eens wilde.

'Zo verdomde slim.'

'Dat is zo, mama,' zei Polly.

'Hou je bek!'

Hilda vergat dat ze huilde. Op de tast vond ze ergens op de tafel een blikje bier. Ze nam een grote slok en staarde naar de tv. 'Ze denken dat ze dansen,' zei ze suffig. 'Met hun achterste wiebelen en met hun bovenste schudden. Toen ik jong was, dánsten we.'

Toen ik jong was.

Hilda was achtentwintig. Toen zij zo oud was als Polly had ze een dochtertje van twee.

'Wacht maar, miss High en Mighty Sophomore,' zei Hilda terwijl ze naar de tv bleef kijken. 'Op een dag zit jíj hier en dan kijkt de een of andere snotneus op jóú neer, en daar kun je dan niets aan doen, helemaal niets! Geen enkel highschooldiploma krijgt je daar!' Ze wees naar de zwart-witte dansende figuurtjes op het scherm. Volgens Hilda was tv-land hetzelfde als de hemel. 'Dansen!' spotte ze. 'Wat een onzin!'

Polly liet haar alleen met haar bier en haar gezeur, en ging naar haar kamer. Die was zo klein dat ze als ze dwars op bed lag met haar voetzolen de ene en met haar handpalmen de andere wand kon aanraken.

Ze hing haar schoolkleren zorgvuldig in de kast en trok haar spijkerbroek aan en een oude trui van de vrachtwagenchauffeur die haar moeder vóór Tom mee naar huis had genomen. Ze zat op de rand van haar onopgemaakte bed en staarde naar de muur tussen de woonkamer en haar moeders slaapkamer. Het hout was zo dun dat ze Tom hoorde snurken. Als ze scheel keek, kon ze zich voorstellen dat de muur in- en uitademde.

'Op een dag zit jíj hier...'

De muur ademde in.

'...kijkt een snotneus op jóú neer...'

De muur ademde uit.

Polly stond op, schoof de schuifdeur open en stapte het halletje in. De deur naar de grote slaapkamer stond open. Tom lag op zijn rug, met gespreide armen en benen, te snurken; zijn keel ging op en neer. Zijn broek was los en hij had hem half uitgetrokken voordat hij laveloos op bed was gevallen.

Polly keek achterom, maar Hilda slingerde nog steeds beledigingen naar Dick Clark. Op haar tenen liep ze de slaapkamer in, hoewel Tom het niet eens zou hebben gemerkt als ze met een brullende Harley naar binnen zou zijn gereden.

Haar hand gleed onder zijn halfnaakte billen. Ze masseerde zachtjes tot Toms portemonnee uit zijn zak stak en trok hem er toen met ervaren behendigheid uit.

'Liefje,' mompelde Tom, waarna zijn vuist haar vol in haar oog raakte. Verblind en verbijsterd deinsde Polly achteruit. Hij had haar niet bewust geslagen. Hij had Hilda willen pakken in de een of andere dronken plek waar ze samen waren. Haar oog begon verschrikkelijk te tranen. Ze kreeg écht een blauw oog! Na al die keren dat ze op school allerlei stomme verhalen had opgehangen als verklaring voor blauwe plekken, was het verhaal deze keer zo idioot dat het waar was. Met de rug van haar hand veegde ze haar tranen weg en opende de portemonnee. Twaalf dollar. Ze haalde ze er allemaal uit, op één na. Ze pakte ook het condoom dat erin zat.

Misschien zou hij denken dat hij elf dollar aan een hoertje had uitgegeven.

Niemand gebruikte een condoom bij Hilda. Ze had een vrouwenkwaaltje gehad. Geen kinderen meer.

Polly liet de portemonnee vallen op de vloer waar hij ook per ongeluk terecht had kunnen komen en stopte het geld in de zak van haar spijkerbroek.

Hilda gaf nog steeds aanwijzingen aan de deelnemers van de danswedstrijd. Haar handtas lag naast haar tanden op het aanrecht. Polly graaide in Hilda's namaakleren tasje tot haar vingers zich om de autosleutels sloten.

'Ik loop even naar het winkeltje. Wil je iets?'

'Ze schudden als een stelletje negers met hun achterste,' zei Hilda.

Het was gaan regenen. Polly rende naar de auto. Ze was nog niet oud genoeg om een rijbewijs te hebben, maar kon wel autorijden. Dat was belangrijk voor een moeder die iemand nodig had om naar de drankwinkel te gaan als ze daar zelf 'te moe' voor was. Als Polly maar zei dat het bier voor Hilda was, vond meneer Cranbee het geen enkel probleem dat zij het kocht.

Toen ze de sleutels pakte, had ze alleen maar wat willen rondrijden, een luchtje scheppen zonder doorweekt te raken, naar de radio luisteren: rock-'n-roll uit Jackson als ze de lokale radiozender vond en soul als dat niet zo was. In Natchez zat een gospelzender die altijd goed te ontvangen was. Als er genoeg benzine in de tank zat, reed ze misschien wel door naar Jackson. In Crystal Springs was een Artic

Circle waar ze met Toms geld wel een hamburger of zo kon kopen.

Bij de kruising met de Highway 61 deed ze geen van beide; ze stopte midden op de weg en zette de motor af. De ruitenwissers bleven midden in hun beweging steken. Het stortregende. Het leek wel alsof de schemering vervloeide in de nacht. Polly deed het licht uit. Misschien knalt er wel een vrachtwagen met oplegger boven op me, dacht ze.

Rechts van haar stond op een bord: NEW ORLEANS, 168 MIJL. Ze was nog nooit in New Orleans geweest. Hilda ook niet. Voor de inwoners van Prentiss was New Orleans het antwoord van de Nieuwe Wereld op zowel Sodom als Gomorra.

Aan de overkant van de highway stond op een bord: JACKSON, 73 MIJL. Op dit tijdstip, nu het zo regende, was er geen verkeer. Op welk tijdstip dan ook, weer of geen weer, was er amper verkeer. Polly zat in de oude Ford Fairlane die kraakte doordat de motor afkoelde. Ze kon niet doorrijden en ook niet teruggaan. Er was geen enkele plek in Mississippi waar een meisje als zij naartoe kon zonder dat er een caravan op haar stond te wachten.

...en daar kun je dan niets aan doen, helemaal niets!

In de stromende donkere regen kon Polly het pad van haar leven duidelijk zien: een lange tunnel die steeds smaller werd tot er, in het laatste kleine cirkeltje licht, een caravanpark was en bij de hoofdingang, in een rij met tientallen andere, een brievenbus met haar naam erop. Dat was dood – dood nadat de moord is gepleegd en de finale absolutie niet is verkregen. Verdomme!

Ze dacht aan *Macbeth*, een ander toneelstuk dat ze hadden behandeld. Iedereen had er de pest aan gehad. Iedereen, behalve hun docent Engels en Polly. *Als het toch moest, moest het maar snel gaan.*

Ze startte de auto weer en reed naar New Orleans in een gestolen auto. Bij La Place stond ze zonder benzine. Polly wilde haar kostbare elf dollar niet uitgeven. Ze legde de autosleutels in het handschoenenvakje en stapte uit. Misschien zou de politie hem vinden en terugbrengen naar Hilda. Dat vond Polly een prima idee, want als ze de auto niet had, zou Hilda haar niet proberen te vinden.

Ze liep naar de berm en stak haar duim op.

De man die haar meenam, ging naar Bourbon Street. 'Bourbon is geen plaats voor een kind,' was het enige wat hij tijdens de twee uur durende rit zei. Het regende niet meer, maar door de duisternis en de bomen was er niet veel om naar te kijken behalve de koplampen van het tegemoetkomende verkeer. Polly keek ernaar en had het gevoel dat ze door een lange tunnel naar beneden viel en ze vroeg zich af of er ergere plaatsen waren om terecht te komen dan een caravanpark in Mississippi.

Toen de lichten van New Orleans de nacht iets hoopvols gaven, hoewel minder groots, werd Polly optimistischer. De man stopte op de hoek van St.-Ann's en Chartres, dat stond tenminste op de straatnaamborden. 'Jackson Square,' zei hij. 'Op de hoek is een telefoon. Bel je ouders. Ga naar huis.'

Polly stapte uit. 'Ik heb geen ouders,' zei ze.

'Zelf weten.'

Polly keek hem niet na toen hij wegreed.

Behalve in een plaatjesboek dat ze vroeger had gehad, over een klein meisje dat haar amandelen liet knippen, had ze nog nooit zoiets gezien als Jackson Square. Het plein in het boek was ergens in Engeland geweest, en schoon en vriendelijk. Jackson Square zag eruit alsof dat plein kapot was gestampt tot het leek op een kermisterrein nadat alle attracties zijn weggehaald: de grond lag vol met ingetrapte slushpuppies, suikerspinnen en sigarettenpeuken.

Ze was niet alleen, maar de mensen, vooral de mannen, waren wat haar moeder 'blank uitschot' zou noemen. De meesten rookten en zagen eruit alsof ze op iemand wachtten. Er waren ook een paar vrouwen en ook al was ze een groentje uit Mississippi, toch wist Polly dat het hoertjes waren.

Eentje was dat niet. Ze zat aan een tafeltje met kaarsen erop en ze zag eruit alsof ze zo uit een sprookjesboek kwam: tulband, veelkleurige bloes, ronde oorringen. Op het wankele tafeltje stond een kristallen bol en er lag een pak kaarten op. De gelovige inwoners van Prentiss, Mississippi, vonden dat het voorspellen van de toekomst, met het ouijabord spelen of je op 31 oktober verkleden als een Indiase prinses in plaats van als een favoriete apostel, hetzelfde was als vragen of de duivel en zijn slaven je ophaalden en je ziel meenamen. De wanhoop waardoor ze de moed had gevonden weg te lopen was verminderd. Polly voelde dat ze bang begon te worden. Tijdens de lange rit had ze haar best gedaan niet te denken aan enge dingen zoals eten, onderdak en geld. En nu, aan de duivel.

Mensen konden de toekomst voorspellen, dat wist ze. In de Bijbel deden ze dat voortdurend. Als zij dat deden was het oké, maar niet als een gewoon mens dat deed. Niet dat haar moeder een trouwe kerkganger was, maar een meisje groeide niet op in Prentiss zonder te weten dat er honderden manieren waren om in de hel terecht te komen en dat zwarte magie bedrijven daar één van was.

De zigeunerin keek op, alsof ze Polly's ogen op zich gericht voelde, en glimlachte. 'Kom maar, liefje. Dan lees ik je kaarten!' riep ze. 'Ik zal je je toekomst vertellen.'

Als iemand moest weten wat haar te wachten stond, dan was het Polly.

De hel van de duivel kon niet veel erger zijn dan die van Hilda.

Minnesota, 1968

John List. Vermoordde vrouw, moeder en drie kinderen. Tuurlijk. Ik begrijp zoiets wel. Die knaap had God aan zijn zijde. Daarom kan hij dat. Hij wil uit die gezinssituatie. Hij zit onder de plak van zijn vrouw, zijn moeder is een zeurpiet en hij heeft niet het lef zelf te vertrekken of hij denkt dat een vrome man zoals hij zijn kindertjes niet kan achterlaten. En hij denkt dat de kindertjes voor wie hij verantwoordelijk is naar de hel gaan als ze doorgaan met zondigen. Daarom besluit hij ze maar naar de hemel te sturen, en snel ook, om hun ziel te redden. Als een goede pappie. En om het af te maken, vermoordt hij zijn vrouw en moeder ook maar. Dat snap ik wel. Maar wat de boel verpest is dat hij zijn biezen pakt. Als hij zo gelovig is, waarom blijft hij dan niet en accepteert hij zijn straf? Misschien denkt hij wel: God moet wel van me houden omdat ik hem vijf lieve engelen heb gestuurd. Misschien heeft Hij andere klusjes voor zijn goede vriend John, daarom kan ik maar beter zorgen dat ik niet in de bak terechtkom.

Ja, dat zie ik mezelf ook wel doen. Wilde je dat soms horen?

I

Richard was zwaargewond. Dat wist hij met diezelfde gruwelijke zekerheid die je voelt als je achteruitstapt en van een klif valt en je realiseert dat dit de laatste fout van je leven is geweest; die gruwelijke eeuwigheid voordat je lichaam op de rotsen smakt.

Bizar licht werd gefilterd door de sneeuwstorm, het felle oranje van natriumlampen gereflecteerd door miljoenen ijskristallen; hemel, aarde, boomtakken, lucht. De kamers in huis waren oranje, de hele wereld zat in een oranje pompoen.

In het licht dat de kleur had van vuur wist Richard niet hoeveel bloed hij verloor. Heel veel. Te veel. Hij voelde het bloed pulseren, kleine straaltjes bloed tegen zijn handpalm. Eén misselijkmakende seconde lang dacht hij dat het bloed vanuit de nacht zijn lichaam binnen stroomde en via zijn aderen weer uit hem stroomde, en een plasje vormde, een vijver, steeds meer.

Zijn broertje lag aan de overkant van het bed waar hij was gevallen. De cowboys en indianen op Dylans pyjama waren rood doorweekt, een oorlog op flanel. Het bloed stroomde langs de rechterkant van Dylans gezicht naar beneden.

Dylan leek dood.

'Dyl?' wilde Richard roepen, maar hij kon alleen maar fluisteren. 'Dylan, je mag niet doodgaan, hoor!' Richard begon te huilen maar wist zich al snel te vermannen. Hij haalde diep adem en probeerde het weer. 'Dylan, als je wakker bent moet je de telefoniste bellen, de politie.'

Zijn broer bewoog niet.

Van de padvinderij en van de televisie wist Richard dat hij zou doodbloeden als hij zijn hand van de gapende wond aan de binnenkant van zijn dijbeen haalde. Heel even overwoog hij het te doen, zijn hand optillen, om het leven uit zijn lichaam te zien stromen. Het leven leek hem te willen verlaten en het was zo'n bloedbad geweest, waarom zou hij er niet aan toegeven? Waarom zou hij niet wegglijden in de peilloze diepte?

Dylan kreunde zacht. Dat hoorde Richard heel duidelijk, ondanks het dempende effect van zijn dromen over de dood, in de absolute stilte van de nachtelijke sneeuw. Hij had hem niet vermoord, zijn broertje leefde.

De droom vervloog; de peilloze afgrond werd een baken. Opeens wilde Richard leven. 'Broertje,' fluisterde hij. Dylans oogleden bewogen. Richard zag even een witte oogbal, afschrikwekkend in het opdrogende rode masker. 'Wakker worden, knul. Alsjeblieft.'

Vooruitkruipend, met één hand en met zijn niet-gewonde been, en met zijn andere hand stevig tegen de wond gedrukt, probeerde Richard over de vloer van de slaapkamer bij Dylan te komen. Door al het stof en het bloed bleef hij aan het hout kleven. Centimeter voor centimeter – één, drie, vijf – kroop hij verder. Het kostte hem zo veel inspanning dat er geen ruimte meer was om te denken. Elke minuscule beweging veroorzaakte ongelooflijk veel pijn. De pijn was nu niet meer te lokaliseren, zijn hele lichaam stond in brand.

Niet – flauw – vallen.

Dylans hoofd hing in een onnatuurlijke hoek over de rand van de matras.

Zijn nek was gebroken. Dylan zou in een rolstoel terechtkomen en door een slangetje moeten pissen. Een verscheurd restje kracht stroomde door Richard heen. Dylan zou hulpeloos zijn; hij zou zijn broer nodig hebben. En Richard wilde er zijn, meer dan wat ook.

Ik zal je stoel duwen, broertje. Ik neem je mee naar het park. Eén centimeter. Twee. Achter hem vormde zich een bloedspoor op het hout. De kamer was zo verdomde groot.

Richards arm wilde niet meer; hij kreeg kramp in zijn niet-gewonde been. Hij knipperde, wilde bij bewustzijn blijven, probeerde zich te herinneren waarom hij bloedde in deze lege ruimte.

De telefoon. Toets 0 in, de telefoniste, vraag naar de politie. De telefoon op het nachtkastje leek onbereikbaar ver weg, alsof hij door het verkeerde einde van een telescoop keek.

'Dylan!' schreeuwde Richard. Dylan bewoog niet en Richard kreeg geen lucht meer.

Uitrusten. Hij zou even uitrusten. Hij hing tegen het bureau, zag dat het oranje licht een diepere kleur kreeg en verbleekte.

Niet gaan slapen; wakker blijven, dacht hij. *Niet gaan slapen, dan glijdt je hand weg. Slapen is doodgaan.* Hij zou maar een paar seconden uitrusten, dan zou hij zijn tocht naar de telefoon voortzetten, naar de 0 en naar redding.

'Water,' gromde hij schor, in gedachten zag hij de verschroeide woestijnbeelden van wildwestfilms. Hij kon wel janken, zo'n dorst had hij. Hij likte langs zijn lippen en proefde Vondra. Nadat hij haar had verlaten, had hij gedoucht en zijn tanden gepoetst, maar hij proefde haar nog steeds.

Vondra. Hij was bij háár geweest terwijl hij bij Dylan had moeten zijn. Hij was geen goede broer geweest. Nu ging Dylan dood.

Die gedachte was onverdraaglijk, nog onverdraaglijker dan doodbloeden.

De woede gaf hem kracht. Stukje bij beetje en kreunend en jammerend bereikte hij zijn broertje. Hij streek Dylans haar glad en kuste hem.

Voordat hij bewusteloos raakte, slaagde hij erin de telefoniste te bellen.

2

Richard werd wakker – witte lampen en het lage constante geluid van beheerste urgentie. Het eerste gezicht dat hij zag was van een dikke politieagent, rood en gebarsten van te veel nachten in temperaturen onder nul.

Het blozende masker barstte en van tussen de lippen die dunner waren dan die van een slang kwamen de woorden. 'Hé kid.' De stem was vaderlijk, warm en sterk. Richard kreeg er tranen van in zijn ogen. Hij probeerde ze niet in te houden. Als er momenten waren waarop anderen mochten zien dat je huilde, dan was dit er een van. De tranen druppelden warm en kriebelig vanuit zijn ooghoeken langs zijn slapen.

Een paar platte eeltachtige duimen smeerden ze in zijn haar. De agent troostte hem, veegde zijn tranen weg alsof hij een klein en dierbaar kind was.

Door deze onverwachte vriendelijkheid kon Richard zich weer een beetje beheersen. Hij produceerde een beverig glimlachje. 'Hallo,' zei hij.

'Je mag blij zijn dat je leeft,' zei de agent.

Leeft. Opeens wist Richard weer precies wat er allemaal was gebeurd. 'Waar ben ik?' vroeg hij onnozel. Halverwege de vraag realiseerde hij zich dat hij in een ziekenhuis lag, op de Eerste Hulp. Hij schaamde zich dat hij zo voorspelbaar was en wees naar de witte gordijnen om zijn bed. Hij vroeg: 'Lig ik in een lakenfabriek?'

In plaats van geïrriteerd, zoals zijn vader altijd deed als Richard zich onnozel gedroeg, leek Dikke Agent het leuk te vinden. Zijn ijsblauwe ogen werden warm. De dikke schouders kromden zich zodat zijn silhouet minder bedreigend werd. Hij liet zijn dikke buik zakken en ging op de rand van het ziekenhuisbed zitten.

Richards gezicht vertrok.

'O, sorry, heb ik je pijn gedaan?' vroeg de agent bezorgd.

Tot Richards opluchting tilde hij zijn dikke achterste weer op. 'Het is maar een vleeswond,' zei Richard. Zijn hoofd was wollig en hij kon geen enkele slimme opmerking verzinnen.

De agent vond hem kennelijk bijzonder grappig. Hij lachte hartelijk en streek Richard daarna onbeholpen door zijn haar. 'Nee zoon, je ligt niet in een lakenfabriek. Je ligt in de Mayo Clinic. Het allerbeste ziekenhuis.'

Zoon. Hij zei zoon!

Toen dacht hij weer aan zijn been, de wond op zijn bovenbeen. 'Mijn been.' Hij zei het op hoge toon, angstig. Daar baalde hij van, maar hij probeerde het niet te verbergen.

'Hij heeft je behoorlijk toegetakeld,' zei de agent en hij keek of hij ergens kon zitten. Richard besloot te gaan gillen zodra de man zijn dikke kont weer op zijn bed zou laten zakken. Wat hij niet deed. De agent moest wel blijven staan en zei: 'De artsen zullen je wel meer vertellen, maar de korte versie is dat ze je hebben gehecht en je wordt weer bijna helemaal de oude. Maak je geen zorgen over je been. Maak je maar nergens druk om. Wij zullen voor je zorgen.'

De agent vond hem aardig. *Het mooiste meisje van het politiebal,* dacht Richard idioot.

'Binnen de kortste keren ren je weer rond,' zei Dikke Agent.

Richard knikte zwakjes en zei 'goed' en 'bedankt'. Hij had geen idee waar hij de agent voor bedankte, maar mensen werden graag bedankt.

'Ja, het Mayo, het beste ziekenhuis dat er is,' herhaalde de agent.

Richard wilde kijken wie er nog meer in het vertrek waren, maar dankzij die blozende dikkerd en de lakenfabriek kon hij niet verder kijken dan een meter. Het laatste wat hij zich kon herinneren was Dylan, bloedend, verdraaide nek, maar nog wel ademend.

Verlamd, dacht Richard. Zijn nek leek gebroken.

'Dylan...' begon hij.

'Je broer leeft. Nog wel tenminste,' zei de agent. Zijn ogen kregen hun ijsblauwe kleur weer en zijn slappe wangen leken nu van graniet. Hij klonk woedend, maar niet op Richard. Hij was woedend op Dylan.

'Neem me niet kwalijk.' Als een blad op de eerste windvlagen van de winter blies een koele stem de agent uit Richards gezichtsveld. Een in het wit geklede vrouw nam zijn plaats in, een verpleegkundige van een jaar of veertig. Zij glimlachte ook naar Richard, een echte glimlach, zoals een moeder naar haar favoriete zoon glimlacht. 'Ik ben Sara.'

Richard hield van haar stem. Die was warm, alsof ze hem wel oké vond. Hij probeerde naar haar te glimlachen, maar dat mislukte.

'Het gaat goed met je broer,' zei ze vriendelijk.

Goed. Het komt wel goed. Goed zei niks. Goed was een woord waarmee je de waarheid kon verhullen, een smoesje voor kinderen.

De angst waardoor hij maar zo weinig geduld had gehad met de agent, klemde nu zijn kaken op elkaar en sloot ze af.

'Is hij invalide?' vroeg Richard, bijna sissend doordat hij zijn kiezen op elkaar klemde.

'Nee hoor, hij heeft alleen maar een hersenschudding,' zei de verpleegkundige snel. 'Het komt wel goed met hem.' Ze stak haar hand naar hem uit alsof ze hem een klopje op zijn hoofd wilde geven, maar trok haar hand terug. Richard wist bijna zeker dat hij zijn lippen had opgetrokken en hij wist niet zeker of hij haar zou hebben gebeten als ze haar hand niet had teruggetrokken.

Hun 'goed' was niet zijn 'goed'.

'Is hij invalide?' schreeuwde hij. Hij probeerde rechtop te gaan zitten, maar kon amper zijn hoofd optillen. 'Zijn nek leek gebroken. Verdomme, wordt hij invalide?'

'Shh, shh,' zei de vrouw. Ze dacht kennelijk dat slangachtige geluidjes hem zouden kalmeren. 'Je broer heeft een hersenschudding. Hij is geen invalide. Ik weet niet wie je dat heeft verteld. Adem maar weer, het komt wel goed met je.'

Nu was hij degene met wie het wel 'goed' kwam. Ze vulde een injectiespuit, hield hem omhoog en spoot er wat vloeistof uit, precies zoals hij in talloze tv-series had zien doen. Ze stak de naald in een opening in zijn infuusslang en drukte de zuiger een stukje dieper.

'Het komt wel goed,' fluisterde ze.

Warm. Moederlijk.

Maar alleen voor hem. Dat wist hij door de manier waarop ze 'je broer' had gezegd. Ze had het wel geprobeerd, maar had de afkeer niet helemaal uit haar stem kunnen houden.

'Probeer eerst maar eens zelf beter te worden,' zei de verpleegkundige en ze drukte de zuiger helemaal in de spuit. 'Je broer is over een paar dagen weer zo gezond als een vis. En maak je maar niet druk; wij zullen goed voor je zorgen.'

Gezond als een vis, wit als sneeuw, dacht Richard en hij vroeg zich af waar die woorden vandaan kwamen. Drugs?

'Hier ga je van slapen,' zei de vriendelijke, moederlijke Sara toen ze de naald uit het infuus trok. 'Als je wakker wordt, hebben we je been weer opgelapt.'

'Ben ik dan weer zo gezond als een vis?' hoorde Richard zichzelf mompelen.

De verpleegkundige glimlachte alsof hij de slimste jongen ter wereld was.

In één enkele nacht, misschien niet eens een nacht – hij had geen idee hoeveel tijd er was verstreken – was alles totaal veranderd. Richard niet. Zij wel. Zij, hun, ieder ander wel.

Dikke Agent verdrong de verpleegkundige uit zijn gezichtsveld. 'Zoon, heb jij je broer geslagen?'

Weer tranen. 'Ik heb hem geslagen,' zei hij. 'Ik moest wel.'

'Goed gedaan.' De stem van de agent werd spijkerhard. Richard dacht dat hij vonken van de woorden af zag spatten. 'Waarmee heb je hem geslagen? Met de bijl? Het buurmeisje...'

Morfine of Darvon of wat het ook was, verzachtte de randen van Richards tunnelvisie. Door die zwarte wazige pijp zag hij dat de agent een notitieboekje uit zijn uniformjasje haalde.

'Vondra Werner,' las de agent voor. 'Vondra Werner zei dat je het grootste deel van de nacht bij haar bent geweest.'

Eerst zag Richard de vage grijns achter de woorden van de agent niet, maar daarna wel. En toen wist hij dat de man hem een held vond.

Niet gewoon een overlever, maar een held.

'Zo is het wel genoeg,' zei zuster Sara. 'Kijk hem toch eens, die arme, mooie jongen...' was het laatste wat Richard hoorde.

3

Niets zou ooit weer goed komen, dacht Dylan.

Behalve Rich dan. Rich was niet doodgegaan. Bijna, maar toch niet.

De eerste keer dat Dylan hem weer zag, was tijdens de rechtszaak. Die werd niet in Rochester gehouden, omdat iedereen daar Dylan zo haatte dat het niet eerlijk zou zijn geweest. Zijn rechtszaak werd gehouden in Hammond, een stadje zo'n drie uur rijden verderop. Hij moest elke ochtend om vijf uur opstaan zodat ze hem er op tijd naartoe konden rijden. Het rechtbankgebouw was klein en zag eruit zoals een rechtbank eruit hoorde te zien, met banken en een hek tussen het publiek en de advocaten. Elke dag zat het vol, vooral met verslaggevers van kranten en tv-zenders.

Rich leek weer de oude, hij had kleur op zijn gezicht en zo. Zijn haar was iets langer dan hun moeder goed zou hebben gevonden en het golfde in die surferboystijl waar hij zo van hield. Hij zat in een rolstoel en werd door het middenpad van de rechtszaal geduwd. Het verband om zijn been was zo dik dat ze de naad van zijn broek open hadden geknipt, ook al was het waarschijnlijk zeven graden onder nul. Hij was afgevallen.

Hoewel Dylan wist dat Rich op hem zou spugen, of hem zou negeren alsof hij een insect was, of gillen alsof hij een psychopaat was, of nog erger, bleef hij naar hem kijken. Hij volgde de rolstoel met zijn ogen. Toen de rolstoel door de dubbele deuren reed, werd het opeens stil in de zaal. En toen hij dichterbij kwam, begonnen flitslampen te flitsen en mensen te mompelen.

Rich was ontzettend cool – prijsuitreiking, rode loper. Hij glimlachte naar de camera's, maar een beetje triestig. Op dat moment hield Dylan meer van hem dan ooit. Alles wat Rich in het verleden had gedaan was niet belangrijk. Dít was belangrijk. De liefde deed Dylan pijn, zo groot was die.

Sinds die nacht voelde zijn hele binnenste zwart en bros als de binnenkant van een boom die door de bliksem was getroffen. Dylan bleef meestal in het gat dat erin was gebrand, zonder te denken of te voelen. Hij wist niet meer wat hij moest zijn of worden. Ook niemand anders leek te weten wat hij was. Of wat ze met hem moesten doen. Artsen, advocaten, agenten stelden vragen. Een krantenman kwam binnen en maakte foto's en stelde vragen tot de agenten hem wegjoegen.

Omdat Dylan die vragen niet kon beantwoorden, kroop hij in dat zwarte gat, had hij zich verstopt. Tot hij zijn broer zag. De pijn van de liefde voor Rich voelde bijna goed, daardoor voelde hij zich een mens. Hij keek niet weg toen de rolstoel over het middenpad naar hem toe rolde, maar hij zette zich schrap voor de klap. Misschien zou het hem doden, maar dat betwijfelde hij. Er was al heel lang niets meer gebeurd wat hij wilde dat er gebeurde.

Toen bevond Rich zich tegenover hem, aan de andere kant van de houten reling. Hij hief zijn hand en de verpleegkundige zette de rolstoel stil. Dylan kon wel huilen, zijn broer was zo cool. Hij had de verpleegkundige laten doen wat hij wilde zonder zelfs maar een woord te zeggen, als een politieagent die het verkeer tegenhoudt. Rich zocht houvast aan de armleuningen, probeerde op te staan. De verpleegkundige, die zich voor de rechtszaak netjes had gekleed in een schoon uniform en hoedje, legde haar handen op zijn schouders om hem tegen te houden, maar hij schudde ze van zich af.

Dylan stond ook op. Als Rich hem wilde slaan, kon dat. Heel even voelde Dylan ze, de vuisten van zijn broer, de trappen tegen zijn ribbenkast en buik. Hij vond het prima, hij hunkerde ernaar te worden doodgeslagen, zoals je hunkerde naar zuurstof als je te lang onder water was gebleven.

Het opstaan had Rich kennelijk pijn gedaan. Hij trok bleek weg en wankelde alsof hij zou flauwvallen. Hij zocht houvast aan de reling en zette twee stappen naar de plek waar Dylan stond te wachten.

Het gemompel in de rechtszaal verstomde. Niemand ademde. De tijd stond stil, de mensen hingen aan de kleine wijzer, vroegen zich af of de klok ooit weer zou gaan lopen. Dylan ademde ook niet. Hij wachtte tot hij dood zou gaan. Niet het goede doodgaan, als alles voorbij is, maar vanbinnen doodgaan.

Rich leunde tegen de reling zodat hij op zijn slechte been kon staan, stak zijn armen uit en zei: 'Broer.'

De verdroogde, verbrande kern van Dylan vulde zich met warme vloeistof. Hij smolt van binnenuit. Hij ging terug in de tijd. Hij werd elf, acht, zes. Het kleine jongetje sloeg zijn armen om de hals van zijn grote broer en snikte als een baby. Rich hoefde niet zo aardig tegen hem te doen.

Rich huilde ook.

De mensen in de rechtszaal wisten niet wat voor geluid ze moesten maken. Hun gemompel vermengde zich met verbazing en medelijden, en veranderde daarna in felle woede.

Dylan veegde met zijn mouw de tranen en het snot van zijn gezicht. Het geluid zwol aan tot het dierlijke gegrom van een meute die zichzelf opfokt voor een lynchpartij. Behalve dan dat hij elf was. Ze konden niet eens kwaad op hem zijn. Hij was nog maar een kind. Ze moesten tegelijkertijd net doen alsof ze verdrietig waren.

Rich viel terug in zijn rolstoel. Mevrouw Eisenhart, Dylans pro-Deoadvocaat, trok hem bij de reling vandaan. De rechter tikte met zijn hamer om stilte.

Ze waren allemaal woedend op Rich, omdat hij niet woedend was. Ze haatten Dylan. Dat was helemaal niet nodig; hij haatte zichzelf meer dan zij ooit konden.

Hij ging zitten. Mevrouw Eisenhart had hem het pak en de stropdas gebracht die zijn moeder voor Lena's doop had gekocht. Hij was toen negen geweest, en het pak was te klein. Hij schoof heen en weer op zijn stoel en probeerde zo te voorkomen dat het kruis in zijn bilnaad trok.

Mevrouw Eisenhart gaf hem een trap onder de tafel. Rich werd beëdigd. Dylan vergat zijn strakke broek.

De andere advocaat, die tegen Dylan was, begon vragen te stellen. Rich wilde niet antwoorden, maar hij had gezworen op de Bijbel en moest dus wel. Hij had Dylan niets zien doen. Daar bleef hij bij. Hij was in het huis van de buren geweest, had geneukt met Vondra Werner. Toen Rich dat zei, keek hij naar Dylan en haalde zijn schouders even op.

Dylan draaide zich om met een grote schaapachtige grijns op zijn gezicht; hij wilde wel eens zien wat zijn vader en moeder dáárvan vonden. De mensen in het publiek glimlachten, maar toen ze zijn gezicht zagen verstierf hun glimlach en was alleen nog het schrapende geluid van dode bladeren te horen. Door zijn brede grijns laaide het dreigende gegrom weer op.

Door de droge stilte, de plotselinge herinnering dat zijn ouders er niet waren, bevroor Dylans glimlach op een griezelige manier. Alsof een stripheld hem met een ijzige straal had bestookt. Camera's flitsten. Een van de journalisten fluisterde 'Butcher Boy', waarna een aantal van hen druk begon te schrijven.

Mevrouw Eisenhart legde haar scherpe klauwen op zijn schouder en draaide hem terug naar de rechter.

Rich vertelde de jury, de rechter en de advocaten dat Dylan toen hij thuiskwam onder het bloed zat. Hij had geprobeerd de bijl van hem af te pakken en Dylan had zijn been er bijna afgehakt. Omdat hij dacht dat Dylan bezeten was of zichzelf iets zou aandoen of ziek was, had Rich – ook al bloedde hij zelf dood – de bijl van hem afgepakt en hem op zijn hoofd geslagen. Toen was Rich bewusteloos geraakt en hij kon zich niets meer herinneren tot hij in het Mayo weer bij bewustzijn was gekomen. Dat was het, het hele verhaal.

De openbare aanklager liet het Rich op verschillende manieren vertellen. Hij probeerde hem nog meer te laten vertellen, te laten zeggen dat hij dingen had gezien die hij niet had gezien, maar dat deed Rich niet. Iedereen luisterde zo aandachtig dat Dylan gewoon hoorde dat de woorden van zijn broer langs zijn oren naar de tribune werden gezogen.

Niemand luisterde aandachtiger dan hij. Mevrouw Eisenhart had hem dat verhaal verteld toen ze hem liet oefenen voor de rechtszaak. Dat ging heel anders dan op tv; de advocaten hoorden elkaar te vertellen wat ze zouden zeggen en doen zodat ze elkaar niet voor verrassingen zouden stellen, maar het was totaal anders nu hij het van zijn broer hoorde. Nu Rich het vertelde, geloofde Dylan het pas. Tot dan had hij gedacht dat hij het zich niet herinnerde, omdat het niet was gebeurd.

Het was wél gebeurd. Dat raakte hem even hard als de bijl, een klap op zijn hoofd die zijn hersenen in de war bracht. Mevrouw Eisenhart schopte hem weer. Ze mocht hem net zomin als alle anderen.

Het was wel gebeurd. Hij had zijn vaders bijl te pakken gekregen, en het was gebeurd.

Hij staarde naar het blad van de tafel waaraan hij en zijn advocate zaten. Het blad draaide en bokte als het dek van een schip in een storm. Dylan greep zich aan één kant vast om te voorkomen dat zijn hoofd tegen het houten oppervlak sloeg. Met de andere hand hield hij zich vast aan de zitting van zijn stoel om te voorkomen dat hij op de grond viel.

'Ik heb geprobeerd mijn broer te vermoorden met papa's bijl,' fluisterde hij. Deze keer deed mevrouw Eisenharts schop pijn. Hij dacht dat hij het niet luid genoeg had gezegd, omdat niemand naar hem keek. De woorden waren geen bekentenis geweest, hij had het gezegd om te zien of hij het zich daardoor zou herinneren. Hij had geen enkele herinnering aan wat er was gebeurd nadat zijn moeder hem in bed had gestopt.

Hij had het ze steeds maar weer verteld, maar zelfs zijn eigen advocate geloofde hem niet. Toen ze eindelijk iets zei, vertelde ze dat mensen die door een ongeluk hoofdletsel hebben opgelopen zich vaak niets herinneren van de gebeurtenissen vlak daarvoor, dat de klap die Rich hem had gegeven een zware hersenschudding had veroorzaakt, dat hij op de intensive care had gelegen en dat hij, na het ongeluk, vaak ontzettende hoofdpijn had.

Niemand had medelijden met hem, Dylan had niet eens medelijden met zichzelf. Hij had geprobeerd zijn broer te vermoorden.

Rich zat zeker een uur in het getuigenbankje. Dat lange praten brak hem op. Aan zijn gezicht was te zien dat hij pijn had. Zelfs als de openbaar aanklager erop aandrong, weigerde Rich iets negatiefs over Dylan te zeggen. Rich keek de jury aan, zoals mevrouw Eisenhart Dylan had opgedragen te doen als zij hem zou laten getuigen, en vertelde hen dat Dylan nooit iemand kwaad deed, nooit iemand sloeg of kneep en nooit andere kinderen uitschold, naar zijn moeder en vader luisterde, lief en beschermend was voor Lena, hun zusje van dertig maanden, en gewonde dieren meenam naar huis om te verzorgen. Hoe meer goede dingen hij de juryleden vertelde, hoe minder ze hem geloofden. Het klonk alsof Rich het zelf niet eens geloofde.

Toen de openbare aanklager klaar was, stelde mevrouw Eisenhart Rich geen enkele vraag. Toen hij werd weggereden, fluisterde Rich 'Hou je haaks, broer!' en hij stak zijn duim op naar Dylan. Dylan reageerde niet; hij wist dat hij als hij zelfs maar zou knikken weer zes zou zijn, krijsend als een baby.

Nadat Rich had getuigd, snapte Dylan niet meer zo goed wat er allemaal gebeurde in de rechtszaal. Mensen kwamen en gingen zonder reden. Kleuren werden feller en feller tot Dylan zijn ogen moest dichtknijpen om niet te worden verblind. Stemmen werden keihard. Hij kon ruiken als een hond: sporen van het parfum van zijn advocaat verstikten hem; de stank van een oude sigaret op iemand achter hem maakte hem misselijk. De muren kwamen op hem af; de rechtszaal werd kleiner.

Deze enorme kakofonie maakte hem gek.

Gekker.

Op een dag riep de openbare aanklager Vondra Werner op. Dylan trok hard aan de plaatsen waar zijn hersenen waren weggezakt, zodat hij kon opletten. Vondra en haar familie hadden nog geen zes maanden naast hen gewoond, maar ze was er altijd, ze snuffelde rond en probeerde met Rich te praten. Dylan dacht dat ze niet eens wist dat hij bestond.

'Roze, natuurlijk,' siste mevrouw Eisenhart.

Vondra droeg een roze jurk. Ze leek knap, verlegen en aardig.

Dylan wist niet waarom zijn advocate daar boos om werd. Met zachte stem vertelde Vondra iedereen wat zij en Rich samen hadden gedaan. Alleen zei ze niet dat ze hadden geneukt, maar ze zei dat ze 'de liefde hadden bedreven'.

Toen mevrouw Eisenhart aan de beurt was, liet ze Vondra vertellen dat ze Rich altijd in de gaten hield en achter hem aan liep, en dat ze misschien wel jaloers was op zijn gezinsleden en misschien wel de pest had aan Dylan. Dylan dacht heel even dat zijn advocate Vondra kon breken, net zoals Perry Mason aan het einde van elke aflevering verdachten liet bekennen, en dat Vondra dan zou bekennen dat zij alles had gedaan.

Toen zei de advocate: 'Richard vond het niet prettig dat u hem bespioneerde en mevrouw Raines vond het niet prettig dat u keek.'

Vondra werd zo wit als Casper het vriendelijke spookje. 'Richard houdt van me,' zei ze. 'Mevrouw Raines vond hém niet aardig.' Ze wees naar Dylan. 'Ik heb haar een keer horen zeggen dat hij dingen deed waar ze bang van werd.'

Paniek stroomde door Dylan heen, vulde zijn hersenen tot er geen ruimte meer was voor iets anders. Lippen van mensen bewogen, maar hij hoorde niets – of de woorden betekenden niets voor hem. Ze hadden wat hem betreft net zo goed Chinees kunnen praten.

Behalve dan dat hij wist dat hij het hóórde te begrijpen.

De doodsangst werd scherper, hakte in zijn schedel; hij kon het mes in zijn botten voelen. Toen kon hij niet langer zien zoals hij dingen had moeten zien. Lampen werden feller of minder fel; behalve dat ze dat niet deden. Niemand anders zag dat gebeuren. Muren, vooral lichtgekleurde muren, veranderden van kleur: van wit, naar roze, naar grijs. Gezichten veranderden langzaam tot ze angstaanjagend waren.

De vijfde of zesde dag van de rechtszaak werd Dylan wakker en hij was zo bang dat hij niet in de spiegel durfde te kijken. Zijn spiegelbeeld kon smelten, monstrueus worden, en hij zou gek worden. De soort gekte die je aan te zien is en waardoor je in een vertrek met rubberen wanden kunt belanden met een katoenen jas om je heen. Hij móést oké lijken.

In elk geval oké voor een monster.

Hij sloot zich af. Hij bewoog zich amper, daarna voorzichtig, robotachtig, niets flapperde of wriemelde ongecontroleerd. Eten smaakte naar zaagsel, bleef halverwege in zijn keel steken, een klodder pasta. Hij keek niet naar zijn bord. Als hij er te lang naar zou kijken, zou de spaghetti of wat het ook maar was gaan kronkelen. Hij at om in leven te blijven en zelfs dat wilde hij niet echt. De mensen die zijn eten klaarmaakten en de mensen die hem zijn eten brachten, haatten hem allemaal. Ze konden zijn eten vergiftigen of, nog erger, erin pissen of erop spugen.

'Ik weet niet wat je denkt te bereiken met de stoïcijnse act die je nu opvoert. Dat is niet in je voordeel,' zei mevrouw Eisenhart. 'Als mensen naar je kijken, zien ze onverschilligheid. Je krijgt de doodstraf niet. Daar ben ik veel te goed voor en bovendien vindt niemand het prettig om kinderen te vermoorden, maar je kunt maar beter niet zo stoer doen.'

Dylan wist dat ze gelijk had. Hij was elf, niet achterlijk. Als hij de jury en de rechter zijn verdriet liet zien, kregen ze misschien wel medelijden met hem. Medelijden leidde tot vergeving. Misschien geen Bijbelse vergeving, zoals de verloren zoon had gekregen, maar misschien was er wel een soort 'vergeving light', zodat ze hem konden vertellen dat hij verlost kon worden.

'Er is een oud Chinees spreekwoord,' zei mevrouw Eisenhart. 'Blijf op het pad waar je op loopt, dan kom je uiteindelijk op je bestemming. Je bent een slimme knaap, jij weet wel wat je bestemming is.'

Toen hij geen antwoord gaf, haalde ze kranten uit haar tas en legde ze op de tafel tussen hen in. Op de voorpagina's stonden foto's van hem, gevangen in zijn waanzinnige paniek. BUTCHER BOY TOONT GEEN BEROUW. De was de kop in de sensatiekrant. De meer serieuze krant was terughoudender, maar de boodschap was dezelfde.

'Je moet het zelf weten,' zei mevrouw Eisenhart abrupt. Ze liet de kranten voor hem liggen, klapte haar tas dicht en liep weg, haar hoge hakjes tikten op het linoleum. Bij de deur draaide ze zich om en

Dylan vroeg zich af of ze naar die nieuwe tv-serie *Columbo* keek en die detective nadeed, die altijd als hij bijna weg was, nog één vraag stelde. 'Je vermoordt me,' zei ze en ze begreep niet dat het eigenlijk wel grappig was.

Dylan wist dat hij de kans op enige vorm van clementie om zeep hielp. Hij wist ook dat hij zijn verdriet niet kon tonen. Als dat minuscule druppeltje verdriet naar buiten lekte, dan brak de dam; het stroompje zou een rivier worden, en de rivier een vloedgolf. Die zou hem meesleuren.

Op de laatste dag van de rechtszaak getuigde een politieagent. Hij vertelde de jury dat Dylan hysterisch was geworden en in zijn broek had geplast in plaats van te kijken naar wat hij had gedaan. Hij vertelde hen dat Dylan had gelachen. Daarna herhaalden twee andere agenten dat verhaal. Dylan kon zich vaag herinneren dat hij dat had gedaan, maar niet op de manier zoals zij het vertelden.

Toen de laatste agent zei dat Rich bijna was doodgegaan door de jaap in zijn been en dat Dylan had gelachen, sloot Dylan zijn oren. Dat was te idioot voor woorden. Iemand anders had al die dingen gedaan, Dylan niet. Een monster had bezit van hem genomen. Zijn vriendin Vondra zat altijd achter het raam naar hen te loeren en bedacht smoesjes om langs te kunnen komen. Misschien was zij die psychopaat.

Misschien was hij het.

Stemmen gleden langs hem heen, terwijl hij stijf rechtop zat en naar het tafelblad staarde en zich van alles probeerde te herinneren, niet die slechte dingen maar gewoon dingen. Hij zocht in zijn herinneringen, zocht in de duistere plaatsen waar voorbije dingen waren opgeslagen, maar hij zag alleen maar nevel, dikke witte nevel zoals uit de machines kwam die ze op school gebruikten tijdens een toneelstuk. Maar hij zou niet meer naar school gaan. Dat wist zelfs een idioot.

Die middag was de rechtszaak afgelopen. 'Dylan, de rechter heeft je iets gevraagd!' Mevrouw Eisenharts stem sleurde hem uit zijn gedachten. Toen ze hem riep, dacht hij aan het vederlichte kusje dat zijn moeder hem die laatste avond had gegeven, het gouden kruisje dat ze altijd droeg koel tegen zijn wang. Hij moest erom glimlachen.

'Kijk hem toch! Hij zit te grijnzen!' fluisterde iemand in het publiek.

'Hè?' Het duurde langer dan logisch was voordat hij begreep wat ze had gezegd. Het klonk alsof hij achterlijk was.

'We zijn nu aan het vonnis toe. Rechter Farnsworth wil weten of je nog iets wilt zeggen.'

Toen deed hij iets stoms. Hij wilde vragen of de jury hem schuldig had bevonden. Hij had willen vragen: 'Ben ik schuldig?' Maar hij zei: 'Ik ben schuldig.'

Dat bracht hem zo in verwarring dat hij besloot verder maar niets meer te zeggen.

4

Dylan werd veroordeeld tot een verblijf in de jeugdgevangenis in Drummond, Minnesota, tot hij achttien was. Op zijn achttiende verjaardag zou hij worden overgeplaatst naar de staatsgevangenis, waar hij tot zijn zevenentwintigste zou moeten blijven.

De hamer tikte en de rechter stond op. Mevrouw Eisenhart stond ook op, schoof haar paperassen bij elkaar en stopte ze in haar tas. Dylan zag de leren kaken dichtklappen.

'Dat, zoals ze zeggen, is dat,' zei mevrouw Eisenhart. Ze vond Dylans slappe rechterhand en schudde die plichtmatig. 'Bel me als je iets nodig hebt.' Klik, klak, klak, waarna de dubbele deuren haar even netjes opaten als de leren kaken haar paperassen hadden verslonden.

Een rustige man, misschien de gerechtsdienaar, met een dikke buik en een vriendelijke blik zelfs toen hij naar Dylan keek, zei: 'Kom op, jongen. Laten we dit maar afronden.' Een afschuwelijke seconde zocht Dylan wanhopig naar zijn vader en moeder. De gerechtsdienaar deed hem handboeien om, maar deed ze voorzichtig dicht zodat zijn polsen niet werden afgesnoerd. Hij vroeg: 'Te strak zo?' Deze nonchalante vriendelijkheid was te erg. Dylan kon niet eens dank u wel zeggen en liep, schijnbaar koud en ondankbaar, naar de deur.

Net als eerder – het eerder tussen de nacht waarin de dingen waren gebeurd en de rechtszaak – werd Dylan naar vertrekken gebracht, en weer uit vertrekken gehaald. Mensen praatten over hem en om hem heen. Hij hield zichzelf stevig vast zodat hij niet uit elkaar zou knappen en hen pijn zou doen met zijn botsplinters. Ten slotte werd hij naar een grote bestelbus gebracht, met een ijzeren hekwerk erin en stoelen waaraan handboeien konden worden vastgemaakt.

Tijdens het eerste deel van de vier uur durende rit naar de gevangenis zat de gerechtsdienaar voorin bij de chauffeur. Uit hun gesprek kon Dylan opmaken dat de man een lift kreeg naar huis. Ze negeerden hem vrijwel helemaal, maar als ze iets tegen hem zeiden waren ze best aardig. Als hij hun woorden in zijn hoofd had kunnen rangschikken, zou hij iets hebben teruggezegd; maar dat kon hij niet en hij raakte zo in paniek door zijn pogingen dat hij bang was dat hij zou gaan overgeven. Dan zouden ze denken dat hij wagenziek was, als een klein kind.

Toen de gerechtsdienaar was uitgestapt, begon de chauffeur tegen Dylan te praten. 'Zo, dus jij bent die beruchte Butcher Boy.' Het klonk niet gemeen, de man probeerde gewoon een gesprek te beginnen, net zoals de mensen vroeger zeiden: 'Zo, dus jij bent de zoon van Frank Raines.' De gedachte dat hij nu niet langer de zoon van Frank Raines was, schoot heen en weer in zijn hoofd en hij beet op zijn tong om te voorkomen dat hij ging gillen en met zijn hoofd tegen de zijkant van de bus ging bonzen.

'Niet veel kinderen in de jeugdgevangenis. Niemand van elf eigenlijk. Wel een heleboel halfvolwassen mannen die zich gedragen als kinderen, als dat een troost voor je is. Elf!' Hij floot lang en laag. Hij zweeg even en Dylan keek naar buiten. Er lag sneeuw, dik en stil en blauw in het maanlicht. Bomen doorsneden de akkers als verrotte tanden. Elke paar kilometer een huis waar licht brandde.

Hier geen jongens met een bijl. Slaap lekker, dacht Dylan. De waanzin knaagde aan hem. Hij dwong zijn geest een film af te draaien waar hij geestelijk gezond van kon blijven. Hij koos *The Fugitive*, een film waarin de bus over het ijs gleed en hij eruit kon klimmen. Hij zou het overleven en vond de man met één arm, maar in plaats daarvan lag de fantasie-Dylan die uit de bus was ontsnapt in de sneeuw en bevroor.

Nadat de chauffeur allerlei radiozenders had uitgeprobeerd en er uiteindelijk mee was opgehouden, begon hij weer te praten. Hij vertelde Dylan dat de jeugdgevangenis niet echt in Drummond stond, maar op de prairie zo'n twintig kilometer van de stad af. Dat het gebouw vanbuiten op een oud stadhuis leek, maar dat het voor inslechte kinderen was. 'Die gevangenis is in 1929 gebouwd,' zei hij. Hij leek wel een reisleider. 'Dat was voor de crash, maar ja, een snotneus als jij weet daar niets van. Toen ze hem bouwden, vond iedereen hem heel modern, maar dat zal zo'n modern stadsjoch als jij wel niet vinden. De architect... Weet je wat een architect is?'

Dylan antwoordde niet. Misschien had hij de woorden wel bij elkaar kunnen krijgen, maar dat wilde hij niet. De chauffeur werd gemeen. *Hij had zeker allang op bed moeten liggen,* dacht Dylan met de stem van zijn moeder.

'De architect was een Engelsman. Hij was dol op al het graniet hier en bouwde dat ding met allemaal bogen en torens die goed bij een huis in het oude Engeland hadden gepast.' De chauffeur vertelde Dylan dat de bewakers goede kerels waren, maar dat het ondankbaar werk was, en dat hij het niet wilde doen, voor geen goud! 'De meesten zijn oké, maar niet allemaal.' Toen, alsof hij zich schaamde dat hij zo aardig deed, zei hij: 'Je kunt maar beter niet proberen geintjes uit te halen. Daar houden die mannen niet van. Dan zetten ze je een maandlang in een doos niet groter dan een grafkist, en krijg je alleen water en brood.

'Ik weet niet waar ze je gaan plaatsen,' zei de chauffeur. 'Zo'n klein mager ventje als jij bij een stelletje van die grote kerels, dan...' Hij zweeg opeens, zoals Dylans ouders altijd deden als ze 'kleine potjes hebben grote oren' dachten.

Dylan verdween door de achterruit in de sneeuw waar de kou zijn hart kon verdoven en zijn hoofd kon afkoelen.

Toen de chauffeur weer begon te praten, was zijn stem veranderd, zoals gebeurt als mensen tegen zichzelf praten in plaats van tegen iemand anders. 'Lieve help. Wat is er gebeurd dat je zoiets deed? Een bijl nota bene! Ik kan me niet voorstellen wat er in je is omgegaan.'

Hij is bang voor me, realiseerde Dylan zich. Een volwassene, bang voor een kind. Ze waren allemaal bang voor hem. Daarom scholden ze hem uit. En hem niet alleen. Door hem waren ze bang voor alle kinderen. Dylan wilde hem vertellen dat hij niet bang hoefde te zijn, maar hij wist niet hoe hij dat moest doen zonder 'brutaal' te klinken. Zijn moeders woord.

'Ik heb gehoord dat rock-'n-roll invloed heeft op jongelui,' zei de chauffeur. 'Die gestoorde muziek uit Engeland over drugs en zo. Maar er is veel meer voor nodig om de meeste kinderen zover over een grens te trekken.'

Deze keer schudde Dylan expres alle woorden door elkaar. Hij wilde niet nadenken over wat de chauffeur allemaal zei. Hij wilde nergens over nadenken.

Ze arriveerden laat in de avond. Het sneeuwde hard, kleine vlokjes zonder substantie maar wel snijdend. De bus reed door grote hekken met vlak daarachter een hokje. De chauffeur stopte en draaide het raampje naar beneden. Dylan hoorde stemmen, mensen praatten over wat ze met hem zouden doen. Nog een korte rit over een met bomen omzoomde weg, de takken kaal en onregelmatig in het licht van de schijnwerpers. De bus stopte voor een stenen gebouw dat op een middeleeuws kasteel leek. De voordeuren hadden glazen ramen en dat vond Dylan gek; in films hadden gevangenissen nooit glas, alleen maar tralies. Twee mannen in een donkergroen uniform – bewakers, dacht hij – kwamen door die deuren naar buiten en haalden hem uit de bus. De bewakers hadden geen pistolen, maar er hingen knuppels en handboeien aan hun riem.

Hij wachtte heel lang in een vertrek met plastic stoelen en groene wanden. De bewakers bleven bij hem. Ten slotte werd Dylan naar een vertrek gebracht waar alleen een spiegel van golvend metaal aan de muur hing. De enige stoel was aan de vloer vastgeschroefd en er zat een zwaar metalen hekwerk voor het raam. In de deur naar de gang zat een minuscuul bol glaasje, zodat mensen als ze dat wilden naar hem konden kijken. Hij had al vele gezichten zien komen en gaan.

Een dierentuin, dacht hij. *En ik ben het wilde beest.*

Even later kwam er een dame binnen, van een jaar of veertig, ouder dan zijn moeder. Hij dacht dat ze een dokter was, door de manier waarop ze liep en glimlachte, alsof ze zo veel macht had dat iedereen deed wat ze zei zodat ze zich gewoon kon ontspannen en ervan genieten.

Dylan zat op een van de twee ziekenhuisbedden met witte lakens en metalen wielen, met zijn rug tegen de muur en zijn benen over de rand in het smalle gangetje tussen de bedden.

Hij zou zijn opgestaan toen ze binnenkwam, zodat ze niet zou denken dat hij niet goed was opgevoed, maar zijn handboeien waren aan het bed vastgemaakt.

De dokter ging op het andere bed zitten. Ze sloeg haar benen over elkaar en trok afwezig haar broekspijpen recht. De meeste vrouwen droegen geen broek, niet naar hun werk in elk geval. Misschien waren vrouwelijke dokters anders.

Ze had korte nagels, als een man. Ze leken sterk. Ze leek helemaal sterk: ze had staalgrijs haar en een bril met een ijzeren montuur, een hoekig gezicht en een gedrongen lichaam. Ze was niet lelijk, alleen stevig.

'Ik ben dokter Olson,' zei ze. 'Ik werk twee dagen per week met de jongens. Ik ben ervan overtuigd dat je je bewust bent van de problemen die het met zich meebrengt om een plaats te vinden voor een jongen van jouw leeftijd. De meeste van onze jeugdige delinquenten zijn veertien of vijftien. Sommigen zijn ouder... O god.'

Toen ze 'god' zei, zette ze haar bril af, drukte een duim tegen haar ene slaap en haar vingers tegen de andere en keek in haar hand alsof God daar kon zijn en ze het licht wilde buitensluiten zodat ze Hem beter kon zien.

Na deze gedachtewisseling zei ze: 'Ik ben een van de oproeppsychiaters. De andere, de arts met wie je waarschijnlijk zult werken, is dokter Kowalski. Voorlopig word je hier ondergebracht. Als je daar klaar voor bent, zullen we je bij de andere jongens plaatsen. Wil je me nog iets vragen?'

Dylan wilde antwoorden, nee zeggen of uit beleefdheid iets vragen, maar deed het niet.

Ze wachtte even en zei toen: 'Oké, welterusten dan. Er komt zo een ziekenbroeder om je handboeien af te doen. Hij brengt je ook een pyjama en zo. De keuken is dicht, maar voor het geval je honger hebt, heb ik geregeld dat je nog iets te eten krijgt.' Weer wachtte ze. Dylan zocht lettergrepen, wilde iets zeggen omdat zij wilde dat hij iets zei, maar het was alsof hij was vergeten hoe hij moest praten, hoe hij een gedachte moest vangen en moest omzetten in een geluid.

Dokter Olson stond op en vertrok. Een klikgeluidje volgde: het slot van de deur viel op zijn plek.

Dylan was thuis.

5

Dylan bleef drie dagen in het vertrek met het kijkgaatje. Niemand had het hem verteld, maar hij dacht dat hij in de ziekenzaal van Drummond was. Heel vaak lieten ze het klepje voor het kijkgaatje open en kon hij naar buiten kijken. Hij zag een bureau met een verpleegkundige erachter en twee keer zag hij dat een bewaker een jongen bracht, voor verband of aspirine of zo. Zover hij kon zien was er geen plek voor zieke mensen behalve het vertrek waar hij was. En omdat hij niet ziek was wist hij niet waarom ze hem daar hielden. Omdat het hem niet echt kon schelen, vroeg hij het ook niet.

Een bewaker nam zijn kleren mee. Dat vond hij vervelend. Het voelde raar om met de dekens over zijn benen te zitten, alsof hij ziek was en moest overgeven. Hij was bang dat het zo zou blijven. Hij was bang dat de mensen als hij moest plassen naar binnen zouden kijken en hem in zijn onderbroek zouden zien rondlopen. Maar een uur later ongeveer bracht de bewaker hem een broek en overhemd van blauwe spijkerstof. Ze waren te groot, maar niet zo groot als de onderbroek van effen wit katoen met pijpen die tot z'n knieën kwamen. De opening in de voorkant die hij werd geacht te gebruiken was zo laag dat het eenvoudiger was er overheen te plassen. Hij kreeg ook een paar stijve leren schoenen, die werden gebracht door een 'ziekenbroeder'.

Zelfs in de vrijwillige afzondering van zijn geest wist Dylan dat de man geen echte ziekenbroeder was, zoals in *Dr. Kildare*. Ten eerste omdat hij een jaar of veertien, vijftien was en kinderen in gewone ziekenhuizen geen ziekenbroeder werden. Ten tweede omdat hij fluisterde: 'Hé, bloedbroeder' en 'Hoe is ie, houthakker?' en soms, als er niemand in de buurt was, hakbewegingen maakte. Dat was de beste aanwijzing. Hij had ook een tattoo op zijn arm. Een stomme, alleen maar cijfers, die eruitzag alsof een spast hem had gemaakt, met een balpen of zo. Dylan dacht dat hij iemand was die ze in oude films een 'vertrouweling' noemden, een medegevangene die bepaalde privileges heeft verdiend.

Dylan wist dat die opmerkingen hem zouden moeten dwarszitten, maar tegen de tijd dat ze door de dikke laag mist waren gedrongen waarin hij zichzelf had verstopt, waren ze alle macht al kwijt die ze misschien hadden gehad toen ze nog warm waren. De vertrouweling vertelde Dylan dat hij Draco heette, maar dat het personeel hem James noemde. Dylan noemde hem niets. Vóór Drummond zou hij graag met Draco hebben gepraat. Niet dat zijn moeder het zou hebben goedgevonden dat ze vrienden werden. Draco was wat zijn ouders 'slecht gezelschap' noemden.

Draco bleef hakbewegingen maken en dingen zeggen. Dylan keek nogal ongeïnteresseerd toe. Zelfs toen Draco hem een keer klem zette en een andere keer een plastic vork tegen zijn keel drukte, kon Dylan niet genoeg energie opbrengen om iets te zeggen.

Twee dagen en zes maaltijden later, toen dokter Olson kwam en hem vroeg hoe het met hem ging, hoorde hij zichzelf antwoorden. Dylan was even verbaasd als zij.

'Goed,' zei hij en hij schoot in de lach omdat er in zijn wereld in feite geen 'goed' meer bestond. Dokter Olson keek bezorgd, zei nog een paar dingen en vertrok.

Toen Draco die avond zijn dienblad met avondeten kwam brengen en het vlabakje pakte om zoals altijd Dylans toetje op te eten, zijn lippen aflikte en zei hoe lekker het was en hoe jammer dat Dylan niets kreeg, zei Dylan: 'Niet doen.'

De stem die uit zijn mond kwam was niet zijn oude stem, de jongensstem; deze stem was vlak en toonloos en koud, als een mes dat in de winter buiten heeft gelegen. Draco piepte als een dikke vette muis en maakte een sprongetje. Het was grappig, maar Dylan lachte niet. Om de een of andere reden lachte hij tegenwoordig alleen maar om trieste dingen.

Toen deed Draco zijn handen omhoog alsof hij een crimineel was en Dylan Marshall Dillon uit de serie *Gunsmoke*. 'Hé man, geen probleem,' zei hij. 'Ik was gewoon aan het dollen. Even goede vrienden.' Hij liep achteruit het vertrek uit zonder Dylan uit het oog te verliezen. Dylan was bijna in de spiegel gaan kijken om te zien of hij nu zichtbaar was veranderd in Butcher Boy, maar hij had er niet echt zin in.

Toen dokter Olson terugkwam zei ze: 'James zegt dat je meer belangstelling toont dan eerst. Dat is een goed teken. Dat betekent dat je sterker wordt.' Ze glimlachte en frunnikte aan een van haar oorbellen. Ze droeg dezelfde als Dylans moeder altijd droeg, met een strak klemmetje waar ze een rood oorlelletje van kreeg. 'In een perfecte wereld zou je naar een ziekenhuis gaan, naar een plek waar ze beter voor je kunnen zorgen.'

Dylan begreep wel wat ze bedoelde. Een gekkenhuis. Hij was nog nooit in zoiets geweest, had ze alleen gezien in films en op de tv. De gedachte dat hij samen met gestoorde mensen zou worden opgesloten, sleurde hem uit zijn onverschilligheid. 'Ik wil hier blijven,' zei hij.

Ze knipperde achter haar brillenglazen en hij herinnerde zich dat het niet meer belangrijk was wat hij wilde. 'Ik ben een gevaar voor anderen,' citeerde hij de rechter. 'Je moet me in de gevangenis houden.'

'Helaas komt je wens uit,' zei de psychiater. 'Het systeem heeft kennelijk geen plek voor je en daarom blijf je voorlopig hier. Ik ben bang dat we je niet langer hier in de ziekenboeg kunnen houden. We hebben hier 173 jongens en alleen deze bedden. Je wordt overgeplaatst naar de psychiatrische afdeling en als alles goed gaat daarna naar Blok C bij de andere jongens.'

Dylan viel haar in de rede. 'U bent bang dat ik ze in stukken hak en ze door de wc spoel.'

'Nee hoor,' zei ze snel, maar ze loog. Dat dacht ze dus wel. Dat dacht iedereen. 'De meeste jongens zijn hier... om een andere reden en we willen beter voor je kunnen zorgen.'

'Hoe dan?'

Dokter Olson zuchtte. Ze was moe, misschien was ze moe van monsterlijke jongens of misschien alleen omdat ze ook nog ergens anders werkte. 'We hebben het vaak over jouw zaak gehad,' zei ze.

'Pluralis majestatis?' vroeg Dylan omdat zijn moeder dat altijd voor de grap zei. En ook al had hij nooit precies geweten wat ze ermee bedoelde, ze had het altijd op zo'n manier gezegd dat hij wel begreep dat het grappig bedoeld was. Maar met zijn nieuwe stem klonk het helemaal niet grappig.

'Ja, zoiets,' zei ze. 'De zorg waar ik het over heb, is niet de zorg voor je lichaam maar de zorg voor je geest. Ik heb je dossier gelezen en ik geloof dat je je echt niet kunt herinneren wat er is gebeurd, alleen maar dát het is gebeurd.' Ze zweeg en keek naar hem met een hongerige-hondenblik alsof ze verwachtte dat hij haar een bot zou toewerpen. Dylan had geen botten.

'Je moet het zeggen als ik er helemaal naast zit,' zei ze, en ze glimlachte weer.

Dylan vond haar aardig omdat ze tegen hem praatte alsof hij een mens was. 'Nee, u zit er niet naast,' zei hij ernstig. 'Ik weet wat er is gebeurd. Mack de Reus heeft het me laten zien.'

Dokter Olsons gezicht veranderde in een ouder masker; door wat hij zei dacht ze dat hij in het gekkenhuis thuishoorde. Hij kon geen woorden vinden om haar te vertellen dat hij niet fantaseerde, maar dat Mack de Reus een heel grote agent was die Mack heette.

Ze zette haar bril af en zwaaide ermee zoals zijn vader altijd deed als hij van buiten kwam en de glazen besloegen. 'Mack de Reus heeft je dat laten zien,' zei ze aarzelend.

Even flitste er een herinnering door hem heen: bloed op het vloerkleed, bloedspatten op de muren, het asgrauwe gezicht van Rich die hem zo hard sloeg dat hij vooroverklapte. Het was voorbij. Hij ging rechtop staan.

'Gaat het wel goed met je? Wil je een glas water?'

'Het gaat goed met me,' zei hij, en hij onderdrukte de neiging om te lachen bij het woord 'goed'. Hij was een monster, maar hij was geen gék monster. Dat moest ze begrijpen.

'Ik denk, en dokter Kowalski, de andere psychiater is het met me eens, dat je niet kunt genezen voordat je bij die herinneringen kunt komen. Je moet die nacht, hoe verschrikkelijk die ook was, verwerken. Anders zul je nooit een gezonde jongen worden.'

Een gezonde jongen. Misschien een echte jongen, zoals Pinokkio wilde zijn. Hij hoefde het zich alleen maar te herinneren. Dat was wat de advocaten, de politieagenten en de rechter hadden gewild. Dat hadden ze steeds maar weer gezegd, en ze waren woedend geworden en gemeen gaan doen toen hij dat niet kon.

Niet wílde herinneren, zeiden ze. Hij wílde het zich niet herinneren.

Als ze hem dwongen het zich te herinneren zou hij gek worden; hij zou een gek monster zijn, een gestoorde knettergekke Butcher Boy. Als hij gek was, zou hij misschien wel een bijl pakken en de benen van allerlei mensen eraf hakken. Toen hij naar de gevangenis was gestuurd, had hij gedacht dat er een einde was gekomen aan de vragen. Hij had willen bidden dat daar een einde aan kwam, maar dat zou godslastering zijn geweest.

Hij begon te huilen.

'Dat is een begin,' zei dokter Olson vriendelijk.

Het begin van dat waar hij doodsbang voor was.

6

Richard werd veertien in een privékamer in de Mayo Clinic. Alleen het allerbeste was goed genoeg voor Richard Raines. Minnesota kon niet genoeg doen voor haar gewonde kinderen, wezen en beroemdheden, en Richard was alle drie. De kamer was vol bloemen en ballonnen van totaal onbekenden, hun kleuren waren pijnlijk fel in het winterse zonlicht dat zo hard was als een diamant. Richard lag op de eerste verdieping en door zijn raam zag hij de ijsblauwe lucht, de kale boomtakken staken er als spinnenwebben tegen af, als scheurtjes in het heelal.

Richard regeerde als een door jicht geplaagde koning met drie kussens in zijn rug, zijn benen in verband en geïmmobiliseerd. Eerst had dat verdomde pijn gedaan, maar de medicijnen hadden daar iets aan gedaan.

Overal iets aan gedaan. Die gedachte dreef door een warme morfinenevel.

De brugklassers in Rochester dachten dat ze heel wat waren met een paar van hun broers gejatte joints en hij lag hier gewoon met een spuit morfine.

Rockstar. Dylan zou dit cool vinden.

Een zacht geluidje rukte zijn gedachten uit de morfinezomer. De rok van een gesteven roze-witte jurk stak tussen de deurpost en de halfgeopende deur als een tong tussen lippen. Richard liet zijn hoofd achterovervallen en sloot zijn ogen.

Tussen zijn halfgesloten oogleden door zag hij dat een vrouw met hertenogen zijn kamer binnen kwam. Dit snoepje was nieuw, het meisje was niet veel ouder dan hij. Ze was zo knap dat ze hem, als ze elkaar in de schoolkantine hadden ontmoet, niet eens zou hebben verteld hoe laat het was. Ze kwam stilletjes binnen om de koning niet te storen en controleerde de dekens die als een soort tent over zijn been hingen.

Langzaam opende hij zijn ogen. 'Kun je me wat water geven?' fluisterde hij.

Ze vulde de karaf met water, schonk een glas vol en hield het rietje aan zijn lippen. Ze rook verrukkelijk. De zijkant van haar hand streek zacht langs zijn wang toen ze heel lief een druppel van zijn kin veegde, en dichterbij kwam dan nodig was.

'Raak je je been kwijt?' vroeg ze verlegen.

'Misschien.' Haar blik versomberde; hij zag een donkerder schaduw in de bruine irissen.

Ze was oppervlakkiger dan hij had gedacht; een jongen met één been kon niet skiën, skateboarden of wat ze ook maar cool vond.

'Nee,' voegde hij er eerlijkheidshalve aan toe. 'Ik raak hem niet kwijt, maar straks loop ik misschien wel mank. De dokter zei dat ik een stuk van mijn bovenbeenspier kwijt ben, zo groot als een softbal.' Eigenlijk had de dokter tennisbal gezegd, maar tennis klonk zo sullig.

De blik op haar kindvrouwtjesgezicht verzachtte van medelijden. Dat was een toneelstukje. Al sinds hij klein was had hij op mensen gelet. Zijn moeder dacht dat hij helderziend was, maar je had heus geen buitenzintuiglijk waarnemingsvermogen nodig om de gedachten te lezen van 99% procent van de mensheid of om te kunnen voorspellen wat ze gingen doen of zeggen. Ze toonden hun gedachten aan iedereen die de moeite nam ze te lezen.

'Doet het pijn?' vroeg ze.

'Heel erg,' zei Richard en hij vertrok zijn gezicht toen hij terugdacht aan de snijdende pijn van het begin.

Op dit moment voelde hij zich geweldig. Echt geweldig.

Opeens besefte hij hoe intens hij genoot van de zoete dromerige slaperigheid van de morfine die in zijn arm druppelde. Daarom besloot hij dat hij de verpleegkundigen en de artsen zou vertellen dat hij minder pijn had. Als hij uit de Mayo Clinic kwam, zou het leven al moeilijk genoeg zijn zonder verslaving.

'Wil je dat ik eroverheen wrijf?' vroeg Snoepje met een kokette glimlach.

Die glimlach had ze waarschijnlijk ingestudeerd, maar Richard wist het niet zeker. Misschien was het een verlegen glimlach en niet nep. Hoe dan ook, hij had een afkeer van domheid. Wrijven? Zijn been was er bijna afgehakt!

'Dat is heel lief van je, maar ik moet rusten.' Hij sloot zijn ogen en voelde door de ziekenhuisdeken heen dat ze even op zijn voeten klopte voordat ze op haar tenen de kamer uit liep en met overdreven omzichtigheid de deur sloot.

Zodra hij de deur in het slot hoorde klikken, deed hij zijn ogen weer open. Zijn kamer leek wel een bloemenwinkel: bloemen, kaarten, knuffelberen, ballonnen. De uitbarsting van vriendelijkheid van de inwoners van Minnesota had zowel in geld als cadeaus plaatsgevonden. Een van de artsen had hem verteld dat er meer dan tweehonderdduizend dollar naar het ziekenhuis was gestuurd voor Richard Raines. De dokter vertelde dit belangrijke feit nonchalant, alsof Richard een kind was dat niet wist wat je moest doen met meer dan een beetje zakgeld.

Zelfs als hij aan dat geld kon komen, zouden ze iemand van veertien onder geen voorwaarde op zichzelf laten wonen, zelfs al had hij een huis. Hun huis was van zijn grootouders geweest en was inmiddels waarschijnlijk helemaal afbetaald, of bijna helemaal. Dat zou niets uitmaken; tot zijn achttiende zou hij een voogd hebben. Maatschappelijk werkers hadden gefluisterde gesprekken over waar ze hem moesten laten, alsof hij een handdoek was die ze konden opvouwen en op een plank neerleggen. Hun gefluister was ongeveer even subtiel als de stem van een toneelspeler die ook op de achterste rij te horen moest zijn.

Niemand nam de moeite hem te betrekken bij deze op zachte toon gevoerde gesprekken.

Een weeshuis was geopperd, maar pleegouders hadden op dit moment de voorkeur. Mensen noemden allerlei argumenten waarom ze pleegouder wilden zijn, maar ze deden het voor het geld; meer kinderen betekende meer geld. En kinderen werden steeds herplaatst. Op de radio had hij gehoord dat pleegkinderen vaak een koffer voor hun verjaardag kregen omdat ze zo vaak verhuisden.

Vondra's ouders, de Werners, waren een mogelijkheid. Vondra zou proberen te helpen, maar meneer Werner mocht hem niet. Niet dat hij dat had gezegd, maar Richard had het aan zijn blik gezien. Dat hij midden in de nacht bij hun dochter was geweest terwijl haar ouders weg waren, had het er ook niet beter op gemaakt.

Richard herinnerde zich een verpleegkundige op de Eerste Hulp. Hij herinnerde zich alles van die nacht met een surrealistische levendigheid. Weken later leek het nog altijd recenter dan het heden. Hij had haar aardig gevonden. Ze was slim en rustig en zacht. Ze heette Lackey, Sara-zonder-h Lackey. Zuster Lackey was in de veertig en zorgde niet goed voor zichzelf: ze was te mager, haar haar was een puinhoop en haar nagels waren zo afgekloven dat de nagelkussentjes boontjes leken.

Depressief, dacht hij.

De volgende keer dat een verpleegkundige binnenkwam, een stevige vrouw met een eerlijk gezicht en sterke handen, zei hij: 'Er was een zuster die heel lief voor me was die... die nacht. Ene Sara nog wat. Ik wil haar graag bedanken.'

Zuster Stevig keek goedkeurend naar hem en begon het verband om zijn dij te verschonen. 'O ja, dat is een triest verhaal,' zei ze.

Toen de verpleegkundige klaar was met het verband en haar verhaal, vroeg Richard of zij dacht dat Sara hem een keer zou komen opzoeken. 'Ik hield van haar stem.' Toen hij dat zei, herinnerde hij zich hoe goed het had gevoeld die warmte te voelen, hoe goed het had gevoeld het middelpunt van haar aandacht te zijn toen de wereld zo'n zootje was.

7

Bijna drie weken gebeurde er niet veel, behalve dat Dylan van de ziekenboeg naar de psychiatrische afdeling werd verplaatst. Het was niet zoals hij had verwacht – mensen die dachten dat ze Napoleon waren en 's nachts rondslopen om elkaar te wurgen – maar het was wel erg. Er waren drie andere kinderen, en eentje schreeuwde de hele tijd omdat hij spinnen zag. Na een halve dag was Dylan zelf ook op zoek naar spinnen. Een paar keer voelde hij ze over zich heen lopen, maar dat liet hij niet merken. Hij wilde niet voor eeuwig op psychiatrie blijven.

Niet dat hij iets beters verdiende; hij was niet zo stom dat hij daarom bad of deed alsof hij er recht op had daar weg te komen. Toch wilde hij zijn leven niet tussen de mafkezen doorbrengen. Een ander kind was een ontzettend grote mongool, zo groot als een man. Verder was er niets mis met hem, voor zover Dylan kon zien. Hij was achterlijk, maar verder heel aardig zolang je niet aan zijn spullen kwam. De derde jongen zat maar te zitten en aan zijn wenkbrauwen en wimpers te plukken, of waar ze hadden gezeten. Hij had grote konijnenogen en knipperde nerveus. Eerst dacht Dylan dat de jongen naar hem keek, maar Carl keek naar niemand, hij keek alleen maar.

Dylan keek ook heel veel. Uit het raam vooral. Psychiatrie was op de tweede verdieping aan de achterkant van het gebouw. Buiten zag hij alleen besneeuwde akkers, helemaal tot aan de sneeuwwitte lucht. Dylan begroef zichzelf in de sneeuw en liet zich zo veel mogelijk verdoven.

Na een tijdje besloot dokter Olson dat hij naar school kon, samen met de psychisch gezonde kinderen en ook met hen in de eetzaal kon eten. Omdat hij zich niet gelukkig of goed mocht voelen, voelde hij zich schuldig omdat hij blij was uit het gekkenhuis te zijn. Er was niet genoeg sneeuw in Minnesota om zijn verveling te verdoven. Hij verveelde zich zo stierlijk dat hij zelfs blij was dat hij naar de school voor gevangenen mocht. Zijn avonden bracht hij echter nog steeds tussen de gekken door en daar moest hij zich douchen en naar het toilet.

Omdat hij gestoord was – Dylan nam tenminste aan dat hij dat was en het zou niet erg zijn geweest als hij helemaal gestoord was of zo gek als een luis, erg besmettelijk dus, want hij woonde immers in een luizennest – werd hij geplaagd door de niet-gekke jongens. Ze sloegen hem niet verrot – niet zoals hij indertijd had gewild dat Rich deed – maar ze waren hem altijd aan het prikken en knijpen en duwen. Ze sloegen hem zodat hij in de eetzaal zijn dienblad met eten liet vallen en ze duwden hem zodat hij viel.

Dat was nog altijd beter dan samen met die gekken nietsdoen. Alleen worden gelaten met slechts zijn hersenen om mee te spelen, was te eng. Dan dacht hij aan die andere kinderen en aan wat zij hadden gedaan, en dan dacht hij aan zichzelf en aan wat hij had gedaan, en dan dacht hij dat zij menselijk waren en hij niet, dat hij dat andere ding was, een monsterding, en dan wist hij dat hij als hij zo doorging binnen de kortste keren ook tekeer zou gaan over onzichtbare spinnen.

Eerst was Draco het ergst, maar na een tijdje had hij er genoeg van en besloot hij Dylans vriend te zijn. 'Denk maar niet dat ik je mag,' waarschuwde hij. 'Maar man, je lijkt Wyatt Earp wel, of Doc Holiday, Jesse James. Die zielige klootzakken denken dat ze cool zijn als ze je doodschieten. Het is leuker om hen te zieken dan jou. Jij bent dus die grote Butcher Boy, hè? Nou en? Wedden dat je ze in hun slaap hebt vermoord? Of dat iemand anders dat gedaan heeft en dat jij ervoor opdraait? Het kan echt niet dat zo'n rotjochie als jij veertig houwen uitdeelt met een bijl! Wist je dat, van die veertig houwen? Lizzy hoe-heet-ze die haar ouwelui in mootjes hakte? Hier hebben veel ergere kinderen dan jij gezeten. Ik bijvoorbeeld.'

Draco ging maar door, alsof ze allemaal grote criminelen waren.

Op Dylan na was niemand dat. De andere jongens waren hier vanwege autodiefstal, te vaak van huis weglopen of winkeldiefstal. Eén kind had een ander kind doodgestoken en een paar oudere jongens hadden gewapende roofovervallen gepleegd.

Draco was er omdat hij marihuana had verkocht en toen ze hem wilden arresteren een politiewagen had gestolen. Dat zei hij tenminste. Dylan dacht dat dat van die politiewagen alleen maar iets was wat hij hád willen doen.

Maar sinds hij met Draco optrok, begon alles beter te gaan.

School was ook leuk. Dylan vond school nu prettig. Hij keek ernaar uit, maar deed net alsof het niet zo was omdat die maffe luizenbakken hem al genoeg ellende bezorgden. Als hij nu ook nog eens het lievelingetje van de docent werd, zouden ze hem echt verrot slaan, Draco of geen Draco.

Engels en geschiedenis vond Dylan maar niks; dat kon je verdraaien en daar hield hij niet van. Alles wat er was gebeurd was ook verdraaid en daarom zat hij nu in de psychiatrische afdeling van een gevangenis en hij kon zich niet eens herinneren dat hij iets fout had gedaan. Dat betekende dat hij niet wist wanneer hij het weer zou doen. Daarom wilden ze hem niet in Blok C laten slapen. Niemand wist wanneer hij andere mensen weer met een bijl te lijf zou gaan. Drummond sliep beter als Dylan 's nachts opgesloten was.

Wat hij echt leuk vond was wiskunde. Vroeger had hij daar de pest aan gehad. Nu hield hij van de orde ervan, dat het altijd hetzelfde was. Niemand kon wiskunde verdraaien. Een getal bleef hetzelfde en als het bij een ander getal werd opgeteld was de uitkomst werkelijk altijd gelijk.

Phil was de wiskundeleraar – hij zei dat de jongens hem Phil moesten noemen, niet meneer Maris – en hij was gedeeltelijk de reden dat Dylan wiskunde zo leuk vond. Ten eerste was Phil jong. Op de gevangenen na was iedereen oud op Drummond, oud en beschimmeld zoals de muren. Draco zei dat Drummond een olifantenkerkhof was, waar oude gevangenbewaarders naartoe kwamen om te sterven. De meesten vonden het net zo erg om daar te zijn als de jongens die ze bewaakten.

Phil was niet ouder dan drie- of vierentwintig. Hij had lang haar. Het was lichtbruin en krulde op zijn kraag en over zijn oren. Draco noemde hem een hippie en lachte Dylan uit omdat die niet wist wat dat was.

Wiskunde en Phil gaven Dylan een plek om naartoe te gaan buiten zijn schedel. Dylans moeder zou dat een zegen hebben genoemd. Hij dacht dat monsters misschien werden gezegend door de een of andere monstergod.

Dat was niet zo.

Om halfelf 's ochtends, een paar maanden nadat hij in Drummond was gekomen, werd Dylan uit de klas gehaald door een van de bewakers, een oude man die bang was voor de oudere jongens en dat op de jongere jongens afreageerde.

Om tien uur begon de wiskundeles. Dylan had er de pest over in dat hij uit de les werd gehaald. Daarom liep hij minder snel en gedroeg hij zich minder gewillig dan anders als de bewakers hem opdracht gaven iets te doen. Die ouwe zette hem dat betaald door hem door de gang te jagen met een bittere monoloog: 'Je denkt echt dat je heel wat bent is het niet zo kleine psychopaat? Als je mijn kind was zou je verdomme nooit het lef hebben gehad een bijl te pakken want dan had ik je wel mores geleerd en denk maar niet dat ik dat nu niet doe als je je iets in je hoofd haalt...'

Dylan luisterde niet. Geen van de jongens luisterde. Toch hing het chagrijn van de man in de lucht. Drummond rook oud en koud. Onder de doordringende geur van het benzeen dat de schoonmakers gebruikten, hing de stank van ranzig vet, zweet, zuurkool, scheten en angst. Het ergste was dat het totaal anders rook dan thuis, totaal anders dan ieders thuis. Eerst had die geur Dylan eenzaam en bang gemaakt. Nu vond hij het prima. Hij vond Drummond prima. Waar zou een jongen als hij anders moeten zijn?

Op de eerste verdieping, boven de klaslokalen en onder de slaapzalen van de jongens van Blok C, was een grote hal verdeeld in heel veel kleine kamertjes met dunne deuren die op een smalle gang uitkwamen. De rattendoolhof, noemden de jongens van Blok C dit. De wanden liepen niet helemaal door tot aan het balkenplafond.

De bewaker zei dat Dylan voor de derde deur moest blijven staan. Daarna duwde hij hem met zijn schouder opzij alsof hij van plan kon zijn naar binnen te rennen en iedereen die binnen was te vermoorden. De bewaker deed net alsof hij de wereld van groot onheil had gered, en klopte op het hout. Dylan moest wel naar de gummiknuppel aan de riem van de bewaker kijken; die prikte zo ongeveer in zijn gezicht. Misschien wilde de bewaker wel dat Dylan hem probeerde te pakken zodat hij hem ermee kon slaan of met peperspray kon bespuiten en zo de held uithangen.

Maar misschien was hij gewoon een stomme ouwe man.

Ooit zou het zijn dood betekenen.

'Binnen,' zei een stem. Niet 'kom binnen' of 'een minuutje nog', maar 'binnen'. Alsof hij een koning was en zij zijn onderdanen.

De bewaker duwde de deur open en zei: 'Hier heb ik uw mafkees, dok.' Hij stapte opzij en Dylan liep langs hem heen het kantoortje binnen. Drie van de muren waren van wit geverfd multiplex. Op een ervan hing een onduidelijke afbeelding van een mistig landschap, zonder glas in de lijst. Dylan wist dat hij aan de muur was geschroefd; een aantal net zulke sombere schilderijen waren overal in Drummond aan de muren geschroefd. Ze zeiden dat de vrouw van een van de bewakers ze had gemaakt en dat hij ze had opgehangen. Misschien dachten ze dat het hier dan minder leek op wat het was.

De andere muur was van graniet, zoals in een kasteel uit een film. Tegen een van de multiplex wanden stond een bank; geen mooie leren bank, maar een vale stoffen bank die ooit turkoois was geweest. Er stond een draaistoel naast met een rond tafeltje op de arm gemonteerd. Door het ene diepliggende raam viel een beetje licht naar binnen van de korte winterdag.

Een man van middelbare leeftijd, slank en fit, met zorgvuldig gekamd haar en lange dunne vingers zat in de enige stoel. Hij had een korte baard en zandkleurig grijzend haar. Zijn baard was rood en leek van iemand anders.

'Ik ben dokter Kowalski,' zei hij, en hij wees naar de bank.

Gaan liggen zou te gek zijn. Dylan ging in de hoek van de bank zitten. De dokter keek hem lang aan, zo lang dat Dylan zich moest dwingen stil te blijven zitten.

'Jij bent dus de Butcher Boy,' zei de dokter ten slotte.

Butcher Boy.

Dylan had dat eerder gehoord, maar om de een of andere reden zorgde het woord er nu voor dat zijn brein naar voren en naar achteren gleed. De tijd vervormde. Heel even was hij weer in de rechtszaal, in zwart en wit en chaos. De elf jaar buiten leken nooit te zijn gebeurd en de maanden in de jeugdgevangenis voelden als zijn hele leven. Het leven ervoor stormde naar binnen en trok zich terug, en dat maakte hem in de war.

De dokter wilde hem van de wijs brengen, dat dacht hij in elk geval. Als dit geen truc was om hem een bepaalde reactie te ontlokken, was dokter Kowalski 'een valse klootzak' zoals Draco zou zeggen. Iemand die Dylans hersenen eruit wilden trekken om ze onder een felle lamp te kunnen bekijken. Hij werd doodsbang en probeerde dat niet te laten merken.

Rich zou niemand ooit laten zien dat hij bang was.

'Ja meneer,' zei Dylan. De man keek hem aan. De randen van de nepkamer begonnen te wankelen, net zoals tijdens de rechtszaak. 'Butcher Boy,' zei Dylan voor het geval de dokter wachtte tot hij dat zou toegeven. Als de man niet snel iets zei, was Dylan bang dat hij hem niet zou begrijpen, dat zijn hersenen hem een loer zouden draaien zoals bij die advocaten. Zijn overlevingsinstinct zei hem dat dokter Kowalski daar niet zo goed op zou reageren.

'En je herinnert je niets? Klopt dat?' vroeg de dokter.

'Nee meneer. Ik bedoel, ja meneer. Ik herinner het me niet.' Hij herinnerde zich een paar stukjes, maar wist dat dit niet de stukjes waren waar Kowalski zich druk over maakte. Bovendien dacht hij dat de dokter niet echt wilde dat hij antwoord gaf; hij klonk alsof hij alle antwoorden al had en wachtte tot hij ze kon spuien.

'Ik ben hier om je te helpen je die nacht weer te herinneren. Ik heb eerder met jongens zoals jij gewerkt, ook met mannen. Ik heb een boek geschreven over een zaak van een vrouw die had verdrongen dat ze haar dochtertje had verdronken. Kwam niet op de bestsellerslijst van de *New York Times*, maar is goed genoeg verkocht.' Dokter Kowalski glimlachte en wachtte.

Dylan had geen idee wat de *New York Times*-lijst was en of het goed of slecht was dat het boek er niet op kwam. Daarom keek hij maar naar het sombere olieverfschilderij boven de stoel van de dokter, gewoon om ergens naar te kijken.

'Geloof je dat?' vroeg de dokter.

Dylan wist niet of hij vroeg of hij geloofde dat hij er was om hem te helpen of dat zijn boek goed genoeg verkocht was. De verwarring groeide als een bramenstruik in een sprookje.

Tik, en tik, en tik, de dokter liet meer stilte wegtikken. Dylan wist dat hij iets moest zeggen, zich iets moest herinneren, maar omdat hij dat niet kon ging hij zo ver mogelijk het sombere schilderij in. Het schilderij was niet bijzonder goed ingedeeld, zodat het bij de bomen aan de linkerkant zijn hoofd binnen gleed. De vrouw van de bewaker was geen goede kunstenares, besloot hij.

'Vertel me maar eens over je dromen,' zei de psychiater. Hij sloeg zijn benen over elkaar als een meisje en leunde achterover in zijn stoel.

Dylan kwam met een ruk uit het schilderij. De ogen achter de bril met het schildpadmontuur boorden zich in hem.

'Moet ik gaan liggen of zo?' vroeg Dylan. De bank leek schoon, maar rook klam en naar carbol.

'Wil je gaan liggen?' Door de manier waarop de man die vraag stelde leek die belangrijk.

Dylan wist niet wat de bedoeling was, of hij wel of niet hoorde te willen liggen, en of de dokter zou denken dat hij mensen zou gaan vermoorden als hij het verkeerde deed, en hij deed dus niets.

Dokter Kowalski zuchtte.

Niets was duidelijk niet het juiste om te doen, begreep Dylan toen, maar het was al te laat om daar nog iets aan te veranderen.

'Vertel me eens over je dromen,' herhaalde de dokter.

Normaal droomde Dylan heel veel en heel levendig, maar toen hij in zijn geheugen groef kon hij zich geen enkele droom herinneren. Misschien kwam dat door de medicijnen die ze hem 's avonds gaven, maar volgens hem kwam het doordat de dokter zo raar deed dat hij bijna niet kon denken.

Kowalski knikte wijs. 'Je bent bang om te dromen,' zei hij. 'Je onderbewustzijn is bang om jou die slachtpartij opnieuw te laten beleven.' Hij noteerde iets op een klein schrijfblok.

Dylan knipperde. Een droom maakte zich los van zijn hersenen. Hij had gedroomd. Een levendige droom. 'Ik herinner het me,' zei hij opgewonden.

De dokter boog zich naar hem toe, met een intense blik.

'Ik was buiten,' zei Dylan. 'Ik en Rich speelden een spel of zo en mama stond bij de achterdeur en riep dat we binnen moesten komen. Toen we binnen waren, zette ze het avondeten op tafel en een hond zat als een mens aan tafel in een stoel en we lachten.'

Dokter Kowalski wachtte, perste zijn lippen op elkaar zodat zijn snorharen wijd uitstaken en leunde weer terug.

'Dat was het,' zei Dylan. 'Dat is het enige wat ik me kan herinneren.'

De dokter geloofde hem niet; hij dacht dat Dylan de droom had verzonnen om te bewijzen dat zijn onbewuste geest of zo de dingen die gebeurd waren niet verstopte.

'Moet ik nu gaan liggen?' vroeg Dylan wanhopig. Dokter Olson had laten doorschemeren dat hij de psychiatrische afdeling misschien binnenkort mocht verlaten en dat hij nog één goed iets moest doen voor de psychiaters hem door het konijnenhol zouden duwen en zijn hoofd hield ermee op.

'Wil je dat?' vroeg de dokter afkeurend. Hij vroeg het alleen maar; het betekende nu niets.

De psychiater stelde hem nog een tijdje vragen. Niet de vragen die je hoorde te stellen. Hij wilde weten hoe vaak Dylan elke dag poepte en of hij zijn drollen lekker vond ruiken en of hij ze aanraakte. Toen het uur voorbij was, dacht Dylan dat hij eigenlijk blij mocht zijn dat hij terugging naar de psychiatrie.

De bewaker kwam hem niet halen. Draco kwam.

'Heb je goede medicijnen gekregen?' vroeg Draco.

Dylan wist niet dat dit de bedoeling was, maar hij wilde niet stom overkomen. 'Niets goeds,' zei hij.

'Wat je krijgt, moet je delen.'

'Tuurlijk.'

'Je bent oké,' zei Draco. Ze liepen door de smalle nepgang. 'Je moet daar weg,' zei Draco opeens. 'Als je daar blijft, op de psychiatrische afdeling, ben je binnen de kortste keren zo gek als een deur. Echt waar. Daar maken ze je helemaal gestoord. Zorg dat je daar wegkomt.'

Dylan geloofde hem. Na zelfs maar een uurtje daarbinnen met die psychiater voelde hij zichzelf al veranderen in een gestoorde gek. 'Hoe kom ik daaruit?' vroeg hij.

Draco dacht even na. 'Je moet net doen alsof je daar wilt blijven, weet je, alsof je geestelijk gezond bent, maar een gemakkelijk leventje wilt, het extra eten, de grotere ruimte, dat soort dingen. Je moet om medicijnen vragen, niet omdat je ze nodig hebt maar omdat je ze lekker vindt. Dat snappen ze niet. Ze weten niet dat ze dat juist niet zijn, recreatiedrugs, weet je. *Catch 22*, man. Als je dat doet, stoppen ze je in Blok C voordat je lithium kunt zeggen.'

'Moet ik dan nog steeds met dokter Kowalski praten?' vroeg Dylan.

'Je komt op geen enkele manier van dokter K. af. Hij gaat je hersenen eruit zuigen en als toiletpapier gebruiken.'

Dat geloofde Dylan. 'Ik ben nu al een paar stukjes kwijt,' bekende hij.

Draco lachte. 'Die lieve zielenknijper gaat je onderuithalen. Hij zal je zo volstoppen met pillen dat je niet meer weet of je de vlag groet of jezelf een tik geeft.' Draco slaakte een uitroep alsof dat goed nieuws was. 'Je bent zo verschrikkelijk gestoord, we worden miljonairs!'

Louisiana, 2007

Charlie Starkweather. Heleboel lui vermoord. 1958. Dit is een heel oud verhaal. Ik weet niet waarom ik Charlie moet doen. Hij is een makkie. Hij woonde in Nebraska. Als dat geen goede reden is om te gaan schieten, wat dan wel? Het was waarschijnlijk winter, en hij werd gewoon gek. In die tijd was het populair om de 'slechte jongen' uit te hangen. Ik bedoel zoals Billy the Kid, maar dan een moderne versie. Je had van die films en zo over slechte jongens en hoe cool ze waren; vrouwen wilden met ze naar bed. Ze deden gewoon wat ze wilden. Namen wat ze wilden. Daarna gingen ze eervol dood. Dat klinkt wel goed, vind ik. In plaats van weg te rotten op de een of andere berg in Nebraska pik je een geweldige auto en rij je samen met je vriendinnetje het land door en leid je een luxeleventje, en als iemand probeert je tegen te houden schiet je hem dood en rij je weg. Ik wed dat Charlie zichzelf zag als een soort Jesse James, Bonnie and Clyde, en gewoon genoot. De baby in een toilethokje te slapen leggen. Dat zou ik niet kunnen. Ze huilt wel en zo, maar in de verre omtrek is niemand, dus waarom zou je haar dan niet laten huilen? Ze was te jong om hem te identificeren.

8

Drank had Marshall nooit veel gezegd. Als tiener had hij wel veel dope gerookt. Dat deed iedereen. Dat moest, als je het wilde redden. Dat zeiden ze in elk geval tegen zichzelf en elkaar. Hij was nooit getrouwd en had geen kinderen. Hij was nu zo ongeveer twintig jaar partner van Stokes, Knight and Marchand Restoration Architects en had alles bij elkaar nog geen twee maanden vakantie opgenomen.

De laatste tijd bespeurde hij echter een verandering, zo licht als een herfstblad op de mouw van zijn jas, als de lichte aanraking van de sjaal van een vrouw over de rug van zijn hand in een druk restaurant.

Een bewustwording?

Marshall drukte die gedachte weg. Hij had niets met zelfonderzoek. Het was alleen maar zo dat hij de laatste maanden na werktijd onder het gietijzeren balkon dat een schaduw wierp op zijn kantoor aan Jackson Square ging staan, zichzelf een paar minuten gunde en, met zorgvuldig afgewogen slokjes, genóót.

Nu genoot hij ook, ook al kon zelfs een oplettende toeschouwer dat niet zien. Marshall stond roerloos, hij ademde alleen maar. Met die ademhaling kwam een opening, een ontwikkeling die hij, uit vrije wil of uit gewoonte, sinds zijn jeugd niet meer had meegemaakt. Zelfs toen misschien niet. Of toen misschien continu. Misschien voelden kinderen zich altijd zo, dacht hij: verbonden, ingeschakeld, terwijl de wereld om hen heen zich vormde en hervormde.

Zijn hart klopte rustig en een bijna nooit eerder ervaren gevoel streek de jaren van zijn gezicht, alsof hij een van de levende standbeelden op Jackson Square was.

Op de zuidwestelijke hoek van het plein, waar de rijtuigen op de toeristen wachtten, stond een zilveren man; hij glom van zijn gemillimeterde kinky haar tot zijn gescheurde hardloopschoenen. Hij was halverwege een stap bevroren en naast hem lag een zilverkleurig honkbalpetje voor de munten en bankbiljetten. Op de noordwestelijke hoek, op de kruising van St.-Peter's Street en Chartres, stond de gouden dame met haar kanten rok artistiek over de lage trap gedrapeerd; roerloos, welwillend, de Goede Heks van het Oosten gevangen in amber. Voor de St.-Louis Kathedraal stond tussen twee waarzeggers in een American football player halverwege een paal die handig in een I-balk was geklemd.

Dan had je de Man in Pak, grijs haar bij de slapen, donkerblond en dik waar het over zijn gegroefde voorhoofd viel; gekleed in een keurig pak en met een leren aktetas in de hand: Marshall Marchand, architect. Het paste wel bij hem, een van de levende standbeelden op Jackson Square te zijn. Eén met die roerloosheid, maar toch levend; iets waar hij van genoot met een zeldzaam en verrukkelijk gevoel van erbij horen. Wáárbij, dat wenste Marshall niet uit te zoeken. Het gevoel van verbondenheid was voldoende.

Misschien had hij de duivels overleefd.

Of misschien waren de duivels onsterfelijk.

Die gedachte verjoeg zijn broze vredige gevoel. Toen verhelderde zijn blik en zag hij haar.

Ze zat omlijst door sierlijk gewelfd ijzerwerk op een bank, met haar hoofd gebogen boven een boek; de rug ervan rustte op de knie van haar keurige broekspijp. Het voorjaarslicht scheen goudkleurig en helder als water door de gespierde armen van een groenblijvende eik, druppelde groen-goud van de boomvarens, verwarmde haar wangen en zette de champagneblonde haren op haar voorhoofd in brand. Vloeibaar licht stroomde over de welving van haar borsten en liet de linkerkant van het boek dat ze las stralen. Vorm, functie, kleur, licht en lijn kwamen in perfectie bij elkaar.

De Man in Pak hapte naar adem, kwam tot leven, en zijn hart stampte als de eerste rotaties van een koude motor. Het bloed pompte luid langs zijn oren. Opeens was hij zich bewust van tienduizenden sensaties: de druk van zijn voetzolen tegen het plaveisel, de druk van het handvat van zijn aktetas tegen zijn vingers, de geur van kaneel en suiker vanuit de bakkerij vlakbij, het zachte gekras van de tenen van een duif die voorbij scharrelde, de troostende warmte van de zon op de rug van zijn hand.

Hij stapte van de stoep af – van de rand van de bekende wereld – en liep haar kant op. Zijn broer Danny had hem kunnen tegenhouden – zóú hem hebben tegengehouden – maar Danny was er niet. Terwijl hij naar zichzelf keek, een verbijsterde toeschouwer van zijn eigen vernietiging, stak hij de straat over en liep hij via de trap de tuin in, naar de bank waarop zij zat.

Een ogenblik verstreek. Toen keek ze op om te zien wie haar afzondering was binnengedrongen. Haar ogen waren laagveen en korstmos, druiven op oud hout, trage beekjes in de herfst, rijk met looizuur en gevallen blad.

'Zou u misschien een kopje thee met me willen drinken?' hoorde hij zichzelf op zachte toon vragen. 'Het is er iets te laat voor, daar ben ik me van bewust.' Hij praatte alsof hij was geboren in de eeuw waarin hij elke dag werkte: de achttiende eeuw waarin mensen een sterk besef hadden van het belang van menselijk contact. Hij had het belachelijk moeten vinden, maar dat was niet zo.

In de koele, onpeilbare diepte van haar ogen fladderden gedachten naar de oppervlakte en trokken zich weer terug in de schaduwen. 'Ik heet Polly,' zei ze glimlachend en met een zangerige stem. 'Ik ben een vrouw van een zekere leeftijd en gescheiden, ik heb twee dochters, van zeven en negen. Ik ben een goed boek aan het lezen, dus als u een oppervlakkige onbeduidende man bent heb ik geen tijd voor u.'

'Zo'n man ben ik niet,' zei Marshall ernstig.

Ze lachte en in zijn hoofd bouwde dat geluidje speeltuinen voor kinderen, kerktorens voor klokken en muren met heldere, koude fonteinen.

'In dat geval zou ik heel graag een kopje thee met u drinken.'

9

Polly vertelde Marshall haar levensverhaal, de AL-versie, voor alle leeftijden. Zonder de seks en het geweld was het een charmant sprookje: hoe een eenzaam kind van vijftien naar Jackson Square was gekomen, hoe een zigeunerin een glanzende toekomst voor haar had voorzien en hoe die toekomst inmiddels voorbij was.

Marshall was geboeid, precies zoals ze had gewild. Ze glimlachte en leunde naar hem toe, met haar hoofd ietsje schuin en knipperend met haar dikke, donkere wimpers. 'Vertel me eens,' zei ze liefjes, 'hoe het mogelijk is dat je oud genoeg bent geworden om grijze slapen te hebben, partner bent in een goed bekendstaand bedrijf en toch niet getrouwd bent?'

Marshall schrok zichtbaar. 'Je draait niet om de hete brij heen, hè?' Hij lachte en zette zijn kopje op het schoteltje.

'Nou, soms wel,' teemde Polly, 'maar alleen als het me niets kan schelen wat er in die brij zit.' Ze flirtte; ze kon de aantrekkingskracht tussen hen even goed voelen als ze het kaarslicht in de wijn kon zien fonkelen. Het was al een hele tijd geleden dat ze zich fysiek zo bewust was geweest van de nabijheid van een man.

'Mag ik geen geheimen hebben?'

'Nee schat, niet één. Een man die geheimen wil hebben, moet nooit een vrouw dicht bij zich laten komen. We zijn zo nieuwsgierig als een katje, we kunnen geheimen gewoon niet met rust laten.'

Hij verborg zijn mond achter zijn kopje.

Eén onrustbarend moment wist ze niet of hij een glimlach of een angstige grijns verborg.

'Geen geheimen,' zei hij en de warmte van zijn stem verzekerde haar ervan dat ze het nog niet was verleerd. 'Tja, waarom ik nooit getrouwd ben? Daar denk ik niet vaak over na. Door mijn werk misschien? Ik heb niet veel tijd gehad om de juiste vrouw te vinden. Ik hou van mijn eenzaamheid. Ik woon samen met mijn broer. Danny en ik zijn al heel jong wees geworden en we zijn eigenlijk elkaars enige familie.'

Verbaasd schudde hij zijn hoofd en Polly geloofde bijna dat hij echt amper aan trouwen had gedacht. Het was dat óf hij verzon het verhaal ter plekke en had nog niet besloten hoe het zou eindigen. 'Kennelijk denk ik niet vaak over mezelf na.'

'Je woont samen met je broer?'

Een glimlach verdiepte één hoek van zijn goed gevormde lippen. 'We wonen niet echt samen. We wonen in hetzelfde pand, in appartementen, boven elkaar. Aparte bedden en zo.'

'En je bent nog nooit getrouwd geweest?' Ze raakte de rug van zijn hand aan en fluisterde geruststellend: 'Eerste afspraakjes hebben als doel te beslissen of we een tweede willen.'

'Natuurlijk. Ik ben nooit getrouwd. Nu weet je het ergste: ik ben een oude maagd. Ik had geen afspraakje voor het eindexamenfeest en heb nooit verkering gehad met een cheerleader. Eén keer ben ik bijna getrouwd... Krijg ik daar punten voor?'

'Zoveel punten als je wilt, mijn schat. Ik ben bijna getrouwd gebleven, we staan dus quitte.'

'Waarom heb je het niet gedaan? Getrouwd blijven, bedoel ik?'

Polly keek hem strak aan. 'Je wilt toch niet alles over al mijn echtgenoten horen?'

'Ik dacht dat we ons voorbereidden op ons tweede afspraakje? Hoeveel echtgenoten heb je gehad?'

Omdat hij meer bezorgd dan geamuseerd klonk, besloot Polly hem de waarheid te vertellen. 'Ik ben één keer getrouwd geweest. Hij was een aardige man, maar geen goede man en uiteindelijk wordt dat een oxymoron, ja toch? Je kunt niet lange tijd aardig zijn zonder tegelijk goed te zijn. We zijn vijftien maanden getrouwd geweest.'

Ze pakte haar kopje en nam heel langzaam een slok om alle nietgestelde vragen onbeantwoord te laten. In het korte moment tussen het neerslaan van haar blik en het optillen van haar kopje, dacht ze terug aan de laatste avond van haar korte huwelijk.

Het was tien uur. Gracie stond in haar ledikantje en hield zich vast aan de spijlen; ze zou algauw gaan lopen. Polly zoende haar ronde gezichtje en verbaasde zich erover dat deze perfectie kon worden opgebouwd met mondaine dingen als melk en gepureerde worteltjes.

'Dat komt door de liefde, schatje. Daar worden baby's groot en sterk van,' fluisterde ze. 'Slaap maar lekker.'

Ze deed het licht uit en verliet de babykamer. Ze wilde naar bed en bleef nog even staan bij de deur van het kamertje – een kast eigenlijk – dat Carver zijn kantoor noemde. Het enige licht was het gloeien van het computerscherm. Over zijn schouder heen kon ze de woorden op de monitor lezen. Gebiologeerd zag ze dat hij seksueel expliciete teksten uitwisselde met drie verschillende vrouwen, één via e-mail en twee via instant messaging. Zachtjes liep ze weg, naar de slaapkamer die ze al ruim een jaar deelden.

Ze zat in haar pyjama op het bed en keek naar de vertrouwde muren. Hier bevond zich niet veel van Carver. Het was dat zijn kleren in de kast hingen, anders zou het lijken alsof hij nooit had bestaan.

Het huis was van haar; ze had het gekocht in het eerste jaar dat ze bij de universiteit werkte. Het bed was een sleebed dat ze tweedehands had gekocht en opgeknapt. Foto's die ze van haar favoriete plekjes in New Orleans had gemaakt hingen ingelijst aan weerszijden van een antieke ladekast die ze in Magazine Street had gekocht. Alles was van haar geest, van haar hart of van haar werk.

Alles was schoon en netjes, en eerlijk verkregen. Ze had een afkeer van oneerlijkheid. Leugens, smerige taal, geweld – de goden van haar moeder – maakten haar misselijk. Ze werd ziek bij de gedachte dat Carver op nog geen drie meter van Gracies kamer in het donker een web van verachtelijke smerigheid weefde.

De volgende ochtend vroeg ze hem te vertrekken en toe te stemmen in een scheiding. Hij had geweigerd, tot ze hem dertigduizend dollar had aangeboden, al haar spaargeld. Drie weken later ontdekte ze dat zwanger was van Emma en wist ze dat ze alles had gekregen wat ze van het huwelijk had gewenst.

'Dat huwelijk eindigde, lieve schat, omdat ik niet van hem hield,' zei Polly eerlijk. Even heerste er een ontspannen stilte en dronken ze van hun thee. Als een schoolmeisje tijdens een afspraakje legde Polly haar hand op het tafelkleed en huiverde toen meneer Marchand, nadat hij zijn lepel had verlegd, zijn hand naast de hare legde.

Wat Polly ongezegd liet was dat ze nog nooit van iemand had gehouden, behalve van Emma en Gracie. Ze hield van het gezelschap van mannen, maar werd niet verliefd op hen. Net zomin als het gevoel van een orgasme of de geur van seringen, kon je het gevoel van verliefd worden beschrijven, je kon het alleen ervaren, en ze vroeg zich af of ze nu de eerste tintelingen voelde.

De zoete geur van de avond dreef op een zacht briesje door de geopende ramen naar binnen. Op het plein gingen lampen aan. De gloed van de kaarsen verwarmde meneer Marchands vloeibaar bruine ogen tot ze het gevoel had dat ze erin kon verdrinken. Polly voelde dat ze werd gevangen door de een of andere – mogelijk kwaadaardige – geest, de inspiratie van Barbara Cartland of Danielle Steel.

Als hoogleraar Engels en als liefhebber van oude talen bespeurde een deel van haar geïnteresseerd dat er een huivering van emoties door haar heen ging, subtiel als in fluweel verpakte elektriciteit. Deze bezielde de sonnetten die ze had gedoceerd, de romances van Shakespeare en Molière. Ze herinnerde zichzelf eraan dat het leven dat ze met haar dochters had opgebouwd perfect was, en kostbaar. Een man zou vieze onderbroeken en te grote schoenen in hun geordende universum laten slingeren. Bij de gedachte aan de onderbroek van meneer Marchand trok er een rilling door haar heen en ze wist dat ze zichzelf in de zeer nabije toekomst belachelijk zou maken.

Twee tieners op hoge hakjes liepen langs het open raam, kletsend in hun mobieltje. Een van hen had de kleinste chihuahua die Polly ooit had gezien. Hij was zuiver wit en werd meegesleept aan een riempje. Het beestje struikelde op zijn korte pootjes, viel en werd overeind getrokken terwijl zijn vrouwtje door bleef kletsen.

'Ze kopen ze als accessoires, zoals een tasje of een sjaaltje,' zei meneer Marchand vol afschuw. 'Juffrouw,' riep hij door het open raam. 'Juffrouw.'

Het meisje keek met een lege blik hun kant op.

'Uw hondje,' zei Marshall tegen haar. 'Zou hij wat water willen? Het arme ventje lijkt erg moe.'

Het meisje schudde haar hoofd en pakte, nog steeds in haar mobieltje kletsend, het hondje op en propte hem onder haar arm.

Polly had als kind niet geleerd dat je respect moest hebben voor het leven of hoe je aardig moest zijn. Toen ze uit Prentiss ontsnapte, wist ze alleen maar dat ze wreedheid haatte. In de tussenliggende jaren was ze wreed en aardig geweest en was ze, net als Sidney Poitier in *A Patch of Blue*, gaan geloven dat tolerantie de beste menselijke eigenschap was.

'Je bent een goede man,' zei ze.

'Eigenlijk een god voor honden,' zei Marshall spottend. 'Een vroegere vriendin van me, aan wie ik die extra punten heb te danken omdat ik bijna met haar was getrouwd, had een chihuahua, Tippity.' Hij perste zijn lippen om de naam van het hondje alsof hij wilde dat hij die niet had uitgesproken.

'Ging hij dood?' vroeg Polly impulsief.

Even dacht ze dat hij geen antwoord zou geven. Maar voordat hun ontspannen kameraadschap kon weglekken, begon hij te praten. 'Ik was een jachtgeweer aan het opknappen, in de buurt van Magazine. Ik kampeerde daar omdat Danny en ik ruzie hadden gehad. Elaine en haar hondje kwamen wel eens logeren. Op een vrijdag kocht Danny een fles champagne voor ons, als een soort zoenoffer. We hadden ruziegemaakt om Elaine. Het was niet zo dat hij de pest aan haar had, maar hij had wel de pest aan het feit dat ze bestond, als je begrijpt wat ik bedoel.'

Polly begreep er helemaal niets van, maar knikte. Zoveel had ze nou ook niet willen weten over de hond van een ander, maar Marshall leek het verhaal te moeten vertellen. Hoewel ze het eerst uit hem had moeten trekken, praatte hij nu alsof hij het hele verhaal moest vertellen, met alle woorden in precies de juiste volgorde.

'Die champagne dus. Toen we de volgende ochtend wakker werden, was Tippity verdwenen. Elaine werd gek, ik werd gek. Uiteindelijk ging ze naar haar werk. En om een lang verhaal kort te maken, vond ik de hond in de vriezer. Kennelijk was Elaine die nacht opgestaan om wat ijs te pakken of zo en had ze de diepvriezer geopend. Het was zo'n kleine vriezer waar de koelkast bovenop stond en Tippity was erin gesprongen. Toen ik haar vond, was het al bijna te laat.'

'Te laat! O mijn god!' riep Polly. 'Te laat! Ik ben mijn kinderen helemaal vergeten!' Ze was zo met Marshall bezig geweest, dat ze elke gedachte aan Emma en Gracie had weggedrukt. Ze voelde zich zo schuldig dat ze haar portemonnee en mobieltje al had gegrepen voordat ze de servet van haar schoot had gegrist.

Marshall stond meteen op en wenkte de serveerster.

'Het is oké, hoor,' zei Polly met de telefoon tegen haar oor. 'Je moet niet denken dat ze nu door Ninth Ward of een andere wijk lopen te dwalen, hoor. Een vriendin van me past op hen, maar die lieve vriendin is al tachtig en wil waarschijnlijk gauw naar bed.'

'Ik loop even met je mee naar je auto,' zei Marshall en hij legde twee keer het bedrag van de rekening plus fooi op het tafeltje.

Polly had zich zo in beslag laten nemen door het gezelschap van een man dat ze geen moment meer aan haar kinderen had gedacht. Voor een moeder was dat verschrikkelijk, voor een vrouw was dat geweldig.

10

Rood schudde doelloos haar kaarten en keek naar meneer Marchand die met de blonde vrouw stond te praten. Ze kende hem, misschien beter dan wie ook, op zijn broer Danny na. Vanwege meneer Marchand was ze nu de Vrouw in het Rood, om bij hem in de buurt te zijn. En om een paar dollar te verdienen. Tarotkaarten lezen op Jackson Square verdiende vrij goed, tenminste vóór orkaan Katrina. Daarna leken de toeristen er veel minder in geïnteresseerd. Misschien dachten ze dat als het echt iets betekende een van de ongeveer dertig waarzeggers op het plein wel zou hebben voorspeld dat de dijken zouden doorbreken. Niemand had het zien aankomen, Rood ook niet. Maar achteraf had ze zich wel herinnerd dat de kaarten die hele augustusmaand vrij somber waren geweest.

Rood kende de blonde vrouw ook. Niet van naam en zo, maar van gezicht. Blondie was een vaste gast, ze kwam ongeveer één keer per maand. Nadat ze haar kaarten had laten lezen, ging ze altijd naar het park, een boek lezen of naar de voorbijgangers kijken. Dit was niet de eerste keer dat een man haar aansprak, maar wel de eerste keer dat ze met hem in gesprek was geraakt.

Jason had Blondies kaarten gelegd. Met zijn zogenaamd Britse accent en getaande piratenuiterlijk trok hij veel van de zaken naar zich toe. 'Hé Jason,' siste ze over de ruimte tussen hun beide tafeltjes, 'wat voorspelden de kaarten voor Blondie?'

'Ze heet Polly. Pollyanna. Goede naam. Ouderwets en lief.'

'Nou en? Iets interessants in de kaarten?'

Jason trok een wenkbrauw op, zo dik en beweeglijk als een rups. Rood geloofde in tarot, Jason geloofde nergens in. Ze vroeg zich af of hij haar daarmee zou pesten. Hij besloot het niet te doen, constateerde ze opgelucht.

'Laat eens kijken.' Hij streek over zijn kin die zo donker was van de stoppels dat Rood bijna kon horen dat zijn nagels werden gevijld. 'Ik heb het Keltisch Kruis gedaan. De Magiër lag op zes.'

Brutale, moedige, knappe, instabiele man, die meneer Marchand.

'Wat nog meer?'

'Ik onthou die onzin niet, hoor,' zei Jason gemoedelijk.

'Wat nog meer? Toe nou, doe niet zo lullig!'

'De Duivel lag op negen.' Zelfs in de schemering kon ze zijn pretoogjes zien. Ze vroeg zich af of hij haar voor de gek hield.

De negende kaart stond voor onverwachte dingen. De Duivel die vanuit het niets kwam was geen grapje. Niet als meneer Marchand er iets mee te maken had. 'Serieus?' Ze klonk smekend, als een bedelaar. Ze vroeg het nog een keer, beter. 'Serieus?'

Jason maakte een ontkennend gebaar. 'Ik maak toch geen grapjes over de Duivel?' zei hij, en hij wendde zich glimlachend tot een stel boerenkinkels uit Mississippi of Montana.

Meneer Marchands Blondie, Polly, stond op en ze liepen samen weg. Rood floot zachtjes tussen haar tanden. Meestal was het slaapverwekkend om naar meneer Marchand te kijken. Voor zover zij wist deed hij niet veel bijzonders. Hij werkte alleen maar; hij werkte, ging naar huis en werkte nog wat.

Bij het hek aan de oostkant van het park sloegen ze rechtsaf. Meneer Marchands hoofd was gebogen en hij keek naar Polly met een glimlach – een zeldzaamheid bij hem – om zijn mond.

Rood drukte zich op met haar handen op het tafelblad. Haar vingers, dik aan de basis en spits toelopend aan het uiteinde doordat de kunstnagels te puntig waren gevijld, leken de tentakels van een inktvis. Even herkende ze ze niet. Haar handen waren slank, met een zachte blanke huid. Ze walgde van die dikke vlekkerige gerimpelde dingen.

Meestal dacht ze niet aan wie ze was geweest, maar deze onbekende handen brachten die herinnering naar boven. Even had ze medelijden met zichzelf; als ze een cyanidekies had gehad, had ze die nu stukgebeten.

Het op één na beste, dacht ze, en ze viste een zilveren flacon uit een van de plastic boodschappentasjes die ze als portemonnee en kantoor gebruikte.

Zwerfster, dacht ze toen ze een slok nam. Nog twee stappen, dan ben je een zwerfster. Dankzij de zilveren flacon voelde ze zich iets beter, niet alleen dankzij de slok Jack Daniels, maar dankzij de flacon zelf. Hij was waarschijnlijk niet van zilver of zelfs maar antiek; ze had hem voor vier dollar op de French Market gekocht en er zat een deuk in. Maar als ze daar niet aan dacht, kon ze net doen alsof ze een Britse lady was die tijdens de vossenjacht een slokje nam, een klein slokje tegen de kou.

'Hé Em. Emily!' riep ze terwijl ze met haar mouw voorzichtig de hals van de flacon afveegde en de dop er weer op schroefde. 'Wil je mijn tafeltje even in de gaten houden? Ik moet pissen.'

Emily was geen echte vriendin, maar ze zaten al jaren naast elkaar en konden het goed met elkaar vinden. Misschien was dat toch wel vriendschap. Wie zou het zeggen?

'Ga je gang. Wij draaien de late dienst.' *Wij* betekende Emily en haar vriend Bony, een oude teckel die zo kreupel was dat zijn achterlijf op een soort rolstoel rustte. Bony bracht zijn dagen door op Ems schoot. Em tilde Bony's pootje op en zwaaide ten afscheid.

Rood haalde het make-uptasje waar ze haar geld in bewaarde uit het boodschappentasje onder haar stoel en schoof hem onder haar bh-bandje. Als iemand er met de rest van haar spullen vandoor ging was dat geen probleem; het was vooral rommel.

Ze bewoog zich gracieus voor zo'n grote vrouw. Daar was ze trots op. Toen ze nog heel jong was, had ze fanatiek aan ballet gedaan. Dat ging heel goed, tot haar geld op was.

Nou ja, eigenlijk had ze een keer te veel gedronken en was ze aangeschoten naar balletles gegaan en toen was die teef die lesgaf kwaad geworden, en dat was dat. Nou ja, ze had er toch mee willen stoppen. Te duur.

Het was nog donkerder geworden. Ze liep snel door de tuin, maar was niet bang dat meneer Marchand of zijn vriendin zich zou omdraaien en haar zien. De meeste mensen zagen haar niet meer.

Soms vond ze dat erg. Maar vaker wel dan niet was het vooral gemakkelijk.

Ze waren niet ver gegaan. Ze zaten in het River's Edge Restaurant op de hoek. Ze zaten aan een tafeltje voor twee met een brandende kaars erop.

Rood ging zitten op een ijzeren bankje op het betegelde voetpad. Het was net alsof ze in een donkere bioscoop zat en zij de film waren op het scherm. Alleen kon ze niet horen wat ze zeiden. Ze haalde de zilveren flacon tevoorschijn. Ze stopte hem nooit in een van haar tassen; hij zat altijd in haar zak. En als een nieuwe jurk geen zak had, kocht ze van dat opstrijkbare spul en maakte er een. Ze kon nu eenmaal niet zonder.

Rood had meneer Marchand nog nooit zo gezien als vanavond. Ze kneep haar ogen halfdicht vanwege de drank en probeerde te bepalen of het nu door het kaarslicht kwam of niet. Hij zag er tientallen jaren jonger uit. Rood nam nog een klein slokje om zich beter te kunnen concentreren en hield haar hoofd schuin.

Niet alleen jonger. 'Fuck,' fluisterde ze. Ze wist het! Nu ze dit had gedacht, was er geen twijfel meer mogelijk!

Meneer Marchand leek gelukkig. Ze begreep dit nu pas omdat ze hem nooit éérder gelukkig had gezien. Niet dat ze daar ooit over had nagedacht, ze had wel betere dingen te doen dan zich afvragen of hij wel of niet gelukkig was. Maar nu ze hem zo zag, wist ze dat ze hem nooit eerder gelukkig had gezien. Hij werd er niet afstotelijk door zoals sommige andere mannen en hij grijnsde niet of zo. Hij was gelukkig, op zijn eigen vreemde kalme manier. Hij glom als een baby die na de voeding ligt te slapen.

Dat kwam door mevrouw Pollyanna. Hij glom. Of misschien was het de reflectie van het licht dat van haar af straalde, omdat ze een natuurlijke glimmer was. Rood wist niet goed wat ze bedoelde, maar het was waar. Deze Polly-vrouw had dat innerlijke ding dat je niet kunt opschilderen of faken.

Mevrouw Polly-de-charmante-blonde wist niet waar ze aan begon.

Wauw, zij zou vanavond echt iets te vertellen hebben! Dit was geweldig! Rood lachte en hield de flacon weer aan haar mond.

'Fuck.' Leeg. Ze smeet hem naar een afvalbak op de hoek, herinnerde zich dat het geen bierblikje was en rende er snel naartoe voordat de een of andere junk of zuiplap hem te pakken kreeg.

Een paar blokken verderop was Sydney's, een winkel waar drank, chips en sigaretten werden verkocht. Het zou misschien vijf minuutjes kosten, hooguit tien, om haar voorraad aan te vullen. Even vroeg ze zich af of ze het erop zou wagen. Als ze verdwenen, zou dat verkeerd kunnen uitpakken.

Polly lachte en meneer Marchand stak zijn hand uit alsof hij haar hand wilde aanraken. Zij gingen voorlopig nergens naartoe, hooguit naar een kamer, en Rood betwijfelde of Blondie daar het type voor was. Ze wist zeker dat meneer Marchand dat niet was.

Getroost door die gedachte verliet ze haar post om drank te kopen. Ze was niet lang weggeweest, dat wist ze zeker, maar toen ze terugkwam waren ze verdwenen. Een serveerster ruimde hun tafeltje af.

'Fuck, shit, verdomme,' fluisterde ze. Ze keek goed om zich heen, door de toenemende duisternis, de fonkelende lampen en de kletsende toeristen. Een tiener lachte; instinctief en uit ervaring wist ze dat het om haar was. Vroeger zou het haar gekwetst hebben, maar nu registreerde ze het amper.

'Shit, shit, shit,' mompelde ze. Een rijtuig met een muilezel ervoor reed weg van de trottoirband waar de rijtuigen op ritten stonden te wachten. Toen zag ze hen, aan de overkant van de North Peters: Polly's haar, de kleur van de maan onder de straatlantaarns; meneer Marchands donkere pak, een schaduw tussen haar en het verkeer.

Rood ging sneller lopen, zodat ze weer vlak bij hen was. Jaren en kilo's hadden zich om haar taille verzameld en voordat ze vijftig meter had gelopen, hapte ze al naar adem, stroomde het zweet tussen haar borsten naar beneden, maar ze gaf niet op. Voor haar gevoel liepen ze kilometers, maar slechts vijf blokken verderop, in Decatur Street, bleven ze staan.

Er waren hier niet zoveel toeristen als op het plein. Rood dwong zichzelf rustiger te ademen. Als ze bleef hijgen als een hyperventilerende neushoorn zou iedereen naar haar gaan kijken. Meneer Marchand nam de sleutels aan van Blondie, opende het portier van een zilverkleurige Volvo, hield het portier voor haar open en gaf haar nadat ze was ingestapt de sleutels terug. Polly lachte en hij leek niet te weten wat hij moest doen.

Hij wist niet wat hij moest doen; hij leek wel een sukkel uit de een of andere Fred Astaire-film. Kennelijk wist hij niet dat mensen dat niet meer deden; ze sloegen iemand aan de haak, neukten en gingen ervandoor. Meneer Marchand was zo dom dat hij het allemaal nog met zo'n 'heren houden van blondjes'-air deed.

En die arme, stomme juffrouw Polly viel ervoor.

Wauw, zij had straks echt iets te vertellen!

II

Er was al een week verstreken en die aardige meneer Marchand had niet gebeld. Polly had hém wel willen bellen, maar hoewel de regels in het nieuwe millennium waren veranderd, waren Polly's regels dat niet. Ze was niet bang om de eerste stap te zetten, maar de tweede zette ze niet. Een tweede afspraak zette de toon voor een relatie. En een man moest nu eenmaal iets meer naar een vrouw verlangen dan zij naar hem.

Na de implosie van haar huwelijk met Carver had Polly niet veel van zichzelf in mannen geïnvesteerd. Maar dit was veranderd met de komst van meneer Marchand. Ze onderdrukte een zucht en keek naar de gebogen hoofden van haar studenten Engelse literatuur: Barbara zat driftig te pennen, Tyrell keek door het raam naar buiten en Bethany staarde naar het papier zoals een vogel naar een cobra zou kunnen kijken.

Na Katrina was New Orleans een kinderloze stad. De scholen waren gesloten en de studenten geëvacueerd; ze gingen naar andere scholen, kilometers verderop of zelfs in een andere staat. Tijdens de laatste maanden van 2005 ontmoetten de volwassenen die waren teruggekeerd elkaar in de met puin gevulde straten, met bezems en schoppen in de hand, elkaar aanmoedigend met de kreet: 'Wacht maar tot het januari is!' In januari zouden de scholen weer opengaan en dan zouden de kinderen weer terugkomen en zou New Orleans gered zijn .

Waar kinderen waren, waren ouders: ze leefden, woonden, werkten, kochten, verkochten en renoveerden, en herschiepen de kringloop van vraag en aanbod die de stad nodig had om te herstellen.

Beelden van bedrijvige inwoners van New Orleans vloeiden over in beelden van Marshall Marchand die de historische huizen van de stad herbouwde. Heimelijk en ongetwijfeld met dezelfde stiekeme blik als haar studenten wanneer ze dezelfde stunt uithaalden, pakte Polly haar mobieltje uit haar tas om te kijken of er nog telefoontjes waren binnengekomen. Vier – één van Marshall Marchand.

Ze glipte het lokaal uit, liep naar de lobby van de faculteit en controleerde haar boodschappen.

'Waarom zit jij zo te giechelen?' Meneer Andrews, de eeuwige zuurpruim die Amerikaanse geschiedenis gaf, was de lobby binnen gekomen.

'Hot date,' teemde Polly met haar ogen knipperend.

Hij gromde.

'Ik wilde je laten zien in welke buurt ik woon,' zei Marshall. Ze stopten in een zijstraat onder drie grote pijnbomen. 'Maar als je liever naar een meer openbare gelegenheid gaat, neem ik je graag mee uit eten.'

Polly genoot van Marshalls ouderwetse manieren. Ze raakte zijn hand even aan. 'Ik zet 911 wel op de snelkeuzetoets van mijn mobieltje.'

Er vloog een bijna pijnlijke blik over zijn gezicht, maar die verdween zo snel dat ze zich amper bewust was van het alarmerende vonkje dat dit in haar opwekte.

Hij liep om de auto heen om het portier voor haar te openen. Het was best heerlijk om rustig te blijven zitten en je voor te bereiden op de dingen die komen gingen terwijl een man mannelijke dingen deed.

Omdat hij restauratiearchitect was nam Polly aan dat hij in een oud-geld-monument aan St.-Charles zou wonen of in een klassiek pand in een onbeschadigd gedeelte van Metairie. Zijn huis stond echter in een moderne buurt. De voortuin van de rijtjeswoning waar Marshall en zijn broer woonden, contrasteerde enorm met de door onkruid overwoekerde tuin van hun buren. In de tuin van de Marchands stond een mozaïek van stenen en mos met aronskelken eromheen. De tuin was omheind met een gietijzeren hek waarvan het onderste deel bruin was geworden door de overstroming.

Ze bleven voor het tuinhek op de stoep staan, alsof Marshall aarzelde om haar mee naar binnen te nemen. 'Ik heb de bovenste twee verdiepingen en Danny woont beneden. Eronder is een bovengrondse kelder. Toen de dijken braken stond er bijna zeventig centimeter water in, maar het opruimen van de kelder is een stuk simpeler dan het opruimen van de voorkamer,' zei Marshall.

Een man, Danny natuurlijk, kwam naar buiten via de voordeur van het lage deel. Hij bleef boven aan de trap staan en leunde op de balustrade van de veranda. Danny zag er jonger uit dan Marshall en leek veel minder somber; hij had niet dezelfde stressrimpels om de ogen en als Danny glimlachte kreeg zijn gezicht iets speels.

'Wie is die dame, Marsh?' riep hij.

Marshall had het niet met zijn broer over haar gehad. *Geen goed teken,* dacht Polly en ze baalde van zichzelf omdat ze naar signalen zocht.

Marshall stelde hen ter plekke aan elkaar voor, buiten het hek. Pas toen Danny hen uitnodigde om voor het eten iets bij hem te komen drinken, maakte hij het hek open. Omdat dit New Orleans was en omdat Anne Rice de wereld had geïnformeerd over de gewoontes en manieren van de ondoden, ging het door Polly heen dat vampiers alleen binnen kunnen komen als ze zijn uitgenodigd. Ze rilde, maar vond dat niet eens erg onplezierig.

Danny's woning was prachtig ingericht, strak en modern in zwart en wit. Alles zag er onberispelijk uit. Een ingelijste tijdschriftcover waarop hij tijdens de opening van de eerste Le Cure een lint doorknipte, verklaarde waardoor hij zo rijk was geworden. Hij was eigenaar van een keten chique parfumerieën.

'Ik hou Marsh uit de problemen,' zei Danny en hij gaf Polly een glas witte wijn zonder haar te vragen wat ze wilde. Met een knipoogje voegde hij eraan toe: 'En als je het mij vraagt zorg jij voor problemen.'

'Ik heb nog nooit iemand in de problemen gebracht,' teemde ze. 'Zelfs niet toen ik nog heel jong was.'

Danny schonk zichzelf een klein beetje whisky in, puur, en ging op de leuning van de bank zitten. Het leer was zacht en dofzwart, zag er stevig uit maar zat verrukkelijk. 'Zo, en hoe heeft mijn broer je in zijn klauwen gelokt?' vroeg hij.

'Door me uit te nodigen voor een kopje thee,' zei Polly glimlachend naar Marshall.

'Aha, die ouwe thee-intro,' zei Danny. 'Marshall heeft wél lef, zeg!'

De broers hadden dezelfde band als Polly wel eens had gezien bij tweelingen aan wie ze lesgaf. Omdat ze zelf geen familie had – in elk geval geen noemenswaardige familieleden, zei ze wel eens schalks – vond ze familiebanden erg belangrijk. Degene die met de ene broer trouwde, zou zich ervan bewust moeten zijn dat er heilige grond tussen hen in lag die omzichtig betreden moest worden.

Degene die trouwde. Ze deed het alweer.

Het etentje was al net zo'n verrassing als Marshalls huis. Terwijl ze op de counter leunde van een keuken die beter was toegerust dan haar eigen en van haar wijn dronk, maakte Marshall gekoelde asperges met gekruide gebakken geitenkaasjes op toast. Hij voelde haar blik en keek op. 'Ja, ik kan koken,' zei hij. Kennelijk had hij haar gedachten gelezen. 'Ook de kunst van gratis eten scoren heb ik onder de knie. In deze stad kun je vrijwel helemaal leven op de hapjes die tijdens allerlei evenementen worden geserveerd. Zoals een hond die afvalbakken omgooit, maar dan in jacquet en met een cateraar.'

Na het eten gingen ze wandelen. De wetenschap dat het nieuwe orkaanseizoen binnenkort zou beginnen, wekte bij diegenen die de vorige hadden overleefd een speciaal gevoel op. Mensen zaten op hun voorveranda of bordes bier te drinken en met hun buren te kletsen.

'Ik ben hiernaartoe gekomen om te investeren,' zei Marshall. 'Eigenlijk wilde ik geld verdienen om later naar een goede wijk te verhuizen, maar toen bleek dat dit een goede wijk wás!'

Hij nam Polly's hand in de zijne die warm was, en droog, en eeltig als van een handwerker. De meeste mannen met wie ze uitging hadden gemanicuurde handen zoals zijzelf.

De meeste buren waren zwart of Latijns-Amerikaans, en Polly

dacht aan Ma Danko. Ze had al jaren niet meer aan die oude vrouw gedacht. Ma was aardig voor haar geweest. Ze schrok van die positieve herinnering aan het caravanterrein en een woede waarvan ze niet wist dat die in haar zat verdween en ontspande de spieren in haar rug.

Marshall attendeerde haar op scholen, liet haar huizen zien die werden gerenoveerd, vertelde haar welke winkels open waren in het noorden, zuiden, oosten en westen, en hoe deze vooruitgang de wijk er weer bovenop zou helpen. Hij praatte droog en ernstig en Polly vroeg zich af wat hij vreesde te zeggen als hij niet over stadsvernieuwing praatte.

'Heb je me hier helemaal naartoe gelokt om me een huis te verkopen?' vroeg ze om hem aan het schrikken te maken.

Hij bleef staan en keek haar aan. De ondergaande zon verfde zijn haar rood en schilderde de sterke lijn van zijn kaak. 'In zekere zin wel,' zei hij zacht.

12

Marshall hielp Polly uitstappen uit zijn klassieke truck en was zich zeer bewust van de druk van haar hand en van de manier waarop ze haar benen en enkels keurig tegen elkaar klemde. Hij liep met haar naar haar voordeur, maar gaf haar geen nachtzoen.

Ze gaf hem een hand – alleen haar vingertoppen in zijn hand – niet zo'n stevige handdruk als van een man. 'Ik heb een verrukkelijke avond gehad, meneer Marchand. Je bent een lieve man.' Ze keek even, door haar wimpers, naar hem op, draaide zich om en verdween naar binnen.

Heel even, lang genoeg om te genieten van het laatste vleugje van haar parfum maar niet lang genoeg om een stalker te lijken, bleef Marshall op de trap staan. Hij kon zich niet herinneren wanneer hij een vrouw zo graag had willen kussen als Polly. Nooit, dacht hij. Dat kwam door de hevigheid van dit verlangen. Hij was bang geweest dat hij een grens zou overschrijden, of in vervoering zou raken en zichzelf belachelijk maken.

De volgende keer, beloofde hij zichzelf en hij liep terug naar zijn truck. Toen hij die dertig jaar geleden had gekocht, was het een gebutst oud werkpaard en zo had hij hem ook gebruikt. Achterin stond nog altijd een gereedschapskist vol timmermansgereedschap, maar de truck was niet langer een lastdier. Hij was veel geld waard: een gerenoveerde, glanzende, kersrode pick-up uit 1949. Hij gebruikte hem niet meer zo vaak als vroeger, maar juffrouw Deschamps had iets waardoor hij had besloten haar hierin naar huis te brengen. Ze had het geweldig gevonden.

Ik hou van haar. Door die gedachte schoot er een steek van angst door hem heen. 'Hoe kom ik dáár nu bij?' vroeg hij zich hardop af. Daardoor dacht hij terug aan wat hij had gezegd toen ze had gesuggereerd dat hij haar een huis wilde verkopen. Daar kon een vrouw op allerlei manieren op reageren. Het was een wonder dat ze niet gillend was weggerend.

Marshall maakte zijn gordel vast en weerstond de verleiding om voor haar huis in de truck te blijven zitten, alleen maar om bij haar in de buurt te zijn. Hij had het gevoel dat hij op de dag waarop hij haar op het plein had ontdekt wakker was geworden, dat hij vijfentwintig jaar lang had lopen slaapwandelen. Het heerlijke gevoel dat hij leefde was bedwelmend. Met een kille angst die dreigde om te slaan in paniek realiseerde hij zich dat hij, als Polly zou verdwijnen, weer zou terugvallen in dat door hemzelf veroorzaakte coma. Of erger.

Marshall sloeg zo hard op de startknop dat de oude truck bijna letterlijk in de houding sprong. Dacht hij soms dat, als hij haar maar snel genoeg zou veroveren en zou meesleuren naar de burgerlijke stand, het te laat zou zijn als ze eenmaal ontdekte wat opname in de familie Marchand betekende?

En hoelang zou hij tegen haar kunnen blijven liegen? Liegen tegen Polly deed hem bijna fysiek pijn, ook al loog hij door dingen niet te vertellen.

In het tragische verhaal over Elaines hondje en de vriezer had hij kleinigheden weggelaten, zoals dat de hond niet echt zelf naar binnen was gesprongen; zijn pootjes waren aan elkaar getapet en zijn bekje was dichtgeplakt zodat hij niet kon blaffen.

Dat soort kleinigheden.

Zoals dat hij, nadat hij de lade van de vriezer uit de runners had gewrikt, dat kleine beestje had zien liggen, met rijp aan zijn kin, rillend op een zak erwten, met grote ogen en pootjes tegen elkaar, stilletjes smekend niet te worden vermoord.

Dat was heel lang geleden, dacht Marshall. *Dingen zijn veranderd.*

In een opwelling van woede stompte hij tegen het stuur. 'Verdomme, dingen veranderen!' riep hij.

Minnesota, 1973

Ronald 'Butch' Dafoe. Vermoordde zes gezinsleden. 1974. Tja, deze vent is echt een gemene klootzak. Vergeleken met die ouwe Butch zijn wij maar een stelletje koorknapen. Zes! Ik vond drie al erg. Vergeleken met hem lijk ik Sneeuwwitje wel. Oké, ergens snap ik het wel. Denk maar eens aan die ouwe Butch als jochie. Pa slaat hem continu verrot. Zijn ma is een voetveeg. Zijn pa zegt dat hij op school geen gezeik moet pikken, maar zit hem zelf continu af te zeiken. Zijn ma en de andere kinderen ook. Loopt de hele tijd te schreeuwen. Enorme vechtpartijen. Vier broers en zussen. Die ouwe Butch heeft dus een aardje naar zijn vaartje. Hij begint terug te meppen, en dat pakt goed uit. Zodoende krijgt hij al die spullen, die boot, en die eigen kamer, en spullen. Pa heeft stiekem respect voor hem. Ik bedoel, dit heeft hij die ouwe Butch immers steeds voorgehouden. Tja, Butch krijgt dus geen klappen meer én zijn pa betaalt hem om cool te zijn. Veel geld zelfs. Ik begrijp wel dat Butch denkt dat hij dat geld heeft verdiend, na al die klappen en al dat geschreeuw en zo, maar als hij daar na een tijdje aan gewend is, denkt hij: Hé, ik zou veel meer kunnen krijgen. Die klootzakken zijn me meer verschuldigd. Veel meer. Allereerst moet hij zijn pa vermoorden. Geen probleem, hij heeft altijd al de pest aan die rotzak gehad. Dan moet zijn ma ook maar in het stof bijten. Zij heeft immers altijd toegelaten dat zijn pa hem toen hij nog klein was verrot sloeg. Ze kan de pot op! Die kleintjes, tja, dat is lastiger. Maar ach, waarom ook niet? Ik bedoel, wie zou voor ze moeten zorgen? Onze Butch niet. Verdomme, eigenlijk doet hij ze een plezier. Schiet ze in hun slaap dood. Volgens mij vindt hij het wel jammer van die kleintjes. Weet je, net zoals mijn pa toen hij onze poes moest doden omdat die ziek werd en blind. Dat vond hij erg.

Maar hij kwam er wel overheen.

13

Dokter Kowalski was oud geworden in de jaren dat hij Dylan behandelde. In die jaren was zijn grijze haar dunner geworden en zijn uit de toon vallende rode baard doorspekt geraakt met witte haren.

Dylan was in die tijd misschien niet wijzer geworden, maar wel slimmer. Hij dacht dat hij meer had geleerd dan dokter Kowalski. Hij had bijvoorbeeld ontdekt dat Kowalski hem niet zozeer behandelde – alsof er een behandeling was voor jongens die met bijlen rondrenden – maar van hem profiteerde. Hij realiseerde zich ook dat het dunner wordende haar en de grijzer wordende baard niet werden veroorzaakt doordat Dylan een moordenaar was, of een zielige tragische jongen in een jeugdgevangenis, maar doordat Dylan het zich nog steeds niet kon herinneren.

De aftakeling van de dokter werd steeds zichtbaarder en hij keek met een steeds doordringender blik naar Dylan. Iedere jongen in Drummond kende die blik. Die zagen ze op het gezicht van de 'meisjes' die van hen wilden houden en van de gebruikers die hen wilden neuken en van de jongens wier ouders op bezoek kwamen; het was gewoon pijnlijk om naar te kijken. Veel kinderen hadden diezelfde hongerige blik als hij en Draco de drugs die ze hadden gescoord verkochten. Wanneer die zichtbare honger manifest werd, werd Dylan woedend. Of dat verlangen werd gestild of er ontstonden problemen.

In de tuin van de gevangenis konden problemen worden opgelost, met vuisten of messen. Maar vuisten en messen zouden geen effect hebben op Kowalski.

Ze zouden wel effect hebben, dacht Dylan met een lichte glimlach. *Alleen zou de prijs te hoog zijn.*

Kowalski genoot nog steeds na van zijn *New York Times*-bestseller. Die eerste dag had Dylan niet geweten of dat goed was of slecht. Nu wist hij het wel. Voor Kowalski was het een kwestie van leven of dood. Leven was als mensen hem geweldig vonden; dood was de behandeling van delinquenten in Piddlesquat, Minnesota.

Waar het om ging, had Kowalski hem op een onbewaakt ogenblik verteld, was dat Dylan – net als Kafka's kakkerlakjongen – in een afschuwelijk monster was veranderd. De climax zou plaatsvinden wanneer Dylan zich zijn transformatie zou herinneren en dat tegen zijn briljante en vriendelijke dokter zou zeggen. In het geheugen van Dylan Raines bevonden zich roem en rijkdom. Alleen wilde die kleine psychopaat niets prijsgeven.

Dylan glimlachte, liet zich naar beneden glijden tot zijn billen bijna van de bank waren en zijn hoofd in een scherpe hoek tegen de rugleuning hing. Hij deed zijn ogen wijd open en keek de psychiater met een wezenloze blik aan.

Kowalski wist dat de jongens van Blok C de wirwar waar zijn kantoor zich bevond de rattendoolhof noemden. Wat hij niet wist, was dat hij hun lievelingsratje was. Ze voerden experimenten met hem uit. Het resultaat van een van die experimenten, uitgevoerd in een periode van zes weken met vier jongens van Blok C, was 'oogbeweging'. De conclusie was dat toegeknepen ogen de dokter opwonden – geen seksuele opwinding, dokter K. was AC/DC niet – maar zoals een kat opgewonden wordt als hij een vogeltje ziet. Als de dokter een uitdaging zag, kreeg hij daar energie van. Oogcontact vermijden verveelde de zielenknijper en een verveelde hoofdonderzoeker was niet goed voor je. Dan begon hij met de 'ruik je je eigen stront?'-routine. De manier om hem verschrikkelijk op te naaien was die idiote starende blik. En alle jongens hadden die blik geperfectioneerd.

Misschien zou Kowalski's boek over door psychoanalyse veroorzaakte psychische achterlijkheid moeten gaan, dacht Dylan.

Hij had Kowalski kunnen geven wat hij wilde, of in elk geval een nabootsing ervan. Met de smoes dat het hem zou helpen het zich te herinneren, was hij gedwongen geweest zijn misdaden even nauwkeurig te bestuderen als andere jongens van zijn leeftijd gedwongen waren Engels, natuur- en wiskunde te bestuderen. Hij wist precies wat hij had gedaan, hoe hij het had gedaan, hoelang het had geduurd, waar bloedspatten hadden gezeten en hoeveel stappen er lagen tussen het ene lichaam en het andere. Er was waarschijnlijk niet één gevangene in Amerika die zo veel over zichzelf wist als Dylan.

Maar hij kon het zich niet *herinneren.*

Hij kon zich zijn vader en moeder wel herinneren en de weekends in de hut aan het meer. Hij kon zich zijn school en zijn vrienden herinneren. Zijn laatste prettige herinnering was de herinnering aan de lippen van zijn moeder die als de vleugels van een vlinder op zijn voorhoofd drukten op de avond dat ze stierf, aan het gouden kruisje dat uit haar badjas langs zijn wang gleed, de pas-uit-de-droger-geur van haar nachtpon, de koelte van haar hand die zijn kin vasthield en de lepel siroop met kersensmaak in zijn mond stak, en de vermoeide glimlach waarmee ze zei: 'Slaap maar lekker en laat de bedwantsen je niet bijten.'

De pseudomedische aanvallen op zijn hersenen hadden die herinneringen gereduceerd tot saaie sepiakleurige beelden. Omdat hij in de nabije toekomst geen nieuwe knusse herinneringen zou opdoen, baalde Dylan er ontzettend van dat de professionals in de geestelijke gezondheidszorg er net zolang overheen waren gebanjerd tot ze tot op de draad versleten waren.

Dylan had een fantastisch verhaal kunnen vertellen, inclusief puberale angsten en ontboezemingen zodat Kowalski hem met rust zou laten. Maar hij was niet van plan die opgeblazen egoïstische hufter een cent aan hem te laten verdienen. En inmiddels vond hij het spelletje eigenlijk wel leuk.

Daarom keek Dylan hem met een zwakzinnige blik aan en zat Kowalski met zijn ene been over het andere geslagen en met zijn vingertoppen tegen zijn lippen gedrukt net te doen alsof hij door Dylan heen kon kijken.

Dylan opende zijn ogen iets wijder en hield zijn hoofd een beetje schuin. Kowalski ging verzitten. Er zat een mottengat in de zoom van zijn rechter broekspijp. Het glas in de linkerhelft van zijn bril was verschrikkelijk bekrast.

Kowalski had schulden, was failliet, realiseerde Dylan zich. Elke woensdag en zaterdag kwamen de loser-ouders van de loser-gevangenen op bezoek. De armoe sijpelde uit hun poriën en lekte op hun kleren. Ze stonken ernaar. Kowalski stonk er nu ook naar.

Psychiaters waren rijk; ze gingen niet failliet tenzij ze bezeten waren van iets, van gokken, coke, lsd.

Een paar jaar geleden was lsd een hot item geweest in Blok C, maar Dylan was ermee gestopt. De eerste keer dat iemand het hem aanbod, had hij het afgewezen.

Draco vroeg: 'Bewaar je je maagdelijkheid voor de staatsgevangenis?'

Dylan miste Draco. Hij was vrijgekomen toen Dylan dertien of veertien was, maar ze hoorden nog wel eens iets over hem. Hij zat nu in de California State Prison omdat hij was betrapt toen hij in een herentoilet een agent marihuana had willen verkopen.

Super cokedealer, ging 'naar de kust om coke aan de sterren te verkopen', dacht Dylan glimlachend.

'Fijn dat je in zo'n goede bui bent,' snauwde Kowalski. Hij sloeg zijn benen weer anders over elkaar en keek op zijn horloge; het teken dat de sessie zou beginnen. 'Ik zal niet meer zo vaak naar Drummond kunnen komen,' zei hij op zijn gereserveerde 'we weten allebei dat ik God ben'-achtige manier. 'Ik heb andere verplichtingen – een nieuwe baan, een betere.'

Kowalski loog.

Liegen was geen zonde in Drummond; het was een kunstvorm. Jongens die langer dan zes maanden op vakantie waren gestuurd, voelden precies aan wanneer de waarheid geweld aan werd gedaan. Hoewel er een paar natuurtalenten waren die niemand kon doorzien. Die achterlijke Dylan bijvoorbeeld was er zo eentje bij wie je niet kon zien of hij loog of niet. Herman, een grote Zweedse jongen, was weggehaald uit de boerderij van zijn ouders omdat hij een meisje van tien had verkracht en niemand kon zeggen wanneer Herman loog. Dat had hij jong geleerd, als een tweede taal. Herman droomde waarschijnlijk in leugens.

Kowalski was een amateur.

'Er is geen baan,' zei Dylan zonder omwegen. 'Je hebt er een verschrikkelijke puinzooi van gemaakt, hè?' Meestal wreef hij iemand zijn leugens niet onder de neus. Dat had immers geen zin. Hij wist niet goed waarom hij dat nu wel had gedaan. Misschien omdat Kowalski zichzelf zo geweldig vond. Maar wat de reden ook was, zodra hij de woorden had uitgesproken, wist Dylan dat hij er nu net als Kowalski een verschrikkelijke puinzooi van had gemaakt.

Kowalski was niet naar Drummond gekomen om afscheid te nemen van zijn favoriete psychiatrische patiënt; hij was gekomen om iets te doen, of niet te doen. Door Dylans woorden besloot Kowalski dat hij het zou doen.

'We hebben geen succes gehad met de aanpak van jouw... geheugenverlies,' zei de dokter. Hij leunde achterover en de gerafelde zoom van zijn broekspijp gleed over zijn sok waardoor een stuk bleke onbehaarde kuit zichtbaar werd. 'Omdat onze tijd beperkt is, moeten we nu maar overgaan tot een agressievere aanpak.'

De laatste keer dat Kowalski een agressieve aanpak had geprobeerd, waren er tig volts elektriciteit door Dylans hoofd gepompt. Hoezo geheugenverlies. Daarna had het heel lang geduurd voordat hij zich kon herinneren hoe hij heette, laat staan wat er was gebeurd toen hij elf was.

Rich had er een einde aan gemaakt. Dylan was nog maar een kind, en zijn broer was niet eens veel ouder. Vondra Werner reed hem nog altijd overal naartoe. De zaterdag nadat Kowalski Dylan had vastgebonden en zijn hersenen had gefrituurd, kwam Rich zoals elke zaterdag op bezoek.

Dylan wilde niet kleinzielig doen en had geprobeerd het te verbergen. Hij wilde niet dat zijn broer zag hoe hij eraan toe was. Hij dacht dat hij het goed verborgen hield tot Rich begon te schreeuwen: 'Wat hebben jullie met mijn broer gedaan? Wat hebben jullie verdomme met mijn broer uitgehaald?'

Draco zei dat hij nog nooit zoiets cools had gezien. Dylan had over de tafel gehangen, slap als een vaatdoek, kwijlde en kraamde onzin uit, en Rich was op zijn stoel gaan staan en hing de engel der wrake uit. Daarna had Rich zijn pleegmoeder Sara zover gekregen dat ze echte artsen had ingeschakeld en een van hen had een senator of een rechter ingeschakeld, waarna Kowalski ermee was gestopt.

Tot nu.

'We hebben enkele succesjes geboekt met een nieuwe experimentele drug,' zei Kowalski. 'Het heet lysergic acid diethylamide.' Hij zweeg even alsof hij zijn geniale intelligentie tot Dylans bewustzijn wilde laten doordringen.

Dylan had al drie of vier keer lsd gebruikt, één keer samen met zijn wiskundeleraar Phil Maris. Ze hadden op de vloer van het wiskundelokaal gelegen toen de lichten al uit waren en hadden gezien dat formules vleugels kregen en met elkaar paarden. De eerste paar keren had het de beelden in zijn hoofd van de dingen die hij verzon levendiger gemaakt. Maar de laatste keer kwamen de cijfers tot leven – niet op een goede manier, maar zoals levende mensen – met emoties, voorkeuren en antipathieën. Dylan vond het vreselijk dat de rationele wereld van de wiskunde werd geïnfecteerd door menselijke emoties. Daarna had hij het bij dope gehouden.

Toen een nieuwe jongen, Purvis nog wat, na een dosis lsd permanent naar de psychiatrische afdeling was overgeplaatst had Dylan het spul helemaal afgezworen. Hij wilde niet rotzooien met zijn hersenen. Dat leerde je door schade en schande.

'El-es-dee,' zei Kowalski, alsof hij Timothy Leary's beste vriend was.

'Cool,' zei Dylan en hij dacht weer aan Draco: *Wat je krijgt, moet je delen.*

'Je lijkt er zin in te hebben. We zullen zien...' zei de dokter met iets meer dan een beetje afkeuring. 'Ik heb de rest van de middag vrijgeroosterd.'

Kowalski vertelde dat de drug was gemaakt in een laboratorium van het Nationaal Instituut voor Geestelijke Gezondheid en bestemd was voor experimentele doeleinden. Daarna haalde hij een flesje uit zijn tas. Er zat geen etiket op. Erin zat een rechthoekig blauw papiertje met een kleine verkleuring in het midden. Doordat Dylan allerlei medicijnen toegediend had gekregen, te veel medicijnen, en er onophoudelijk met hem was geëxperimenteerd, kende hij het medisch protocol vanbinnen en vanbuiten. Kowalski verneukte hem. Deze shot was op straat gekocht. Het kon met van alles en nog wat zijn versneden: speed, Drano – alles wat maar een paar dollar extra opbracht.

Kowalski haatte hem. Dylan las de zekerheid daarvan in de stand van zijn mond en de agressieve houding van zijn bebaarde kaak, terwijl Kowalski het snoer van de taperecorder in het stopcontact stak en de microfoon op zijn bureau plaatste.

Dylan was niet onder de indruk. De meeste mensen haatten hem. Normale mensen zouden wel gek zijn om hem niet te haten. Hij gleed nog een paar centimeter lager op de bank, zijn lange benen – sterk door ijshockey en Drummonds stenen trappen – namen meer ruimte in beslag dan Kowalski prettig vond.

'Ga rechtop zitten,' commandeerde de dokter chagrijnig.

Dylan bewoog zich niet. Zijn achterlijke blik werd nog nietszeggender.

Dokter Kowalski drukte op PLAY en hij hield Dylan het blauwe rechthoekje giftig papier voor.

14

Dylans laatste lsd-trip was niet bijzonder geweest, maar hij was nooit bang geweest. En hoewel hij zich de blik in de ogen van Purvis, hoe-heette-hij-ook-alweer, nadat hij was gevallen en tegen de muur was opgelopen nog goed kon herinneren – alsof iets met vurige tongen via zijn neus zijn hoofd was binnen gedrongen en probeerde zijn hersenen eruit te trekken – was hij nooit erg bang voor het spul geweest. De meeste jongens gebruikten het en, op Purvis na die op welke manier dan ook uit zijn dak leek te willen gaan, was niemand er helemaal gek van geworden.

Maar nu was hij wel bang, dat was verdomme zeker. Met handschoenen aan, alsof het om nucleair afval ging, probeerde Kowalski hem het vierkante blauwe papiertje te overhandigen met een pincet dat hij die ochtend waarschijnlijk had gebruikt om zijn neusharen te epileren.

Lsd van de straat. Zelfs dat maakte hem niet bang. Kowalski's ogen deden dat wel. De dokter leek gek, gestoord, een soort hongerig-wanhopige gekte. Zijn verslaving, behoefte, lust of wat het ook maar was, had de dokter in zijn macht.

Heel even overwoog Dylan de lsd te weigeren en op te staan en weg te rennen. Hij was groter dan de dokter. Kowalski zou hem niet kunnen tegenhouden.

Maar hij kon Kowalski niet tegenhouden. In Drummond waren dokters goden. Ze deden wat ze wilden met de kinderen, álles wat ze maar wilden. Dylan trok het papiertje uit de pincet en propte het in zijn mond. Wat kon het schelen? Het was vast beter dan een elektroshock.

Hij slikte, glimlachte en zei: 'Bedankt, dok. Weet de bewaker dat u nu mijn drugsdealer bent?'

Kowalski zat op het puntje van zijn stoel, schoof iets dichter naar de bank toe en boog zich naar voren.

De dokter was *verdwenen*; de man op die stoel was geen psychiater of medicus. Hij was zelfs bijna geen man. Hij was een grote dikke nul die erop wachtte dat iets zijn grote lege gat zou vullen.

Welkom in de wereld van de monsters, dokter.

'Je zult het je verdomme herinneren,' zei Kowalski. Die vloek was verrassend, niet alleen omdat het de eerste keer was dat Dylan hem iets krachtigers hoorde zeggen dan 'verdraaid' of 'verdorie', maar omdat het woord werd uitgesproken met dezelfde gladde zogenaamde bezorgde stem die Kowalski gebruikte als hij in aanwezigheid van bezoekers met de kinderen praatte.

'Je zult je verdomme elke houw herinneren,' zei hij, terwijl hij achteroverleunde en wachtte.

'Eenentachtig,' zei Dylan.

'Begint de lsd al te werken?' Kowalski keek op zijn horloge alsof hij de reactie op de straatdrug echt kon timen.

'Forty, done. Father, forty-one,' zei Dylan om Kowalski te herinneren aan het gedicht: *Lizzy Borden took an axe, and gave her mother forty whacks. And when she saw what she had done, She gave her father forty-one...*

'Het is begonnen,' zei de dokter.

Wat een stomme klootzak. Dylan kon nu zeggen wat hij wilde en dan zou die stomkop het aan de lsd wijten. 'Je baard staat in de fik.'

'Aha,' zei Kowalski tevreden.

'Hebt u ooit lsd gebruikt, dok?'

'Eh... één keer, als experiment.'

Kowalski loog weer. Om de een of andere reden wilde hij cool overkomen, wilde hij Butcher Boy imponeren. Wat zielig!

'Goed dat u spul uit een lab hebt! Dat straatspul heeft nare bijverschijnselen. Een joch in de gevangenis van St.-Paul had daar iets van gekregen. Zijn broer zegt dat het zuiver engelenstof was. Denkt dat joch opeens dat ie Superman is. Trekt de deur uit zijn hengsels. Daarna rijt hij het gezicht van een bewaker open.'

Kowalski werd bleek.

Word maar goed bang, klootzak, dacht Dylan en hij genoot van zijn kleine overwinning. Kwaadaardigheid en angst waren de enige wapens die de bewoners van Drummond nog hadden.

De dokter duwde zijn stoel weer iets naar achteren. 'Oké, Dylan, we moeten aan het werk. Vandaag gaan we steeds een jaar verder terug tot we bij de nacht van die moorden zijn gekomen. Ben je klaar om te beginnen?'

Hij praatte met de stem van een hypnotiseur op tv, dromerig en zalvend. Dylan vond het niet grappig. Hij vond het doodeng. Al die dingen, dat vloeken, dat dreigen – en het was onmogelijk dat het géén dreigement was; mensen buiten deze muren konden zich daarin vergissen, maar een knul in de jeugdgevangenis niet, nooit – en daarna doen alsof alles normaal was, maakte Dylan doodsbang. Opwinding, die angstaanjagende, doodenge variant die hij in de rechtszaal had leren kennen, stroomde zijn lichaam binnen, bevroor zijn bloed.

Shit. Niet met lsd, smeekte hij de kosmos. Dit gelul met lsd in je lijf kon je voor eeuwig gestoord maken.

'Als jij mij niet naait, naai ik jou niet,' zei Dylan wanhopig.

De dokter had geen idee waar hij het over had. 'Dat is goed,' zei hij troostend.

Kowalski's linkeroog veranderde van grijs in groen, werd toen rood. Het gebeurde. 'Jezus,' hijgde Dylan en hij vroeg zich af hoeveel shots er op dat papiertje hadden gezeten.

'Doe je ogen dicht,' zei de dokter zacht.

Dat deed Dylan, niet omdat hem dat werd opgedragen maar om dat rode oog en wat er nog meer zou komen buiten te sluiten. Het hielp niet. De kleuren zaten in zijn hoofd.

'Ga terug.' Papieren ritselden als slangen die zich ontrolden. Eentje ontrolde zich in Dylans hoofd. Hij zag het niet; hij voelde het. Grote schilferige schubben gleden over elkaar heen. Toen zag hij het: blauwe vonken in het zwart, vonken spatten van de rug van de slang terwijl de gigantische metaalachtige lagen van zijn huid over elkaar gleden. Hij deed zijn ogen open.

'Dichtdoen,' mompelde Kowalski.

'Barst maar.' De laatste letters van het woord 'maar' kropen met rookringen uit Dylans mond en spatten tegen het gezicht van de dokter uit elkaar. Rondom het nog altijd rode linkeroog. Dylan sloot zijn ogen. Liever die slang vanbinnen dan die slang vanbuiten. In hem werd de paniek steeds groter, net als de slang. Uiteindelijk zou hij te groot worden voor zijn schedel en zou het bot breken, versplinteren.

'Goed zo,' zei Kowalski. Meer geritsel. Toen las de dokter zijn aantekeningen voor. 'Je herinnert je de rechtszaak. Ga daar naartoe. Ga terug naar de rechtszaak. Ben je er?'

'Nee.' Dylan dwong zijn ogen open. Staarde naar het oog van de dokter, het werd grijs. Het kwam wel goed met hem.

Voordat die gedachte de opkomende storm van paniek kon tegenhouden, smolt het gezicht van de psychiater en veranderde het in het gezicht van de rechter maar dan fout, papperig; er konden stukjes afvallen en op de grond druppelen. 'Shit,' fluisterde Dylan. Toen zei hij: 'Ik ben schuldig,' omdat hij dat had gezegd toen hij elf was.

Rechter Kowalski glimlachte. De slang ritselde en vonkte. 'Goooeeed,' zei de rechter terwijl de klinkers roze en groen uit zijn mond stroomden. 'Ga terug naar de nacht waarin het allemaal gebeurde.'

'Moord,' zei Dylan. Het woord was rood, bloedrood. Het was zo'n cliché dat hij lachte. De muur achter rechter Kowalski, de muur met dat slechte schilderij waar Dylan tijdens al die jaren op de bank zo vertrouwd mee was geworden, kwam naar voren tot het bijna dokter Kowalski's hoofd raakte. 'Bukken!' zei Dylan.

'Zie je ze vliegen?'

'Nee, dat niet,' zei Dylan, maar nu vlogen er twee langs zijn hoofd.

'Vergeet die vogels.' De rechter was boos. Hij keek om zich heen, misschien zocht hij zijn hamer, maar in plaats daarvan pakte hij die slangenpapieren. Ze gleden door zijn handen zodat er blauwe vonken vanaf sprongen.

De slang rolde zich op in Dylans hoofd. De muur kwam dichterbij. De deur in de muur aan de overkant kwam ook naar voren. Dylan stak zijn handen uit om ze tegen te houden.

'De avond daarvoor had je koorts. Weet je nog?' De rechter klonk chagrijnig, en het chagrijn schuurde het rechterachtige van Kowalski's gezicht. Nu was hij gewoon weer Kowalski.

'Goooeeed,' zei Dylan. Hij zag zijn eigen klinkers uit zijn mond stromen en als luchtbellen tegen de muur uiteenspatten.

'Ga terug,' zei Kowalski, die zich opeens weer herinnerde dat hij op tv was.

Dylan ging weer liggen. De versleten kussens stonden op om hem te omhelzen, duwden zijn uitgestoken armen naar voren alsof hij een halve salto wilde maken. 'Duik erin,' zei Dylan en hij keek naar beneden. De vloer rimpelde vochtig. Hij was niet ver genoeg om te springen. 'Volgens mij kan ik nog niet vliegen,' zei hij ernstig. Volgens hem was dat een goed teken.

'Ga terug,' beval de rechter. 'Je moeder bracht je naar bed. Ze bracht je naar bed. Kun je het bed zien?'

'Zo werkt het niet,' probeerde Dylan uit te leggen. Zo werkte lsd niet. Dat spul deed wat het deed. 'Ik deed het gewoon voor de lol.'

'Je moeder bracht je naar bed,' zei rechter Kowalski onverbiddelijk. 'Jij droeg...' – geritsel, gevonk, geglij – '...een flanellen pyjama met cowboys en indianen erop.'

Dylan herinnerde zich deze pyjama. Herinnerde het zich echt. Hij had er niet aan gedacht, nooit, en nu had hij hem aan: zacht, warm en met de geur van thuis. Cowboys te paard, klein en perfect, galoppeerden over zijn bovenbenen en zijn borstkas. Hij voelde ze meer dan hij ze zag. Flanel en zacht en spinnend. Ginger de kat, spinnend. Hij lag op zijn bed. Hij was rood en spinde als een ratelend machinegeweer. Hij stak zijn hand uit en legde hem op de kat. Geen kat. Bank.

Rich begon te lachen en Dylan draaide zich om, dacht dat hij in de deuropening zou staan en net zou doen alsof hij doodging. De deur kwam dichterbij. Het gelach was er, sputterend en steeds verder weg. 'Rich!' riep hij. Hij wilde dat hij terugkwam.

'Rich was er. Goed.'

Dylan richtte zijn blik op de dokter. Kleuren waren fel, raasden; hij tuurde erdoorheen. De lippen van de dokter bewogen alsof hij op de lucht kauwde. Er vielen brokjes woorden uit. Ze betekenden niets. Paniek golfde door Dylan heen tot hij zo koud was dat hij rilde en zijn tanden klapperden.

'Yergall ley wink ang dood er mam.'

'Mama.' Dat woord herkende Dylan. 'Mama,' herhaalde hij opgelucht. 'Mama.' De kamer was opeens vol vlinders. Kowalski's woorden veranderden van brokjes in vlinders; de kleuren vielen hem niet meer aan en kleurden hun vleugels. Het kamertje was er vol van. Dylan keek omhoog. Het stenen plafond drie meter boven hem was één grote zwerm prachtige vlinders; ze zaten ook op de donkere balken. Hun vleugels lieten lichtgekleurde sporen achter.

Dylan lachte. 'Mama,' zei hij weer, en dat woord brak uiteen in nog meer vlinders; ze roken naar warme katoen en kersen. 'Mama!' huilde hij. De vlinders vlogen naar beneden en zaten op zijn armen en zijn handen, op zijn schouders en zijn haar. Hun vleugels streken langs zijn voorhoofd, warme vlinderkusjes.

'Wat zie je?' De woorden van de dokter sneden door de vlinders heen, doodden de vlinders die hun pad kruisten.

'Vlinders. Niet praten... vermoordt ze,' zei Dylan.

'Vermoorden? Jij vermoordt ze? Vermoord je je mama?' vroeg de dokter.

Dylan sloot zijn ogen zodat hij niet hoefde te zien dat de scherpgerande woorden de prachtige vlindervleugels kapotmaakten.

'De baby, jij hebt haar het eerst vermoord, hè? Ze probeerde bij haar moeder te komen, en jij vermoordde haar. Dat gebeurde eerst, hè? Zo was het.'

Zelfs met zijn ogen dicht zag Dylan de kaken van woorden de lieflijke wezentjes uit de lucht happen, hun roerloze lijfjes op de vloer en tegen de wanden spugen. Hij sloeg zijn handen voor zijn ogen. Hij was vergeten dat ze bedekt waren met vlinders. Onder zijn handpalmen veranderden ze in pap, ze werden fijngeknepen tussen zijn vingers. Hun lijfjes stroomden warm en dik over zijn gezicht en handen. 'Nee!' schreeuwde hij en hij deed zijn ogen open. Zijn handen waren rood van het bloed. Er zat bloed op zijn bovenbenen en zijn armen, zijn gezicht plakte van het bloed, zijn haar was stijf van het bloed. 'Ik doe het! Ik vermoord ze!' zei hij, verbaasd.

'Je ouders, je zusje.' Kowalski's woorden drongen vlijmscherp Dylans oren binnen en sneden zich via zijn trommelvliezen een weg naar zijn hersenen.

'Nee!' protesteerde Dylan.

De laatste vlinder, gered doordat hij zich in Dylans mond had verstopt, vloog weg en landde op zijn wang. Toen was hij thuis, klein en in bed, een kusje als een vlinder warm van de zon, streek langs zijn wang. Een gouden kruisje aan een dun kettinkje ving het licht. De zoete kersensmaak van siroop op zijn lippen, maar verkeerd, de soort verkeerd die je laat weten dat er medicijnen onder zitten en dat die kersensmaak je voor de gek moet houden.

Dylan liet zich niet voor de gek houden. Het is moeilijk om een jongen van elf voor de gek te houden, maar hij had de lepel medicijn alleen genomen om zijn moeder een plezier te doen en omdat hij wist dat hij – als hij niet verlost werd van 'dat afschuwelijke blauwe slijm' zoals zijn vader de verkoudheid en griep noemde die de inwoners van Rochester van oktober tot april kwelde – die zaterdag niet zou mogen meedoen met de hockeywedstrijd.

Hij werd slaperig van dat medicijn. Zijn moeder zat op de rand van zijn bed en zong een slaapliedje voor hem, net zoals toen hij klein was. Hij liet haar haar gang gaan, om haar niet te kwetsen. Haar stem was goed, laag en krasserig, maar ze kon nooit een melodie onthouden en ging halverwege altijd gewoon haar eigen gang. Het deed hem denken aan die Japanse zangers waar ze op school soms naar moesten luisteren om te laten zien dat niemand nog steeds boos was over een oorlog van heel lang geleden. Om de een of andere stomme reden besloot ze nog een liedje te zingen, *Hush Little Baby*.

Het was één ding als ze een liedje zong voor Lena die twee was, maar zijn moeder mishandelde het liedje en hij was toch zeker al elf! Wat moest hij in vredesnaam doen? Op zijn duim gaan zuigen en zijn doekje strelen? Hij wilde haar net zeggen dat ze maar voor Lena moest gaan zingen, of de hond moest kwellen, of een ander moederding moest gaan doen toen Rich in de deuropening kwam staan en 'doodging' op allerlei manieren die Dylan hilarisch vond: zijn neus omhoogduwen en zijn tong uitsteken; zichzelf in het hoofd schieten en langs de deurpost op de grond glijden.

Elke keer als Dylan lachte draaide zijn moeder zich om, maar dan stond Rich onschuldig te kijken, alsof hij gewoon genoot van het liedje. Uiteindelijk gaf ze het op, zoende hem en vertrok.

Die kus was het laatste normale ding dat hij had meegemaakt. Het laatste goede ding. Een warme vlinder op zijn wang, iemand die hem geen monster vond.

Daarna was er geschreeuw geweest, felle lampen, mannen met radio's – agenten. Gillende sirenes buiten, en nog meer in zijn hoofd. Zijn hoofd was gigantisch en kapot, er sneed een stuk kapot glas door zijn hersenen. Rich was mank en leek wel dood, zijn gezicht had de kleur van die van de zombies in oude films waar ze vaak om lachten; alleen was het nu niet grappig. Rich was niet aan het dollen. Hij ging dood. Een van de agenten, een grote man met handen groter dan Dylans gezicht, greep Dylan bij zijn nekvel. Hij voelde warm en nat en vroeg zich af of hij in bed had geplast.

Hij had in bed geplast en zijn ouders hadden de politie gebeld. Rich was bewusteloos geraakt omdat hij in bed had geplast. Hij lachte omdat het te gek was om waar te kunnen zijn. Toen hij lachte werd de greep van de agent steviger, tot hij dacht dat zijn hoofd zou barsten als een rijpe puist en zijn hersenen naar buiten zouden stromen als pus. 'Psychopathische klootzak!' riep de agent.

'Rustig aan, Mack,' zei iemand.

'Jij kleine hufterige klootzak!' riep de reus met zijn gezicht zo dicht bij dat van Dylan dat hij de oude koffie in zijn adem kon ruiken en de borstelige haartjes op zijn wangen kon zien.

Hij hief zijn handen om de agent weg te duwen, en ze waren rood. Rood en kleverig. Hij zat helemaal onder die kersensiroop. Te rood. Bloed, hij zat onder het bloed. Het zat helemaal over zijn borstkas gesmeerd. De lakens op zijn bed waren doorweekt van het bloed. Het zat op zijn gezicht en zijn armen. Braaksel verstikte zijn lach.

'Kijk maar eens naar wat je hebt gedaan, kleine zieke rotzak!'

'Mack, rustig aan!'

Maar dat deed Mack niet. Dylan voelde dat hij als een katje bij zijn nekvel van het bed werd getild. De pijn in zijn hoofd was verschrikkelijk en zijn benen deden niet wat hij wilde. De agent, Mack de Reus, tilde hem de kamer uit. Twee mannen hadden Rich meegenomen naar de overloop en deden dingen met zijn kruis, zo leek het tenminste.

'Is hij dood?' hijgde Dylan.

'Nog niet, klootzak!' zei Mack en Dylan vroeg zich af of ze hem zouden doden, of het misschien geen echte politieagenten waren maar mannen die als politieagenten waren verkleed en hem wilden vermoorden. Ze hadden Rich al vermoord en nu nam Mack hem mee naar een plek waar hij hem ook zou vermoorden. Ze hadden zijn ouders waarschijnlijk al vermoord, anders zou zijn vader zijn dubbelloopsgeweer al wel achter de kast vandaan hebben gepakt en hen aan flarden hebben geschoten.

'Ze zijn dood!' schreeuwde hij tegen Rich, om te zorgen dat die wakker werd en wegrende of ging vechten, om hem te laten weten dat er geen hulp zou komen. 'Mama en papa zijn dood!'

'Daar ben je zeker trots op, hè, klootzak!' zei de agent en hij sleepte hem de slaapkamer uit naar de overloop. Alle lampen waren aan, starend en koud, en er was een man met een camera die flitste waardoor Dylans ogen in brand leken te staan. 'Kijk maar, ellendig stuk vreten!' De agent duwde hem op handen en voeten de overloop door.

Lena, kleine Lena, lag met haar gezichtje naar beneden midden op de versleten loper die de hardhouten vloer van de overloop beschermde. Haar hoofdje lag in tweeën, zoals in een tekenfilm wanneer iemand een ander openritst die dan vervolgens in twee helften uiteenvalt.

'Tevreden?' schreeuwde Mack en hij schudde hem heen en weer. 'Er is nog veel meer te zien!'

Hij werd weer bij zijn nekvel opgetild. Zijn voeten probeerden mee te lopen maar de agent wilde zijn hoofd niet loslaten. Mack, de reuzenagent, nam hem mee naar de slaapkamer van zijn ouders.

Dylan wilde niet zien wat ze met zijn mama en papa hadden gedaan. Met een door pure angst veroorzaakte kracht begon hij te trappen, te bijten, te gillen. Hij deed het in zijn broek en vond het niet eens erg. De wereld was gek geworden.

Maar dat was niet zo. Dylan was gek geworden.

'Nee!' gilde hij.

'Kijk!' drong Kowalski aan. 'Kijk. Dit heb ik voor je gevonden.'

Dylan tuurde met moeite door de vallende kleuren, door het bloed in zijn ogen, door het duister van de muren die te dichtbij kwamen. Kowalski had iets op zijn knieën gelegd. Het lag als een kind op zijn schoot.

'Kijk eens wat ik voor je heb meegenomen,' zei de dokter. 'Dit heb ik voor je meegenomen, zodat je het je kunt herinneren. Dit is de bijl. De bijl waarmee jij je familie in stukken hebt gehakt. Kijk maar. Kijk maar naar de bijl. Kun jij je die bijl herinneren? Hier is ie. Kijk naar de bijl. Die heb ik voor je meegenomen.'

Dylan keek. De bijl. Bloed stroomde uit zijn ogen; hij voelde het warm op zijn gezicht. De paniek weerklonk in zijn oren zodat hij niets anders kon horen. De bijl lag daar, levend, wachtend. Dylan keek naar Kowalski's gezicht. Dat veranderde weer. Geen rechter. Een agent. Mack de Reus, de nepagent, de gemene agent die hem uit zijn bed had gehaald. Deze keer zou hij niet bang zijn. Deze keer zou hij er niet mee ophouden. Deze keer zou hij ze allemaal wel krijgen.

Met de kracht van de slang in zijn hersenen stond hij op van de bank. Hij voelde een heldere kille golf van wraak toen hij als een god ging staan en omhoogschoot. Zijn handen grepen de bijl uit de handen van Mack de Reus. Die bijl woog niets. Hij was nu een man, geen kleine jongen meer. Hij was sterk. De bijl zwaaide boven zijn hoofd, het blad glansde. De vlinders kwamen terug. Hij kon ze redden.

Met een jubelende kreet liet hij de bijl neerkomen op de schedel van Mack de Reus.

15

Dylan bleef hakken. Het blad van de bijl zong, de vlinders flitsten helderder en kleurrijker. Dylan kon de spieren onder zijn huid voelen bewegen. Als hij keek, zou hij ze kunnen zien, erdoorheen kijken naar zijn botten, hard en lang, zwaaiend met de bijl.

Mack de Reus, de nepagent, de klootzakagent, de rotagent, viel van de stoel maar wilde niet doodgaan. Dylan zwaaide harder, dreef de bijl door de kruipende rug, hakte waar de arm uit de schouder kwam, lager door de ruggenwervels en de onderkant van de schedel.

Nog steeds kroop de man, zijwaarts als een krab, probeerde de denkbeeldige veiligheid van zijn bureau te bereiken. Dylan volgde, zijn benen sterk nu, niet die dunne sprietjes van een kleine jongen. De vloer trilde met elke dreunende stap, en Dylan lachte. Deze keer zou Mack het niet doen; hij zou Dylan niet over de overloop sleuren en hem zijn smerige werk laten zien. Als Mack dood was, zouden de vlinders veilig zijn. Zou iedereen veilig zijn.

Het laatste stukje van de agent verdween onder het oude gebutste metalen bureau. Hij trok zijn voeten op zoals een klein kind die zich voor zijn grote broer verstopt, zoals de gekromde tenen van de Wicked Witch onder Dorothy's huis. Met de bijl losjes in zijn rechterhand greep Dylan het bureau bij de rand en tilde het op. Hij was honderd keer sterker. Het zware metalen bureau kwam omhoog en viel tegen de muur. Dat stomme schilderij viel eraf en smakte op de grond.

Weer hief Dylan de bijl.

'Er is geen bijl! Er is geen bijl! Die bijl was een grapje. Je hebt niets in je handen! Bewaker! Bewaker! Help! Er is geen bijl. Je handen zijn leeg! Jezus! Help me! Help me alsjeblieft! Bewaker!'

Het gekromde ding op de grond, de in elkaar gedoken spiraal van vlees, gilde deze woorden. Geluid werd taal, taal werd Engels en kreeg betekenis.

'Je handen zijn leeg, idiote psychopaat. Er is geen bijl!'

Dylan hield zijn handen voor zijn ogen. Hij hield niets vast. Niets. Zijn vingers kromden zich om lege lucht. Hij staarde van de plek waar de steel van de bijl was geweest naar de man aan zijn voeten. De agent was weg. Mack de Reus was Kowalski. Niemand was dood. Niemand, alleen zijn familieleden. En de vlinders.

Dylan raakte zo snel buiten bewustzijn dat hij niet eens voelde dat hij viel.

Hij kwam langzaam bij bewustzijn, misselijk en met een barstende hoofdpijn. Hij had een zure galsmaak in zijn mond en de vage nasmaak van ontbinding door de zware kalmerende middelen. Hij knipperde, wilde zijn hand optillen om de spinnenwebben van zijn gezicht te vegen. Zijn armen waren vastgebonden. Dylan kende dat gevoel; leren banden gevoerd met schapenhuid en vastgemaakt aan het bed. Die gebruikte Kowalski tijdens zijn shocktherapie.

Eén verschrikkelijk ogenblik dacht Dylan dat hij daarom daar was, dat de volts elk moment door zijn hersenen zouden razen en gedachten en herinneringen bij de wortels uit zijn hersenen zouden scheuren.

Als dat al niet was gebeurd.

Toen herinnerde hij zich de lsd: de lsd, en de bijl, en de vlinders. Hij kon zich niet herinneren of hij Kowalski had vermoord of niet.

Maar ja, dat zou hij zich immers niet herinneren. Toch?

'Verdomme,' gromde hij. Of Kowalski nu wel of niet ademde, veranderde niets aan het feit dat híj wel leefde. Zijn keel was zo droog dat hij amper kon slikken, en zijn blaas stond op knappen.

'Hé!' riep hij schor. Hij wilde zijn hoofd draaien maar dat deed te veel pijn. 'Hé!' riep hij even later weer. 'Ik moet pissen!'

Toen kwam er een ziekenhulp aan. Ze baalden ervan als ze pis moesten opruimen.

Ze baalden ervan om ook maar iets voor de gevangenen te doen.

Dylan luisterde naar het geluid van de rubberzolen op het linoleum. Hij lag op de afdeling Psychiatrie. Dat was op de ziekenboeg na de enige plek waar ze handboeien van leer en schapenhuid gebruikten. Nadat Kowalski zijn hersenen had geëlektrocuteerd, was hij hier wakker geworden. Ook zonder de handboeien had Dylan geweten waar hij was, zelfs zonder zijn ogen te hoeven openen. Psychiatrie had een eigen geur. Hier hing de gebruikelijke mengeling van lichaamsgeuren en doordringende schoonmaakmiddelen, en de stank van oud voedsel en medicijnen, maar behalve dat bekende aftreksel hing er een geur die Dylan in gedachten met hopeloosheid associeerde. Die geur, die een beetje deed denken aan vruchtbare aarde, kwam zijn hersenen binnen als een lage noot je oren – stof die viel op een plek waar er geen wind was om die weg te blazen. Als je dat mengsel inademde kon je bijna niet geloven dat ergens op de wereld de zon scheen, dat niet alle katten hun kittens opaten en dat er wel eens een optocht was die niet verregende.

'Hé!' riep Dylan weer.

'Hou je rustig,' zei een verveelde stem. 'Kom d'r aan.' Dat was Clyde.

Dat was goed. Clyde was oké. Hij was oud, traag en dom, maar hij zat niet boordevol haat. In Dylans beleving was zo iemand bijna heilig.

'Je gaat me toch niet met een onzichtbare bijl te lijf als ik je naar de wc breng, hè?' vroeg Clyde terwijl hij de boeien losmaakte. Dylan nam aan dat de ziekenhulp opdracht had gekregen hem de ondersteek te laten gebruiken. Maar dat betekende dat Clyde die zou moeten schoonmaken. Dankbaar voor de luiheid van de oude man en het flintertje gevoel van eigenwaarde verzekerde Dylan hem dat hij hem niet in stukken zou hakken maar hem een onzichtbaar biljet van twintig dollar zou geven als hij de deur van de wc mocht dichtdoen.

'Geen probleem.'

Dylan had het alleen maar gevraagd om iets te vragen. Sinds ze hem hadden opgesloten, had hij nooit iets kunnen doen zonder toezicht, zelfs dromen niet. Soms vroeg hij zich af of hij, als hij hier uit kwam, publiek nodig zou hebben om te kunnen poepen.

Clyde hield de deur van het kleine toilet van de recovery open en Dylan duwde hem opzij toen hij naar binnen ging. Fysiek contact met die oude man was alarmerend. Het gevoel van leven zo dichtbij was te prikkelend. Dylan had dat brandende holle gevoel vanbinnen dat een slechte trip achterlaat.

Clyde moest hem steunen zodat hij kon pissen. Net zoals toen hij tripte, bewogen de muren – de lsd zat nog steeds in zijn lichaam – maar nu hadden ze hem ook nog eens kalmerende middelen gegeven zodat de muren in slow motion bewogen. Hij schokte alsof hij zou vallen, maar kwam tot de ontdekking dat alleen de muren bewogen, alsof de muren ervandoor wilden.

'Dat was *bad shit*, zeg!' zei Dylan in de hoop dat zijn eigen stem hem zou helpen zichzelf te herkennen.

'*Bad* als in *baaad*, wat goed betekent, of *bad* als in *bad*, wat slecht betekent?' vroeg Clyde ernstig. De gevangenen pestten hem vaak omdat hij op de hoogte probeerde te blijven van het moderne slang.

'*Bad* als in *shit*!' zei Dylan.

'Aha,' zei Clyde.

Door de huid van Clydes kale hoofd kon Dylan de raderen in zijn hoofd zien werken. Even kreeg hij de neiging aardig te doen – en dat kwam niet vaak voor – en hij wilde het gaan uitleggen, maar toen was hij alweer vergeten waar ze het over hadden.

Toen Clyde hem hielp terug te lopen naar het bed zonder te vallen, stelde Dylan de vraag die hij eerst had vermeden. 'Heb ik iemand vermoord?'

'Niemand van belang,' zei Clyde.

Er ging zo'n steek van angst door zijn lichaam dat hij bijna dubbel klapte. Toen Clyde dat zag, zei hij snel: 'Nee knul, je hebt niemand vermoord. Je hebt helemaal niemand vermoord.'

Opgelucht, maar nog steeds trillend, ging Dylan weer liggen. 'Moet je me weer vastmaken?'

'Ja, dat moet wel.'

Dylan stak zijn handen in de leren boeien met de handpalm omhoog zodat Clyde de gespen gemakkelijker kon vinden. 'Is dokter Kowalski in orde?'

Clyde grinnikte, een fluisterend geluid als van bladeren in de winter. 'Nee. De directeur heeft dat armzalige misbaksel de sneeuw in gegooid. Heeft hem ontslagen. Directeur Cole houdt niet van dat soort experimenten, niet zonder de juiste dingen. Zoals hij altijd zegt.'

Clyde hoefde het niet te zeggen; Dylan had dit de directeur al vele malen horen zeggen. Het was verbazingwekkend hoeveel deskundigen in de jeugdgevangenis de gevangenen wilden gebruiken – allemaal zogenaamd om hen te helpen natuurlijk.

'Het zijn geen proefkonijnen,' zei de directeur graag. 'Het zijn jóngens. Echte levende jongens.'

Als Pinokkio had geweten hoe het was, had hij niet zo graag een echte jongen willen zijn, dacht Dylan toen hij wegzakte in de zwarte drugsplek die de slaap verving.

Toen hij weer wakker werd, was hij niet alleen. Buiten was het donker en er brandde één enkele lamp op een tafeltje dat bij de gangdeur aan de vloer was geschroefd. Twee handen omvatten zijn rechterpols. Hij deed zijn oogleden een heel klein stukje van elkaar. Phil Maris, zijn wiskundeleraar, hield zijn pols vast en had zijn hoofd gebogen alsof hij aan het bidden was. Phil was slank en klein, zo'n één meter zeventig. Hij droeg zijn lange haar in een paardenstaart. De directeur kneep een oogje toe wat dat betreft omdat Phil, onder zijn radicale uiterlijk, een goede betrouwbare man was en een uitmuntende docent. Dylan deed zijn ogen weer dicht en genoot even van de aanraking. Phil was bijna dertig en nog ongetrouwd, maar geen homo. Je zat niet vier jaar in Drummond zonder te weten wie je wilde bespringen. Phil was zo hetero als maar kon.

'Wat erg voor je, man.' Phil had gemerkt dat Dylan wakker was.

'Hij heeft me verdomme doodsbang gemaakt.'

'Hé man, let op je woorden.'

Phil liet de jongens nooit dit soort taal uitslaan als hij erbij was. Hij zei dat dergelijke woorden alleen maar tot gevolg hadden dat andere mensen wisten dat je te stom was om op een andere manier uiting te geven aan je gevoelens.

'Het spijt me van die lsd,' zei Phil. 'Ik had nooit samen met jou een trip moeten maken. Dat soort dingen doe ik niet meer. Ik heb te veel burn-outs gezien.'

'Als ik niet met jou had getript, had ik nooit uit deze trip kunnen komen,' zei Dylan naar waarheid. 'Kowalski, dókter Kowalski, heeft me meegesleurd naar een paar nare plekken. Echt nare plekken!'

'Hij zei dat je flipte en probeerde hem te vermoorden.'

'Dat kan.' Kowalski zou hen een verhaal op de mouw hebben gespeld waarmee hij dacht te kunnen wegkomen. Dylan nam niet de moeite zichzelf te verdedigen. Moedermoordenaar, vadermoordenaar, moordenaar van kleine meisjes versus meneer de dokter; niemand zou hem geloven.

'Je doet het niet weer, hè? Beloof me dat.'

'Wat, flippen?'

'Lsd nemen.'

Phil vroeg dat alsof hij dacht dat Dylan die belofte zou houden. Dylan beloofde het. Hij zou die belofte houden. Niet alleen omdat hem de kans werd geboden, maar omdat de lsd hem te dicht naar de afgrond had geduwd.

'Jezus,' zei Phil en hij boog weer zijn hoofd. 'Ik moet zorgen dat ik je hier vandaan krijg.'

Dylan zei niets. Niemand zou hem uit Drummond kunnen halen. Vanaf hier zou hij naar de staatsgevangenis gaan. Maar hij vond het fijn dat Phil het wilde.

Een hele tijd zei geen van beiden iets. Dylan keek naar de muren. Ze bleven grotendeels rechtop staan. Aan de rand van zijn bewustzijn waren dingen, nare lsd-dingen, maar op dit moment lieten ze zich niet echt zien.

Hij zou flashbacks krijgen van deze trip. Hij voelde dat ze zich ontwikkelden, als stormen vlak boven de bergen van zijn geest.

'Dylan, je bent een goede knul. Een slimme knul. Als je hier blijft, word je uitschot. Echt waar. Uitschot. Als je niet vecht als een leeuw maken de artsen hier je gek, of maken de gekken hier jou net als zij. Deze jongens – de meeste jongens hier – hebben nooit een kans gehad. Ze liegen omdat ze geen idee hebben wat de waarheid is. Ze stelen omdat ze geen beeld hebben van de toekomst, dus wat geeft het, dan pak je vandaag wat je wilt hebben. Jij zou anders kunnen zijn, maar dan moet je hier wel weg. Je móét naar een plek waar het normaal is. Een veilige plek,' zei Phil. 'Heb je zin om die te bouwen?' Phil gaf les in alle rekenvakken: algebra, trigonometrie, geometrie, wiskunde. Trigonometrie was zijn lievelingsvak, en hij liet Dylan vaak in gedachten iets bouwen. Die vaardigheid was de basis geweest van de muren die hij had gebouwd om zijn slechte genius te omvatten.

'Ik heb een veilige plek,' zei Dylan. Phil was de enige aan wie hij had verteld over het fort in zijn hoofd waar het monster gevangenzat.

'Nee man, een prachtige plek, een goede plek. Een tuin misschien. Ja, een tuin.'

Dylan had nooit gedacht aan een vredige plek, aan een mooie plek. Het idee stond hem wel aan; hij werd er warm van.

'Ik weet niet hoe...' begon hij. Zijn stem brak omdat de tranen weer terug wilden komen in zijn stem. Toen hij ze onder controle had, zei hij: 'Ik bedoel, shit man, wat weet ik nou van tuinen?' Wat wist hij nou van schoonheid, was wat hij had willen zeggen, maar dat klonk zo onzinnig dat hij het niet uitsprak.

'Dan doen we het met foto's. Dat is toch niet zo moeilijk? Kom op man, je moet het doen. Je moet het doen, anders ga je hier dood,' zei Phil smekend. 'We beginnen met aarde. Jezus man, je weet toch wel wat aarde is?'

'Aarde.' Dylan deed zijn ogen dicht om zijn vriend en leraar een plezier te doen. Hij en Phil kozen een plek met zacht glooiende heuvels, zoals je vanuit de ramen op de tweede verdieping kon zien. Ze legden een wandelpad aan. Dat was genoeg, dat was een begin.

De deur ging open en een bewaker keek om het hoekje. 'Je hebt bezoek.' Dylan keerde terug van de inspectie van zijn inwendige tuin. Bezoekers mochten nooit verder komen dan de receptie.

Verrassingen in Drummond betekenden nooit iets goeds.

Deze wel. Rich kwam binnen. De tijd werd onmetelijk met lsd, maar Dylan had het gevoel dat hij te lang naar Rich en Phil bleef kijken. Hij voelde dat Phils warme hand zijn pols losliet en voelde de warmte wegtrekken, goudkleurig en broos.

'Dat ziet er gezellig uit,' zei Rich glimlachend.

'Hé broer,' zei Dylan. 'Dit is Phil, mijn wiskundeleraar. Ik heb je wel eens over hem verteld.'

'Ja.' Rich gaf Phil Maris een hand en ging naast Dylans bed zitten.

De wiskundeleraar bleef even onhandig staan en vertrok. 'Tot later, Dylan.'

'Phil is een goeie vent,' zei Dylan. 'Hij is zo ongeveer de enige die voorkomt dat het hier een hel is.'

'Ik ben blij dat je iemand hebt met wie je kunt praten,' zei Rich, maar hij klonk niet erg blij. 'Hoe gaat het, broertje? Een van de jongens heeft een bewaker omgekocht en belde me. Ik heb hemel en aarde moeten bewegen om naar binnen te mogen. Sara heeft een paar belangrijke kruiwagens moeten inschakelen. Ze zijn er dus in geslaagd om dat beetje hersenen van je totaal te roosteren?'

'Bang van wel,' zei Dylan. 'Verdomde klote! Kowalski is gekker dan de jongens met wie hij werkt.'

'Zeg dat wel! De directeur zei dat hij weg is.'

Restanten lsd veranderden de vlekken op het plafond in nare dingen. Dylan deed zijn ogen dicht. De tuin die hij en Phil hadden ontworpen verscheen, glooiende heuvels, het kronkelende pad gemarkeerd met staken, elke staak versierd met oranje landmeterstape. Aarde.

'Ik hou van die ouwe Phil,' zei hij, maar door het restje lsd waren zijn woorden bijna onverstaanbaar.

'O ja?'

Rich, het vertrek, de boeien gleden weg. Dylan stak zijn hand uit, er kwam een schep in en hij begon te graven. Hij wilde vlinderstruiken planten zodat ze terugkwamen.

16

'Ik hou van Phil.'

Na die woorden viel Dylan in slaap. Richard keek naar zijn ogen. Hij droomde, zijn oogballen bewogen onder de oogleden. 'Broertje,' zei Rich, toen luider: 'Dyl!' maar geen reactie. Richard had nog nooit lsd gebruikt, geen hasj aangeraakt en dronk zelden; hij werd niet high van drugs.

'Je moet eindelijk eens ophouden met dat soort dingen,' zei Rich vriendelijk tegen zijn broer. 'Wat voor griezel geeft een jongen van zestien nou lsd? Ik had moeten zorgen dat die klootzak werd ontslagen nadat hij had geprobeerd je te elektrocuteren. Verdomme.' Zijn broer lag onrustig te slapen en Rich keek naar buiten. Het was donker, het zware draadgaas verduisterde zelfs de felle schijnwerpers rondom Drummond.

'Wat voor griezel veroordeelt een jongen van elf nou tot zeventien jaar gevangenis?' fluisterde hij. Dylan zou waarschijnlijk tot zijn achtentwintigste in de bak blijven. Hij keek weer naar zijn broer, bleek en zwetend onder de enige lamp in het vertrek. Wat voor man zou Dylan dan zijn?

'Word je een junkie, broertje? Word je lid van een bende als je naar de staatsgevangenis gaat? Dat mag je me niet aandoen!' De jeugdgevangenis had Dylan al veranderd en Rich wilde niet weten wat de staatsgevangenis met hem zou doen.

Dylans handen maakten spastische bewegingen in de gevoerde boeien en er lag een lichte glimlach op zijn gezicht.

Droomde hij van die ouwe Phil?

Die gedachte versomberde Richards toch al sombere stemming.

Het was een verdomd lange rit van Rochester naar Drummond en hij had moeten spijbelen om het te kunnen doen. Niet dat hij school belangrijk vond. Op junior high was hij al beter dan die domkoppen. En dan had hij het alleen nog maar over de leraren. Hij was slimmer geboren dan die puisterige stomkoppen met wie hij in de klas zat. Hij had een tien gemiddeld, alleen maar om ze dat te laten weten.

'Broertje,' zei hij nog eens, maar Dylan was nog steeds in Never Never Land. 'Ik zit vier uur in de auto en jij valt in slaap! Wat een puinhoop.' Dylans hand, die met de palm naar boven in de boeien zat, verkrampte, de vingers grepen. Richard nam hem in zijn handen. Huidcontact vond hij meestal onplezierig, maar niet bij Dylan. Misschien omdat hij familie was.

De hand van zijn broer zat vol leven. Richard voelde hem rennen onder zijn huid en met zo'n kracht tegen zijn eigen leven opbotsen dat ze samenvloeiden. Hij voelde dat de lsd brandend in zijn bloed stroomde, voelde dat de kalmerende werking van de medicijnen zijn gedachten afvlakten. Hij kon zich niet herinneren dat hij zich vroeger zo één met zijn broer had gevoeld. Het machtsverschil tussen ouders en kinderen maakten dat onmogelijk. Maar in de nacht van die moorden was er iets gebeurd. Hun bloed had zich op het blad van de bijl vermengd en ze waren meer geworden dan broers, ze waren bloedbroeders geworden.

Richard trok zijn hand terug. 'Moet stoppen met die drugs, broertje. Ze vermoorden me.' Hij lachte. Toen zei hij: 'Ik maak geen grapje.' Hij leunde achterover en strekte zijn benen. Hij was één meter drieëntachtig, zonder schoenen, vijf centimeter langer dan Dylan, hoewel hij betwijfelde of dat zo zou blijven. Dylan had nog een paar jaar om hem in te halen.

Richard had gevochten om te voorkomen dat Dylan naar Drummond werd gestuurd. Maar omdat hij nog maar veertien was en gewond, had dat niet veel effect gehad. Achteraf gezien was Drummond misschien wel de juiste keuze geweest. Hij was toen nog te naïef geweest om zich te realiseren dat Dylan waarschijnlijk zou zijn doodgeslagen door de gezagsgetrouwe inwoners van Rochester als ze hem niet hadden opgesloten. Ze bewezen lippendienst aan de tragedie van zijn extreme jeugd, maar waren doodsbang voor hem. Bang dat hun eigen jongens en meisjes ook een keer zouden doordraaien en het gezin zouden uitmoorden.

Drummond gaf Dylan een betere opleiding dan hij in de gevangenis van Rochester zou hebben gekregen, zeker zo goed als op een openbare school. De directeur was een geweldige vent. Tot hij een gestoorde psychiater een tweede keer met Dylans hersenen had laten rotzooien, had Richard hem oké gevonden.

De staatsgevangenis zou totaal anders zijn. Richard had gehoord wat er gebeurde met jongens die in de bak zaten. Dylan zei dat dit geen probleem was in de jeugdgevangenis, dat daar 'meisjes' waren – jongens die dat wel lekker vonden – en dat zij de druk van de ketel haalden. In de staatsgevangenis had 'verkrachting' niets met seks te maken. Daar ging seks niet om seks, maar om macht. Dat had Richard instinctief geweten. Zijn huid werd vochtig bij de gedachte dat iemand aan zijn broertje kwam. Heel even kon hij de verkrachting in zichzelf voelen.

'Shit,' zei hij om dat beeld te verdrijven. 'Dylan! Wakker worden, man! Zeg wat tegen me!'

Dylan droomde zijn dromen en sliep door.

Richard liet zich weer in zijn stoel vallen. Vierenhalf jaar waren verstreken sinds zijn broer was opgesloten. Richard was oud genoeg om de voogdij over de minderjarige Dylan te krijgen, als die vrij was en als Sara voor hem zou getuigen. Dat zou ze niet fijn vinden; Dylan maakte haar bang.

Ik zou mijn broeders hoeder zijn, dacht hij.

De deur achter hem ging krakend open. 'Hé man, geef ons nog een paar...' Richard zweeg. Het was de bewaker niet, maar de wiskundeleraar.

Goeie ouwe Phil.

'Sorry,' zei Phil. 'Ik wist niet dat je er nog was.'

'Waar zou ik anders moeten zijn?'

Phil gaf geen antwoord. Hij trok een tweede stoel bij en ging te dichtbij zitten, waarna hij Dylans gezicht begon te bestuderen. 'Rust zal hem goeddoen,' zei hij.

'Ja.'

Een minuut zaten ze zwijgend bij elkaar. Richard wachtte tot die stomkop zou vertrekken en kreeg het idee dat Phil op hetzelfde wachtte. Hij werd er chagrijnig van. Goeie ouwe Phil kon wachten tot hij een ons woog.

'Heeft Dylan ooit met je over die nacht gepraat?' vroeg Phil.

'Hij kan het zich niet herinneren,' zei Richard koeltjes. 'Ik heb zijn hersenen bijna uit zijn kop geslagen met een bijl.'

'Dat zeggen ze, ja.'

Richard kon de toon waarop de wiskundeleraar dat zei niet waarderen.

'Ik heb je broer de laatste vier jaar bijna elke dag gezien. Dylan is een goede knul.'

'Voor een moordenaar,' zei Richard.

Phil keek hem met een harde blik aan.

Richard zei niets.

Phil bleef hem aankijken. 'Je maakt een kind niet vier jaar lang intensief mee zonder hem te leren kennen.'

Phil, goeie ouwe Phil, wilde ergens naartoe. Richard keek hem aandachtig aan.

Dat hippiehaar, die 'ik ben je beste vriend'-houding naar Dylan toe, wat wás dat voor leraar? 'Waar wil je naartoe?' vroeg hij.

'Lange rit, hè? Een uur of vier?'

'Ja, zoiets.'

'Je slaat nooit een bezoekuur over, hè?'

'Heb je daar een probleem mee of zo?' Die vent begon hem behoorlijk op de zenuwen te werken. 'Ik ken een goede kapper, kan ik je echt aanbevelen.'

Phil negeerde die rotopmerking. *Hij stond erboven*, dacht Richard bitter.

'Acht uur heen en terug, twee keer per week. Heel veel tijd en energie. De meeste jongens van jouw leeftijd zouden dat niet doen.' Phils pupillen werden iets groter alsof hij in Richards hoofd wilde kijken. 'Waarom doe je dat?'

'Omdat hij mijn broertje is,' snauwde hij. 'Waar wil je naartoe?'

‘Nergens, man. Gewoon een opmerking, meer niet.’ Hij stond op. ‘Kalm maar,’ zei hij. ‘Wij zorgen wel voor je broertje.’

Hij vertrok.

Verdomde achterlijke klootzak, tegen wie dacht hij dat hij het had? ‘Verdomde rotzak!’ fluisterde Richard. ‘Bewaker!’

Een oude man in een grijs uniform stak zijn hoofd om de deur. ‘Tegenwoordig heten we consulenten. Wist je dat niet?’ De oude man grijnsde, maar Richard was niet in de stemming.

‘Ik moet de directeur spreken.’

‘De directeur is naar huis. Zit nu zo ongeveer te eten, volgens mij.’

‘Het kan me niets schelen, ook al laat hij zijn haar nu knippen. Ik moet met hem praten. Nu!’

De bewaker keek onzeker, vroeg zich af waar hij de meeste problemen mee kreeg, met de woedende Richard of met de directeur als hij hem bij zijn eten wegriep.

‘De directeur zal willen horen wat ik hem te vertellen heb,’ zei Richard. ‘Geloof me maar. En geloof me, als jij degene bent die ervoor zorgt dat hij het later hoort dan eerder, dan zit je straks zonder baan.’

De bewaker knipperde met zijn ogen. ‘Oké, knul. Jij wint. Kom maar mee.’

Richard vertrok, zonder dag tegen zijn broer te zeggen.

Louisiana, 2007

James Ruppert. Vermoordt in 1975 elf familieleden tijdens het paasdiner. Die vent was gestoord. Ach, volgens mij zijn we allemaal gestoord, dus ik neem het hem niet kwalijk. Maar dat zie ik mezelf nog niet doen, familieleden vermoorden zoals Ruppert heeft gedaan. En voor je het vraagt, nee, toen ik nog thuis was had ik helemaal geen belang bij dat soort dingen. Maar je moet wel toegeven dat hij schandelijk werd behandeld door zijn familie. Stel je voor, op zijn eenenveertigste woonde hij nog steeds bij zijn mammie. Dan ben je toch een grote minkukel? En dat was precies wat zijn vader hem steeds maar onder de neus wreef. Dan komt grote broer eten met zijn acht kinderen – acht! Dan zou je toch denken dat die broer zichzelf allang had doodgeschoten. Inclusief zijn vrouw die vroeger James' vriendinnetje was, en terwijl zijn moeder het paasmaal klaarmaakt, weet hij dat ze overweegt hem eruit te trappen; en hij heeft geen baan, dus geen geld. Daarbij komt dat hij een bak geld zou krijgen van de levensverzekering. Zijn familie doodschieten begint er dus aantrekkelijk uit te zien. Een verstandige zet eigenlijk wel. Tot je bij die kinderen komt. Misschien denkt hij dat ze nog geen echte mensen zijn. En met z'n achten kun je ze ook niet echt beschouwen als een bedreigde soort of zo, hooguit als een schoonmaakklusje. Maar wat ik niet begrijp is waarom je al die moeite doet en dan op de politie blijft wachten. Dacht hij soms dat hij er wel onderuit kon komen? Als hij dat echt dacht, was hij echt gestoord. Hé, misschien had hij moeten zeggen dat hij niet toerekeningsvatbaar was. Een vicieuze cirkel dus. We zijn allemaal gestoord, maar als we je dat vertellen zijn we het niet. Ik heb medelijden met James; hij had meteen al geen kans.

17

Marshall was bang. Polly zag dat in de fonkeling in zijn ogen, in de fonkeling van de ring van tweeënhalf karaat die tussen hen in op tafel lag. Of hij bang was dat ze ja zou zeggen of zou weigeren, wist ze niet.

Ondanks het cynisme waarmee ze naar mannen keek, was Polly romantisch. *Ivanhoe* was een favoriet van haar, *Sense and Sensibility*, *Sleepless in Seattle*. Als meisje had ze *The Black Rose* zo vaak gelezen dat de omslag eruitzag als het derde honk in Little League Park. Ze had het grootste deel van haar volwassen leven tijdens colleges de wáre liefde behandeld, zoals die werd gezien door dichters, toneelschrijvers en romanschrijvers. Zoals ze altijd tegen haar studenten zei, verliep ware liefde niet alleen niet altijd gladjes, maar was die ook vaak fataal.

Ze zaten op de binnenplaats van de Court of Two Sisters in het Quarter. Ze zaten onder het baldakijn van de oude Amerikaanse eiken die de tuin afscheidden. In elke boom hingen duizenden kleine lampjes en elk lampje reflecteerde de facetten van de diamanten verlovingsring. Het verbaasde haar dat ze niet verbaasd was. Het verbaasde haar ook dat ze hem wilde oppakken, om haar vinger wilde laten glijden en in een wolk witte tafzijde door het middenpad wilde rennen. Misschien was liefde net zoiets als de bof: als een vrouw dat kreeg als ze veertig was geweest, kon ze eraan doodgaan.

Ze staarde naar het zwartfluwelen doosje met zijn glinsterende belofte en hoorde zichzelf zeggen: ‘Maar we zijn nog maar een maand samen.’

‘Maar wat voor een maand!’ antwoordde Marshall en met de hand met de lange vingers die ze zo graag vasthield en naar keek als hij een tekening maakte voor Emma en Gracie, duwde hij het doosje een paar centimeter dichter naar haar toe.

Ze vroeg zich af of ze ernaar keek zoals een muis naar het stukje kaas in een muizenval, zich niet bewust van het feit dat het ene kleine hapje de dood betekende.

'Het is misschien een cliché, maar ik heb het gevoel dat ik je al mijn hele leven ken,' zei Marshall zacht.

Polly had datzelfde gevoel. Ze hadden een leven herschapen dat ze zelf had overgeslagen: ze speelden met haar dochters als kinderen, ze giechelden urenlang aan de telefoon als tieners, ze kletsten tot diep in de nacht met een glas wijn over politiek en manieren om de wereld te redden als een stelletje studenten, ze gingen naar galeries en musea als een stel van in de dertig, ze zaten op zijn balkon in schommelstoelen als een stelletje bejaarden. Een leven lang samen.

'De meisjes...' zei Polly zwakjes.

'Ik ben geslaagd voor het interview,' zei hij met zijn prachtige glimlach, een beetje scheef, alsof hij zichzelf een beetje uitlachte omdat hij hoopte op geluk.

Polly deed haar uiterste best om die dunne lijn te bewandelen tussen helemaal open en eerlijk zijn tegen haar dochters en hen lastigvallen met volwassen zorgen. Ze had haar zogenaamde liefdesleven – de zeldzame afspraakjes die ze in de loop der jaren had gehad – gescheiden gehouden van haar leven thuis met haar kinderen. Met Marshall had ze dat niet gedaan. Omdat ze wist dat Gracie en Emma de interactie tussen hen wel zagen, vertelde ze hen dat het best eens serieus kon worden.

De volgende ochtend liep ze van de campus naar haar auto toen haar mobieltje ging. Ze viste hem uit haar handtas en keek naar de display. Gracie. Ze werd ijskoud. Ze mochten hun mobieltje alleen in noodgevallen gebruiken.

'Ben je in orde? Is Emma in orde?' vroeg Polly. 'Heb je geen les?'

'Mama, rustig maar,' zei Gracie. De irritatie in haar stem stelde Polly gerust. 'We zijn op school. Het is pauze. Mama...' Haar stem stierf weg. Door het woord 'we' nam Polly aan dat Gracie met haar zus overlegde. Een paar seconden later was ze er weer. 'Mama, weet je nog dat je gisteravond zei dat jij en Marshall nu echt verkering hebben? Denk je dat hij met ons wil trouwen?'

De angst die ze had gevoeld toen haar mobieltje ging kwam terug. Als de meisjes Marshall afwezen, was het voorbij. Zo simpel was het. Behalve dan dat het dat niet was. Polly was verliefd. Maar verliefdheid was weliswaar geweldig, zoals de grote dichters hadden beloofd, maar ging ook gepaard met gruwelijke hulpeloosheid.

'Dat weet ik nog, liefje,' zei ze omzichtig. Ze piepte de Volvo open en gleed achter het stuur, met haar aktetas en handtas op schoot. Ze stopte de sleutel in het contact en startte de auto zodat de ventilator aanging. Maar ze maakte geen aanstalten weg te rijden.

'Tja...' Weer kort overleg aan de andere kant van de lijn.

Polly realiseerde zich dat ze de telefoon zo stevig vasthield dat ze hem bijna kapot kneep en dwong zichzelf te ontspannen.

'Mammie?'

'Ik ben hier. Zeg het maar.'

'Ik en Emma willen hem interviewen.'

'Emma en ik,' verbeterde ze automatisch.

Toen Gracie had opgehangen, belde Polly Marshall en vroeg of hij kwam eten. 'Kom vroeg, om een uur of vijf,' zei ze. 'De meisjes willen met je praten.'

Na school verdwenen Emma en Gracie naar hun kamer en deden de deur achter zich dicht. Polly kon hen horen mompelen en lachen; geluiden waar ze anders altijd blij van werd, werkten haar nu op de zenuwen.

Ze kwamen hun kamer pas uit toen Marshall om kwart voor vijf aanbelde.

Gracie kwam tevoorschijn toen Polly hem binnenliet. 'Je bent vroeg. Wij zijn nog niet klaar,' zei ze en ze verdween weer in hun kamer.

Polly begon nerveus te lachen. 'Ik heb geen idee wat ze van plan zijn, Marshall, alleen dat dit belangrijk voor hen is. Kan ik je iets stevigs te drinken aanbieden?'

'Later misschien,' antwoordde hij. 'Later zeker,' zei hij. 'Ik ben bang dat ik anders geen goede indruk maak op mijn inquisiteurs.'

Hij maakte geen grapje.

Ze zaten in de woonkamer, hij op de bank en zij in de stoel, en probeerden over koetjes en kalfjes te praten. Toen dat mislukte, keken ze elkaar aan en wachtten.

Om vijf uur ging de deur van de slaapkamer weer open en kwamen de meisjes naar buiten. Beiden hadden hun beste kleren aan. Beiden droegen schoenen. Het had vertederend moeten zijn, grappig zelfs, maar Polly zag de angst die zijzelf voelde, weerspiegeld in Marshalls ogen.

Gracie had een geel schrijfblok en een pen in de hand. 'Meneer Marchand,' zei ze beleefd. 'Wilt u misschien een glas water of nog even naar het toilet of zo voordat we beginnen?'

'Menéér Marchand?' vroeg hij, met een halve glimlach en een opgetrokken wenkbrauw.

'Dit is formeel,' legde Emma ernstig uit. 'Na afloop ben je weer Marshall. Oké?'

'Oké. Als ik hierna maar weer Marshall ben.'

Gracie ging tegenover hem op de salontafel zitten. Emma, even ernstig maar nog steeds Emma, ging naast hem op de bank zitten.

'Klaar?' vroeg Gracie.

Marshall knikte. Polly beeldde zich in dat zijn handen vochtig werden.

'Eerste vraag: Waarom vindt u mama zo aardig?' las Gracie voor van het schrijfblok.

Dat was een goede vraag. Polly moest zich inhouden haar kinderen niet stralend aan te kijken.

Marshall dacht even na, met zijn gevouwen handen netjes op zijn over elkaar geslagen benen. Uiteindelijk zei hij: 'Volgens mij omdat, ook al is de wereld een angstaanjagende plek, zij me het gevoel geeft dat de wereld vol is met prachtige dingen en dat we die zullen vinden en gelukkig zullen zijn. Niet aldoor natuurlijk, maar veel vaker dan dat we verdrietig zijn.'

Gracie keek naar Emma. Emma knikte, haar blonde haar, even dun als toen ze nog een baby was, zwaaide over haar puntige oren. Gracie streepte de vraag netjes door.

Marshall keek even naar Polly. Ze haalde haar schouders op. Ze kon hem niet helpen.

'Houdt u van kinderen?' Gracie las de volgende vraag op hun lijst voor.

'Ik ken geen andere kinderen dan jullie. Als alle kinderen net zo zijn als jullie, dan hou ik van kinderen. Maar volgens mij zijn kinderen net als iedereen. Sommigen zal ik aardig vinden en anderen niet.'

Weer knikten ze naar elkaar en werd de gestelde en beantwoorde vraag doorgestreept.

'Dit is de laatste,' zei Gracie bemoedigend. 'Als we het goedvinden dat u mama's vriend bent, op welke manier zou ons leven dan beter worden?'

Geen wonder dat die lijst hen de hele middag had gekost, dacht Polly. Ze hadden waarschijnlijk Lieve Lita's gegoogeld en de lastigste vragen opgeschreven.

'Jee,' zei Marshall. Toen: 'Jee, dat is een lastige.'

'Neem gerust de tijd,' zei Emma vriendelijk.

'Wat dacht je nú van die borrel?' vroeg hij aan Polly. Ze lachte, maar bleef zitten. Hier wilde ze niets van missen.

'Oké. Eens even denken. Ik heb wat geld,' zei hij traag. 'Maar jullie moeder verdient genoeg om alles te kopen wat jullie nodig hebben, dus dat zou niets verbeteren.' Hij leek van zijn stuk gebracht. Polly was bang dat hij zou stikken. 'Het is gemakkelijk om met z'n tweeën een laken op te vouwen. Er zouden twee auto's zijn, zodat het gemakkelijker wordt om overal te komen waar je wilt. Ik zou gras kunnen maaien en kapotte dingen repareren. Ik zou kunnen helpen dingen te bouwen; ik heb architectuur en bouwkunde gestudeerd. Ik zou kakkerlakken voor jullie kunnen doodmaken.'

'Die maken we niet dood. Die zetten we buiten,' zei Gracie wreed. Zij noch Emma leek onder de indruk en Polly kreeg een vreemd hol gevoel.

Marshall keek een tijdje naar zijn handen. Toen hij opkeek, was zijn gezicht open als van een kind. 'Het enige wat ik kan meenemen om jullie leven beter te maken, zou meer liefde zijn,' zei hij. 'Ik heb alle liefde nog die ik in mijn leven heb opgespaard. Dat zou de moeite waard zijn.'

Gracie keek naar Emma. Emma knikte. Gracie zette een streep door de vraag. 'Dat is alles,' zei ze formeel. 'Dank u wel, meneer Marchand, mama.'

'Dank u wel,' echode Emma en daarna liepen ze, Gracie voorop, terug naar hun slaapkamer.

Polly en Marshall ademden tegelijk uit en schoten daarna in de lach.

'Wat gaat er nu gebeuren?' vroeg Marshall. 'Moet ik naar huis gaan en bij de telefoon zitten wachten? Naam en adres van voormalige werkgevers doorgeven?'

Hij stond op. Polly stond ook op, sloeg haar armen om hem heen en vlijde haar hoofd tegen zijn borst. Zo bleven ze zwijgend staan tot de slaapkamerdeur openging en Emma, weer in een korte broek en T-shirt, hun kamer uitkwam en naar Marshall toe rende. Polly ging weer zitten.

'Je bent geslaagd!' riep ze toen hij haar opving. 'Je hebt een tien!'

Gracie kwam achter haar zus aan. Ze had haar formele kleding verwisseld voor een blauwe broek en een bijpassend topje met een grote roze klauw op de voorkant.

'Betekent dit dat jullie met me trouwen?' vroeg Marshall. Het was dat Polly zat, anders zou ze door haar knieën zijn gezakt. Niemand had het over trouwen gehad.

'Nee,' antwoordde Gracie. 'Het betekent dat we niet níét met je trouwen.'

Polly glimlachte toen ze hieraan terugdacht. 'Ja, hoor, je hebt een tien gekregen voor het interview,' zei ze, en ze nam een slokje champagne zodat ze even aan die gedachte kon wennen.

'Ik hou van je,' zei hij alleen maar. 'Toen ik jou vond, ontdekte ik dat ik niet doof, stom en blind was ook al was ik daaraan gewend geraakt. Ik wilde dat ik je al kende toen ik dertig was, maar dat is niet zo. Het ergste vind ik nu dat we, ook al worden we honderd, niet genoeg tijd hebben samen.'

Polly trok een wenkbrauw op. 'Ik sta echt nog niet met één been in het graf, hoor. In mijn familie worden de vrouwen heel oud. Nou ja, onze lichamen dan; onze geest laat het afweten als we een jaar of zeventig zijn,' plaagde ze. Alles wat ze zei was bedoeld als plagerijtje. Polly had geen idee hoe oud de vrouwen in haar familie werden. Haar moeder was op haar drieënveertigste overleden. Volgens de buren was Hilda op een nacht stomdronken het huis uit gestrompeld en buiten voorovergevallen. Het had verschrikkelijk geregend die nacht en Hilda was verdronken in een paar centimeter water.

Marshall streek wat haar van zijn voorhoofd. Zijn vingers kamden niet door zijn haar, maar schoven het naar achteren.

Het gebaar deed Polly denken aan een doornenkroon die op zijn hoofd naar achteren werd geschoven en het zou haar niet hebben verbaasd als er druppels bloed op zijn huid waren verschenen. Dat was blasfemie. Hoewel ze niet langer geloofde in de hemel, twijfelde ze aan het bestaan van de hel.

Hij legde zijn hand op de hare die op het witte tafelkleed lag. 'Als de meisjes er niet waren, konden we gaan samenwonen, maar zelfs dat zou ik niet voldoende vinden. Het zou je niet de eer aandoen die je verdient en het zou niet voldoende tot uitdrukking brengen hoeveel ik van je hou.' Hij glimlachte. 'Een hele toespraak. Je kunt het misschien niet geloven, maar voordat ik jou kende was ik een stoere zwijgzame man.'

Polly was wel eerder ten huwelijk gevraagd. Ze had iets waardoor mannen zin kregen in het huwelijk. Twee redenen voorkwamen dat ze zich liet meeslepen door woeste passie: Emma en Gracie. Even zorgvuldig als Marshall zijn huizen bouwde, had Polly haar leven opgebouwd: haar dochters en haar baan, vrienden, ontspannen momenten met een boek, balletlessen, voetbal, het theater, cursussen bloemschikken, avonden met Martha. Ze had een eigen woning en kon doen wat ze wilde.

Volgens de Amerikaanse mythe wilden weduwen of gescheiden vrouwen van middelbare leeftijd wanhopig graag trouwen. Polly had daar nooit iets van gemerkt. De meesten hadden een leven opgebouwd waar ze van genoten en zouden alleen in zee gaan met een zeer bijzondere prins op een adembenemend wit paard.

En een bijzonder lange lans, dacht Polly. Ze glimlachte bij die gedachte.

'Een glimlach. Is dat een ja?' vroeg Marshall. Hij had het op luchtige toon willen vragen, maar slaagde daar niet in. Aan zijn blik was wel te zien dat haar antwoord voor hem een kwestie was van leven of dood.

Wat Polly zowel vleiend als verwarrend vond.

'We kennen elkaar nu vier weken,' zei ze vriendelijk.

'De tijd betekent niets,' zei Marshall. 'Als je jaren met iemand hebt samengewoond en dan trouwt, kan dat huwelijk al na twee weken mislukt zijn. Dat weet je toch? Polly, sinds ons eerste kopje thee heb ik nooit getwijfeld. Nooit. Wel over de logistiek, maar niet over mijn gevoelens voor jou.'

Polly had datzelfde ervaren. Tijdens hun derde afspraakje, de avond na hun tweede dat twee dagen na hun eerste plaatsvond, had ze Marshall al mee naar huis genomen om de meisjes en Marshall aan elkaar voor te stellen. Vrijwel geen enkele man met wie ze was omgegaan had dit voorrecht gehad. En omdat het lieve meisjes waren, hadden ze zich altijd beleefd opgesteld maar waren ze ook altijd gereserveerd gebleven. Maar niet bij Marshall. Hij paste naadloos in hun gezin, alsof er altijd al een plekje voor hem was gereserveerd.

Met zijn rustige ernst, het feit dat hij hen als volwassenen behandelde en met oprechte belangstelling luisterde naar wat zij te zeggen hadden, de ongedwongen bezorgdheid die hij toonde als zij zich zorgen maakten, zijn vriendelijke houding als ze chagrijnig of moe waren, had hij hen verrassend snel voor zich gewonnen. Dat was nóg een reden hier voorzichtig mee om te gaan: als zij en Marshall uit elkaar gingen, zou zij niet de enige zijn die er kapot van was. Ze schoof de glinsterende diamant weer naar hem toe. 'Hoe graag ik het ook zou willen, ik kan het niet,' zei ze alleen maar. 'Dit is te veel, te snel.'

'Hou de ring. Denk erover na. Alsjeblieft. Een kans als deze krijgen we niet snel weer. De meeste mensen krijgen hem nooit.'

Hij drong aan, als iemand die weet dat hij doodgaat, als iemand die weet dat hij niet veel tijd meer heeft.

'Misschien moeten we even een adempauze inlassen,' zei ze. 'Elkaar even niet zien. Ik moet hier eens goed over nadenken.'

Hij zag er zo wanhopig uit dat ze haar besluit iets minder rigoureus maakte door te zeggen: 'Een vrouw kan niet helder nadenken met jou in de buurt, lieve schat.'

'Weiger hem niet.' Hij schoof de ring weer naar haar toe. 'Denk erover na.'

'Ondanks allerlei wijze songs en gezegden is een diamant niet de beste vriend van een vrouw. Hoewel ik moet toegeven dat de meeste vrouwen beter voor hun diamant zorgen dan mannen voor hun hond,' zei Polly luchtig. Ze had het gevoel dat er opeens een storm dreigde die ze niet kon zien, maar waarvan ze de druk op haar ogen voelde.

'Ik zal erover nadenken,' beloofde ze.

'Niet te lang alsjeblieft.'

18

De telefoon rinkelde al een hele tijd voordat het geluid Polly's dromen binnen drong en haar de wakkere wereld binnen sleurde. 'Ja?' vroeg ze terwijl ze haar bril zocht.

'Ik hoopte al dat je dat zou zeggen.'

Marshall. Ze hadden elkaar in de week na zijn aanzoek niet meer gesproken. Ze knipte het bedlampje aan en keek even op de klok. Kwart over één. Zijn intensiteit had haar bang gemaakt. De meisjes vroegen naar hem. Ze genoot van haar vrijheid. Ze dacht alleen maar aan hem. Emoties die overdag moeilijk te beheersen waren, fladderden 's nachts in haar rond als vogels in een schoorsteen. 'Het is al laat,' was het enige wat ze kon zeggen.

'Het spijt me. Ik werd wakker. Volgens mij van een geluid of zo en... en ik wilde je stem horen.' Het klonk alsof hij een nachtmerrie over het vagevuur had gehad. Met een ironisch lachje zei hij: 'Als je niet wakker kunt blijven, wil je dan de telefoon naast je op het kussen leggen zodat ik naar je ademhaling kan luisteren?'

Een nachtmerrie over het vagevuur.

Polly rook opeens rook. Grijswitte tentakels kropen onder haar slaapkamerdeur door, kringelden langs het donkere hout omhoog.

'O mijn god!' fluisterde ze.

'Wat! Wat is er?'

'Rook!'

'Gaat het brandalarm af?'

Met de telefoon tegen haar oor gedrukt, zwaaide Polly haar benen over de rand van het bed en liep naar de deur.

De rook tastte als een blinde hongerige geest naar haar voeten. De perzikkleurige verf op de deur barstte, er ontstonden zwarte scheuren, blaren als op verbrande huid. Ze opende haar mond om iets naar de meisjes te roepen, maar ze beheerste zich. Als Gracie en Emma haar stem hoorden, zouden ze wakker worden en naar haar toe willen komen.

'De deur niet opendoen! Niet ophangen! Ik kom eraan,' zei Marshall. Polly verbrak de verbinding en belde 911.

'Alsjeblieft, alsjeblieft, alsjeblieft,' mompelde ze tegen welke god ook maar wilde luisteren. Ze rende naar het slaapkamerraam met de telefoon stijf tegen haar oor gedrukt. 'Er is brand,' zei ze toen de telefoon werd opgenomen en ze gaf haar adres.

'U moet uw woning onmiddellijk verlaten,' zei de vrouw van de alarmcentrale. 'De brandweerkazerne vlak bij uw huis is na Katrina overstroomd en nog niet heropend. De dichtstbijzijnde brandweerwagens hebben vijftien tot twintig minuten nodig om bij u te komen. Rustig blijven!'

Het slaapkamerraam was de enige weg naar buiten, maar die was dicht geverfd toen Polly het huis kocht. Zonder aarzelen pakte Polly het stoeltje van het kaptafeltje en zwaaide het tegen het glas.

De vrouw van 911 praatte nog steeds tegen haar toen Polly de telefoon op het gras gooide. Glasscherven zo groot en scherp als haaientanden staken uit het kapotte kozijn. Ze zou gevild worden. Met de stoelpoten veegde ze zo veel mogelijk glassplinters opzij. Achter haar, om haar heen, hoorde ze het vuur knetteren, likken, branden – een denkend beest dat mensenvlees roosterde en opvrat. Steeds weer zwaaide ze de stoel tegen het oude raam, de vele lagen verf hielden de glasscherven in hun greep als een koppig oudje haar laatste tanden. Ze uitte een vloek waarvoor ze Gracie twee weken huisarrest zou hebben gegeven en smeet de stoel tegen de muur. Ze trok de beddensprei van het bed en duwde hem door de opening. Op haar buik kroop Polly over de vensterbank naar buiten.

Een glasscherf schraapte over haar linkerschouder. Eerst voelde ze de scherpe snee, daarna dat het glas in haar vlees drong. Polly werd alleen maar woedend omdat het haar tegenhield. Ze greep een paar takken van de rododendron beet, rukte zich los uit de kaken van het raam en liet zich vallen. Stugge takken probeerden haar kleren en haar haren te grijpen tot ze, woedend krijsend, op het gras viel. Ze krabbelde overeind en begon te rennen. Het was een klein huis: twee slaapkamers met een korte gang ertussen, met een badkamer aan de ene en de woonkamer en keuken aan de andere kant. Het was niet meer dan twaalf meter van haar slaapkamerraam naar het slaapkamerraam van haar dochters. Maar als in een nachtmerrie leek die afstand groter. Polly had het gevoel dat ze zich een weg moest banen door een dikke laag modder, maar toen ze bij de hoek van het huis was gekomen liep ze zo hard dat ze uitgleed op het bedauwde gras en viel.

Ze vocht zich een weg door de dikke muur van de vlijmscherpe hulst die Polly als een soort natuurlijke barrière onder het slaapkamerraam van de meisjes had geplant. Ze legde haar handen langs haar slapen om het licht van de straatlantaarn af te schermen en tuurde door de tralies die ze op dit ene raam had laten aanbrengen zodat ze 's nachts rustig kon slapen en niet bang hoefde te zijn dat iemand de slaapkamer van haar kinderen zou binnen komen en hen zou meenemen, zoals die meisjes in Californië en Utah.

De rookwolken persten zich uit het plafond als buitenaardse wolken in een oude sciencefictionfilm. Schimmig en kwaadaardig kringelde het langs de slaapkamerdeur omhoog. Emma's Tinkerbell-nachtlampje flikkerde. Zinloos dacht Polly: *Klap in je handen als je in sprookjes gelooft.*

De meisjes sliepen, ieder in hun eigen bed.

Of ze waren dood.

Die gedachte raakte Polly's geest met de kracht van een sloopkogel. Ze begon te gillen en greep het gietijzer vast alsof ze de tralies uit hun voegen kon trekken. 'Gracie!' riep ze. Het raam stond op een kier zodat er frisse lucht naar binnen kon komen. Polly riep met haar mond bij de opening: 'Emma, Gracie, wakker worden!'

'Mammie?' vroeg Gracie slaperig.

'Wakker worden, liefje. Er is brand in huis en we moeten naar buiten.' Polly's stem was hoger dan anders, maar klonk wel geruststellend. 'Geen reden voor paniek,' zei ze, meer tegen zichzelf dan tegen haar dochter.

'Mammie? Waar ben je?' Gracie zat nu rechtop in bed en keek naar de rook die langs een van de muren omhoogkringelde.

'Bij het raam, liefje. Hier. Ja, hier. Ik ga jullie eruit halen. Maak je zus wakker, maar je mag haar niet bang maken.'

Polly trok aan de tralies. Ze waren van ijzer en aan de binnenkant van het huis vastgeschroefd. Ze probeerde ze in beweging te krijgen. Ze bewogen geen millimeter.

'Over een minuutje is de brandweer hier,' beloofde ze. Hun kleine huis was oud: houten dakspanen, eiken vloeren, muren van hout en pleisterwerk. Een kruitvat van tweehonderdduizend dollar.

'Gracie, hou op!' jammerde Emma.

'Mama zei dat je wakker moet worden. Het huis staat in brand.' Gracies stem trilde, maar ze deed net alsof ze niet bang was. Ze deed net alsof ter wille van haar zusje. Polly hield opeens zielsveel van haar. Met een lage kreet die haar beide dochters naar het raam lokte trok ze aan de tralies. Geen beweging in te krijgen.

'Bij het raam blijven, lieverds. Kunnen jullie me horen? Kom met je mond vlak bij de opening en adem de frisse lucht in. Het raam niet verder opendoen, hoor! Dan komt het vuur sneller jullie kamer binnen. Gewoon rustig blijven zitten. De deur niet opendoen! Ik haal jullie hieruit!'

Het deed pijn om dit oppervlakkige contact met hen te verbreken. De pijn sneed gewoon door haar borst en ze hoopte maar dat ze geen hartaanval had. Polly trok zich los van de hulst en rende naar de voorkant van het huis. In de golven van hitte danste een oranje licht. De vlammen lekten via de kozijnen naar buiten. De verf op de voordeur bladderde. Toen de grote hitteblaren knapten, ontsnapte er witte damp.

Ze kon niet meer naar binnen. Ze zou niet lang genoeg in leven blijven om bij haar kinderen te kunnen komen. De meisjes zouden in hun eentje sterven.

Polly jammerde en hoorde Gracie gillen. Toen werd ze verblind door wit licht. Ze viel op haar knieën en in gedachten zag ze door haar verschroeide oogleden dat het huis ontplofte.

Met loeiende motor slingerde een truck de stoep op, walste door de azalea's en stopte op het grasveld. Het portier werd opengesmeten en Marshall sprong achter het stuur vandaan. 'Waar is de brandweer?' schreeuwde hij toen hij over het gras rende. 'Mijn god, je bloedt.'

'Ze zijn er nog niet!' Polly greep zijn pols en sleurde hem mee naar de zijkant van het huis.

'Waar zijn Emma en Gracie?'

'Binnen!' huilde Polly. 'Emma en Gracie zijn nog steeds binnen. Marshall, ik heb tralies in hun slaapkamerraam laten aanbrengen!' De woorden verscheurden haar keel. 'Ik weet niet hoe ik ze eruit moet krijgen!' Polly's nagels klauwden zich in het vlees van zijn pols toen ze hem meetrok naar het raam.

'Mammie!' gilde Gracie. Door de rook kon Polly haar bijna niet zien. De rook kwam nu uit het raam. Achter het glas lichtte Gracies bleke gezicht op als van een geest.

Marshall maakte zich los uit Polly's greep en rende weg. 'Nee!' krijste Polly, maar hij was al verdwenen.

Gracie huilde. Polly drukte haar gezicht tegen de tralies in een poging haar kind te zien. Het ijzer was heet.

'Mammie, Emma wilde niet blijven. Ik wilde haar tegenhouden, maar ze ging weg. Mammie, ze deed de deur open en ik kan haar niet zien. Ik kan haar niet zien.'

'Emma!' riep Polly. De rook brandde in haar ogen. 'Emma, kom terug! Loop in de richting van mijn stem, liefje!'

'Ik kon haar niet tegenhouden, mammie. Ze trok hard om los te komen en ze is zo snel!' De tranen lieten een wit spoor achter in het laagje roet op Gracies gezicht.

'Dat weet ik, liefje. Emma is zo snel als een konijntje. Blijf bij het raam, baby. Blijf hier.'

Emma was dood en Gracie zou doodgaan.

'Geef me je hand. Goed zo, meisje.' Polly stak haar vingers door de smalle opening en schaafde de huid van haar knokkels. 'De brandweer komt er zo aan. Emma!'

'Blijf waar je bent!' hoorden ze roepen en daarna zo'n keiharde knal dat Polly en Gracie gilden.

Marshall zwaaide met een moker en sloeg nog een keer tegen de zijkant van het huis. Er ontstond een gat. Er kringelde rook naar buiten. Weer zwaaide hij met de moker en toen was het gat zo groot dat een klein mens erdoor kon kruipen. Na nog twee snelle slagen vlogen houtsplinters naar binnen en vermengde cementstof zich met rook. Toen was er een smalle doorgang zo hoog als een kind. Polly was verbaasd; ze had niet geweten dat een moker zo snel een gat in een muur kon maken.

Even later stond Marshall binnen. 'Gracie!' hoorde ze hem roepen.

'Loop naar hem toe, baby. Zo snel mogelijk,' zei Polly dringend. Ze liet haar dochters handen los. 'Ga maar naar Marshall, baby.' Gracies spookachtig bleke gezicht glipte de rook in. Polly vocht tegen de drang haar dochter terug naar het raam te roepen. Een paar seconden later stapte Gracie al door het gat naar buiten, hoestend. Polly greep haar stevig vast.

'Ga bij het huis vandaan,' riep Marshall. 'Ik ga Emma halen.'

Omdat ze wist dat ze verder niets kon doen, sloeg Polly haar arm om Gracies schouder en leidde haar naar het trottoir langs de straat. Zelfs op vijftig meter afstand was de hitte nog voelbaar. Het dak boven Polly's slaapkamer was intact, maar aan de zijkant van het huis was de dakgoot weggebrand en de vlammen likten aan de dakspanen.

Polly zat op haar knieën op de stoep en drukte Gracie stevig tegen zich aan. Ze dacht aan Emma, haar kleine roze voetjes op de gloeiend hete vloerplanken, haar verfrommelde nachthemd in lichterlaaie, haar zijdeachtige haar knetterend als bliksemflitsen. Als Gracie niet tussen haar en het vuur in had gestaan, was ze naar binnen gegaan om dat afschuwelijke beeld kwijt te raken.

Door het gat dat Marshall had gemaakt sijpelde rook naar buiten.

In de verte hoorde Polly sirenes van brandweerwagens die uit de nog wel functionerende kazernes te hulp kwamen gesneld, zij het met een gedecimeerd aantal brandweermannen doordat vele brandweerlieden meegeholpen hadden aan de evacuatie maar zelf nooit waren teruggekeerd. Polly wiegde heen en weer in een poging zichzelf en haar dochter te troosten.

Eén brandweerman kwam naar hen toe, terwijl anderen een slang uitrolden. Een tweede brandweerwagen arriveerde, met zwaailampen en loeiende sirenes.

'Mensen binnen?'

'Ja,' hoorde Polly zichzelf als vanuit de verte zeggen. 'Mijn dochter.'

De brandweerman kreeg een harde blik op zijn gezicht en ze nam aan dat hij probeerde zijn emoties niet te tonen. Omdat ze de gedachte dat ze Emma kwijtraakte niet kon verdragen, wendde Polly haar gezicht van hem af.

Een wolk zwarte rook barstte uit het gat dat Marshall had gemaakt, waarna de muur van de slaapkamer van de meisjes instortte.

Gracie probeerde zich los te worstelen. 'Nee!' schreeuwde Polly en ze hield haar nog steviger vast, alsof ook Gracie in de vlammen zou rennen om bij Emma te zijn.

'Mammie. Laat me los! Kijk!'

Eerst zag Polly niets; het leek wel alsof de brand haar netvliezen had weggebrand. Toen zag ze dat er een vorm uit de rook kwam.

'Mammie, zij zijn het!' riep Gracie.

Zwart als een schoorsteenveger, met Emma's armen om zijn hals geslagen, viel Marshall door de onregelmatige opening naar buiten. Hij krabbelde overeind maar viel weer. Polly rende naar hen toe. Een brandweerman hield haar tegen. Ze probeerde zich los te worstelen, tot hij haar door elkaar schudde en schreeuwde: 'Mevrouw, dat is niet veilig!'

Twee anderen renden naar Marshall toe om hem te helpen. De eerste nam Emma over, de tweede tilde Marshall op. Met één hand stevig om Polly's arm geslagen, pakte de brandweerman zijn radio en vroeg of de ambulance er al was.

'Nog meer mensen binnen?' vroeg hij Polly.

'Nee.'

'Alleen uw man en het kind?'

'Mijn verloofde,' zei Polly. Toen, met een heftigheid die haar zelf verbaasde, herhaalde ze: 'Hij is mijn verloofde.'

19

De dag waarop Marsh Polly had leren kennen, was hij gek geworden. Of ergens naartoe vertrokken. Danny had hem voelen vertrekken, een zuigend gevoel dat een vacuüm achterliet, een noordenwind die een jas te pakken kreeg, een tandarts die een kies trok. Nu, drie maanden later, stonden hij en Marsh naast elkaar in de methodistenkerk op St.-Charles op de bruid te wachten. Als Polly jonger was geweest, zou het verdacht veel op een moetje hebben geleken.

De torenspits van de kerk was verdwenen, weggevaagd door Katrina.

De gasten moesten onder een steiger door naar binnen.

En het was verdomme veel te heet voor een bruiloft.

Ondanks de airco in de kerk zag Danny zweetdruppeltjes langs de haarlijn van zijn broer. Marsh kreeg wat hij wilde en dat maakte hem bang.

Dat móést hem bang maken. Dat zou iedereén bang moeten maken, dacht Danny.

Het was de brand.

Marsh die precies op tijd was gearriveerd en de held uithing. Net toen de brand was begonnen, had Marsh Polly opgebeld en haar gewekt. Een perfecte timing. Danny vroeg zich af of Marsh meer wist van de oorzaak van de brand dan goed voor hem was.

Danny maakte zich geen zorgen over problemen met de wet. De wind en de overstroming hadden de elektrische bedrading beschadigd. Puin had zich onder en rondom gebouwen verzameld. Politie en brandweer waren verschrikkelijk onderbemand. Het verlies van Polly's huis was een van de vele in de maanden na de storm.

Gefluister achter in de kerk trok zijn aandacht. Hij voelde Marsh verstijven. Ze raakten elkaar niet aan, maar als kind hadden ze al een intense band gehad. Danny kende zijn broer, voelde zijn broer, als een deel van zichzelf. In meer opzichten dan de meeste mensen beseften, waren ze dezelfde man.

Aan de andere kant van het vertrek gingen de deuren een paar centimeter open, gegiechel klaterde als water over een ruwe steen, toen klikten de deuren weer dicht. De rechter glimlachte. Marshall glimlachte terug. Verwachtingsvol gemompel van de gasten: aan de ene kant partners van Marshalls firma, aan Polly's kant mensen van de Tulane University. Iedereen leek het geweldig te vinden dat deze beide mensen gingen trouwen.

Niemand van hen kon Marsh zien, of Danny. Het enige wat ze zagen, waren de glanzende carrières van de beide mannen. Polly trouwde met een man die niemand kon zien, behalve zijn broer.

De deuren gingen weer open en Emma en Gracie, allebei in een lavendelkleurige jurk met een hoge taille, een zijden sjerp in een iets donkerder tint en spierwitte Mary Jane Crocs, marcheerden plechtig de kerk binnen. Danny knipoogde naar Emma en maakte haar aan het lachen. Haar oudere zus keek haar bestraffend aan terwijl ze door het middenpad schreden. Daarna bleven ze staan en gingen ieder aan een kant vooraan staan.

Emma en Gracie waren de enige kinderen voor wie Danny ooit de moeite had genomen om ze te leren kennen. Tot zijn verbazing vond hij hen aardig. Vóór Emma en Gracie had hij kinderen altijd beschouwd als kleine dieren, alleen plakkeriger. Deze kinderen verschilden evenveel van dieren als van volwassen mensen. Kinderen bezaten volgens hem een fascinerend basaal soort wreedheid, een basaal wantrouwen ten opzichte van regels.

Fladderend als paarse vlinders gingen Emma en Gracie zitten.

Marshalls aandacht bleef gericht op de lege deuropening. Danny amuseerde zich door zich voor te stellen dat de ogen van zijn broer uit hun kassen puilden, zijn tong naar buiten rolde als een lange rode loper en zijn nog altijd kloppende hart zijn lichaam verliet, als bij een gestoord tekenfilmfiguurtje.

Ware liefde. Hallmark verdiende een fortuin aan dit concept, net als vele zelfhulpauteurs van wie ooit een boek was verschenen.

Danny had een vaag vermoeden dat het de Amerikaanse versie was van brood en spelen. Zolang de mensen zich maar vermaakten door hun zoektocht naar de heilige – en kostbare – graal van de ware liefde, besteedden ze niet veel aandacht aan de systemen die hen oplichtten.

Even heerste er een dramatische spanning, en toen verscheen de vinder van Marshalls verloren hart in de deuropening: Polly Deschamps geboren Farmer, gescheiden, moeder van twee kinderen. Ze droeg een zilverkleurige jurk met blauwe biesjes, kleuren die haar zilverblonde haar goed lieten uitkomen. De kraag was oranje en had blauwe knoopjes. De stijl was jaren vijftig, de tijd waarin de mode Marilyn Monroe en Sophia Loren volgde.

Juffrouw Deschamps was niet dom.

Danny had zelden iemand ontmoet, man of vrouw, bij wie hij zich even transparant voelde. Haar ogen hadden verborgen diepten, waarin hij hints en schaduwen had gezien die deden vermoeden dat ze maar heel weinig dingen als vanzelfsprekend beschouwde. Ze was niet iemand voor wie je geheimen wilde hebben.

Polly draaide zich om, de gasten begonnen opgewonden te fluisteren. Maar weinig stoffen bewogen zo als zijde.

Danny bewonderde haar smaak. Polly ging nooit voor het alledaagse. Ze creëerde haar eigen schoonheid. Toen Marshall en Polly nog maar net met elkaar omgingen, had Danny even met het idee gespeeld haar van zijn broer af te troggelen. Niet omdat hij Polly wilde, maar omdat hij haar uit zijn broers leven wilde laten verdwijnen voordat iemand zou worden gekrenkt. Hij had die gedachte verworpen toen hij zich realiseerde dat het een kwestie was van of/of: hij zou óf Polly óf zijn broer kunnen hebben. Hij koos voor Marsh.

Polly stapte van de apsis af. Met een natuurlijk gevoel van vrouwelijk vertoon – of aangeleerd, dat kon ook; ze waren immers in het diepe zuiden – trok ze haar hele rok vrij, keek vanonder haar wimpers die zelfs in de stille warme lucht van de kapel verfomfaaid leken rond en glimlachte.

Danny voelde de ruk onder Marsh' borstbeen, de pijnscheut door zijn schouders, en wist hoeveel moeite het zijn broer kostte om niet naar haar toe te rennen en haar in zijn armen te nemen.

Polly wist dat ook, dat zag Danny aan haar gezicht. Toen voelde hij hét, voelde háár, in Marsh, in zijn broer. Hij probeerde te ademen, maar zijn longen wilden zich niet vullen met lucht. Ze was in Marsh' hoofd en ruggengraat, zocht contact met zijn handen, keek door zijn ogen. Ze was in hem en over hem. Helemaal over hen. En Marsh stelde zich hiervoor open zoals hij zich sinds hij een kleine jongen was voor niemand had opengesteld.

Een gloeiend hete punt boorde zich door Danny's linkeroog. Zijn binnenste schudde. Hij had een hartaanval of een beroerte. Een aneurysma, een golf zwart dodelijk bloed, trillend en pulserend, brak door en veroorzaakte een eeuwige duisternis achter zijn ogen.

'Danny? Danny? Hé man, gaat het wel? Danny? Moeten we een dokter bellen of zo?'

Marsh' stem bracht hem weer terug naar de werkelijkheid, de kapel. Het was voorbij, over. De ceremonie werd afgehandeld, de bruid gekust, en al die tijd was Danny aan het doodgaan. Hij keek van Polly, naar Emma en Gracie, naar de pastoor. Ze keken terug, hun gezichten lachwekkend door hun bezorgdheid.

'Broer, ben je in orde?' vroeg Marsh. Hij legde zijn hand op Danny's schouder en Danny haalde weer adem.

'Het is al voorbij,' zei hij. 'Ik heb het altijd heel jammer gevonden dat ik geen zus had.' Hij glimlachte en opende zijn armen voor Polly.

Minnesota, 1975

Susan Smith. Vermoordde twee kleine kinderen. Verdronken. Zie je, dát kan ik begrijpen. Mensen zien wat ze deed en zeggen: 'O mijn god, hoe kán iemand zo koud en harteloos zijn?' Ik kan mezelf dat wel zien doen. Niemand weet wat ze dacht, maar misschien is het zo gegaan. Ze is een mislukkeling. Ze heeft niet veel geld en geen enkele hoop dat ooit te krijgen. De kinderen zijn opgefokt, huilen de hele tijd en zeuren, en zij is helemaal kapot van de zorg voor hen en voor zichzelf. Dan krijgt ze een vriendje en ziet ze een kans om te ontsnappen. Hij heeft maar één bezwaar om haar uit haar ellende te halen: hij wil de kinderen niet. In mijn versie wordt ze hierdoor verscheurd, ze voelt zich ellendig, maar zonder dit vriendje ziet ze geen leven meer voor zichzelf óf voor de kinderen. Dus denkt ze dat ze om zichzelf te redden en om te voorkomen dat haar kinderen van het ene tehuis naar het andere worden gesleept, rustig een einde aan hun leven kan maken. De schuld geven aan een zwarte man, dat kan ik niet. Dat is pure lafheid. Maar die moorden. Dat wel.

20

Mensen veranderen. *Mensen*, maar Richard niet. Terwijl hij naar zijn spiegelbeeld keek en een perfecte knoop in zijn stropdas maakte, wist hij dat hij er nu op zijn twintigste beter uitzag dan toen hij veertien, vijftien of zeventien was. Zijn schouders waren breder geworden en zijn colbert werd prachtig opgevuld door zijn borstkas. Zijn dunne golvende bruine babyhaar was donkerder geworden, maar niet erg, en zijn kaaklijn was prominenter. Richard besteedde alleen wat oppervlakkige aandacht aan zijn fysieke veranderingen. Hij kon zich niet herinneren dat hij zich ooit niet precies had gevoeld als nu, als zichzelf.

Andere mensen waren eerst kind, daarna puber en dan volwassene. De mensen van wie ze hielden en die ze haatten wisselden elkaar in de loop der jaren af, religie veranderde in cynisme en cynisme in een wanhopig geloof in God. Richard was zoals hij altijd was geweest.

'Rich, lieverd, ben je zo klaar? Het spijt me dat ik je opjaag...' De woorden gingen vergezeld door een hoofd vol stijve grijze krullen dat om het hoekje van de deur stak.

'Je jaagt me niet op, Ellen,' zei Richard glimlachend. Ellen was Sara's oudste vriendin. Opgewekt had ze Sara's rol overgenomen toen zijn voogd tijd nodig had om de adoptie te regelen en ze was ook vaak komen kijken als hij meedeed aan een debatteerwedstrijd. 'Ik wil er gewoon zo goed mogelijk uitzien.'

'Dat weet ik, lieverd. Doe maar rustig aan. We zeggen wel even tegen de chauffeur dat hij moet wachten.'

Het hoofd verdween en hij hoorde het geklik van haar hakjes op de hardhouten vloer van de overloop. Doordat ze haar leven lang verpleegster was geweest, had ze een slechte rug, een voorliefde voor zachte zolen en continu het gevoel dat ze iemand stoorde. De meeste vriendinnen van Sara waren verpleegster. Iedereen die geen dienst had in het Mayo zou er vandaag zijn. Ook een paar artsen misschien, maar niet veel. Tenzij de verpleegsters jong en knap waren of helemaal gestoord, besteedden de artsen niet veel aandacht aan hen.

Richard trok zijn jasje aan en keek rond in de voormalige slaapkamer van zijn ouders. Nu was het zijn slaapkamer; Sara was het er niet mee eens geweest dat hij deze kamer uitkoos toen ze in het huis van de Raines waren gaan wonen. Daar was ze het ook niet mee eens geweest, en hoewel die kamer twee keer zo groot was als de hare en veel en veel grootser, had ze zich er nooit op haar gemak gevoeld.

'Waarom verkopen we het huis niet?' zei ze vaak. 'Dan kunnen we iets moderners kopen.' Hij wist dat ze vooral ter wille van hem wilde verhuizen, in elk geval in het eerste jaar dat ze er hadden gewoond.

Toen ze hem niet kon overhalen het huis te verkopen, probeerde ze het huis vanbinnen te veranderen. 'Zullen we deze muur eruit laten halen, dan wordt dit één heel grote kamer. Dan hebben we in de winter veel meer licht.' Of: 'Zullen we die sombere donkere lambrisering laten weghalen en vrolijk behang nemen?'

Richard veranderde helemaal niets. Dylan wilde hier misschien terugkomen, wilde alles misschien weer eens zien en hij wilde het huis precies zo laten als toen zijn broer eruit werd meegenomen.

Richard keek weer in de spiegel. Hij zag er geweldig en welvarend uit en dat klopte ook wel, dankzij de erfenis van zijn ouders, het appeltje voor de dorst van Sara en het geld dat de vriendelijke inwoners van Minnesota hadden geschonken aan het gekwetste kind dat hij destijds was. Richard wist hoe belangrijk geld was. Met geld kocht je tijd en invloed; dat je er ook auto's en boeken en eten mee kon kopen was bijzaak. Mensen die dat het belangrijkst vonden, waren snel door hun geld heen.

De kans dat Dylan vervroegd voorwaardelijk vrijkwam was groot. Als dat gebeurde, wilde Richard de rechtbank geen enkele aanleiding geven hem de voogdij over zijn broer te onthouden. Dankzij het geld zou dat wel goed komen. De overeenkomst tussen een piccolo en een rechter was dat ze beiden respect hadden voor geld en ervan overtuigd waren dat rijke mensen meer rechten hadden dan arme mensen.

Met een beetje geluk kon Dylan over een paar jaar al vrij zijn.

Goeie ouwe Phil.

Richards mond verstrakte. Hij wilde dat híj degene was die zijn broer kon helpen, maar Phil Maris was na zijn ontslag hogerop gekomen in de voedselketen. Het was wel duidelijk dat hij nu invloedrijke relaties had. Misschien was dat toen ook al zo. Dat hele gedoe van zijn ontslag bij Drummond was onder de mat geveegd. Niemand behalve Richard, de directeur van Drummond en misschien Dylan, wist dat hij ontslagen was. Het officiële verhaal was dat hij in St.-Cloud een betere baan had kunnen krijgen.

Richard bande Phil uit zijn gedachten.

Het gezicht in de spiegel kreeg een zachtere uitdrukking, verdrietiger. 'Sara was goed voor me, we waren goed voor elkaar. Ik zal haar missen,' fluisterde hij. Hij trok zijn nieuwe jasje aan en keek nog één keer in de spiegel. Tevredengesteld liep hij snel naar beneden, naar de wachtende limousine.

Valhalla Cemetery lag buiten de stad, op vriendelijk glooiende heuvels, met bomen op de toppen, met grafstenen in de dalen. Er was geen mooiere plek om dood te zijn dan Valhalla. Dat stukje grond had goudgeld gekost, maar er hoorde eeuwige verzorging bij en Richard wist dat Sara's vriendinnen het zouden waarderen. Ze zouden vinden dat ze daar fijner zou liggen dan op een drukkere, minder fraaie begraafplaats in het oude deel van de stad.

Het was januari; de bomen waren zwart en onbuigzaam, en de heuvels hadden een grijsbruine kleur. Het was bijna tien graden en het dooide dus al. De modderige sneeuwhopen werden snel kleiner en vulden de smalle paden met stromend water. Richard huiverde toen het over zijn nieuwe schoenen stroomde, maar hij vermande zich en hielp Ellen en Sara's andere beste vriendin Opal uit de limousine.

Een groepje mensen stond op het gras bij het graf. Ze stonden er aan drie kanten omheen en keken er verwachtingsvol naar, alsof het gat vandaag zou geven in plaats van nemen. Aan de vierde kant van het graf, op een stukje uit de toon vallend felgroen kunstgras, lag de aarde die uit het gat kwam. Het sijpelde terug in het gat doordat het ijs smolt.

Doctor Ravi, nog niet genoeg Amerikaan om te weten dat je de doden geen respect verschuldigd was als ze geen titel hadden, stond in z'n eentje aan één kant. Er tegenover stonden Dylan en twee 'regenten' vlak bij elkaar. De psychiaters en docenten niet meegerekend, betwijfelde Richard of er in Drummond meer dan zes mensen met een universitaire graad waren.

'Broer,' zei hij, en onder de woedende blikken van Sara's vrienden liep hij langs hen heen naar Dylan. Richard omhelsde zijn broer en schrok toen hij keiharde spieren voelde waar een jochie had moeten zijn.

Dylan hing onhandig tegen hem aan en Richard realiseerde zich dat hij geboeid was. De woede golfde door hem heen als een felle schijnwerper in een donker theater; opeens tekende elk hoekje zich scherp af. De illusie was verstoord, de wrede werkelijkheid was zichtbaar.

De mannen die zijn broer met handboeien om naar de begrafenis van zijn adoptiemoeder hadden gebracht, hadden niet meer oorspronkelijke gedachten dan domme beesten. Dat wekte geen gevoelens van compassie op, maar de behoefte hen neer te knuppelen met een moker, op dezelfde manier als vee in een slachthuis werd doodgeslagen. Heel even, maar zo lang dat de bewakers de donkere blik op zijn gezicht zagen en onrustig heen en weer schuifelden zonder te weten waarom, wilde hij hen vermoorden. Na een amper zichtbaar knikje negeerde hij hen. Het zou niet netjes zijn tijdens een begrafenis een scène te trappen.

Dylan glimlachte en schudde de gedachte aan die gênante handboeien van zich af. Onhandig greep hij Richards arm in plaats van hem te omhelzen. 'Wauw,' zei Dylan en hij stompte zachtjes tegen de arm van zijn broer. 'Jij hebt goed getraind, zeg!'

Richard was buitensporig blij met dat compliment. Hoewel hij bewondering zocht, gaf hij er niet bijzonder veel om. Maar als die bewondering van Dylan afkomstig was, koesterde hij die. Hij was Dylans beste vriend. En Dylan die van hem.

'Jij ook, makker,' zei hij op zijn beurt welgemeend. 'Gewichtheffen? Hou je een beetje in, wil je? Ik wil niet dat je er straks uitziet als Brutus van Popey.'

Even grijnsden ze naar elkaar, met een domme puppygrijns. Toen zei Dylan zacht: 'Hé man, wat erg van Sara.'

Richard herinnerde zich opeens weer waar ze waren en werd ook weer ernstig. 'Sara was goed voor me; wij waren goed voor elkaar. Ik zal haar missen. Het is mijn schuld...' begon hij, en hij verbaasde zich erover dat er tranen in zijn ogen sprongen.

'Daar mag je jezelf de schuld niet van geven. Je hebt net zo goed voor haar gezorgd als zij voor jou,' zei Dylan. 'Dat weet je best. Jij probeert altijd de schuld op je te nemen, broer. Dat moet je niet doen. Dit is jouw schuld niet.'

De dominee maakte 'we gaan zo beginnen'-geluidjes en Richard liep naar Opal en Ellen. Ellen, die het dichtst bij hem stond, sloeg bezitterig haar arm door de zijne en keek naar Dylan alsof hij hen allemaal zou vermoorden.

Na afloop van de preek en nadat Richard een kluit aarde op de kist had laten vallen – er was in de verre omtrek geen droge aarde te vinden – zagen de beide broers, twee oudere dames en twee bewakers de dominee vertrekken. Hij liep snel over het natte terrein, springend als een watervogel die naar voedsel zocht.

'Was pastoor Probst hier maar geweest,' zei Ellen verdrietig.

Richard gromde zachtjes.

Opal siste: 'Ellen!'

Ellen, die er ouder uitzag dan tijdens de rit naar de begraafplaats, met een rode neus van de kou en haar ogen rood van het huilen, greep naar haar borst: 'Liefje, het spijt me. Ik bedoelde alleen maar...'

'Ik weet wat je bedoelde,' zei Richard vriendelijk en hij trok haar sterke gekloofde vingers onder zijn arm. 'Ik had ook gewild dat ze haar eigen priester hier had gehad. Ze vond de mis altijd een troost. Ik wilde dat ik had kunnen helpen. Ik wist dat ze niet weer in dat huis wilde wonen. Het was een kwelling voor haar. Jezus.' Weer sprongen er tranen in zijn ogen. Richard liet Ellens hand los om onder zijn jas naar een zakdoek te zoeken.

Opal greep zijn arm. 'Je kon er niets aan doen, lieverd,' zei ze nadrukkelijk. 'Sara was al zo lang depressief. Eigenlijk al sinds haar scheiding en daarna, nou ja, haar zoon en zo. Je hebt haar gelukkiger gemaakt dan ze ooit was geweest. Je mag niet denken dat het anders was. Dat zou Sara niet goedvinden,' zei ze in een poging opgewekt te klinken.

'Sara heeft me verschrikkelijk verwend,' gaf Richard toe. 'Ze gaf me alles wat ik maar wenste.'

'Ze kon geen nee tegen je zeggen, hè?' merkte Ellen op en ze begon weer te huilen.

'Volgens mij was zij ook verwend!' zei Opal opeens woedend. 'Het was een egoïstische rotstreek! Wat dacht ze wel niet hoe haar vrienden dit moesten verwerken? En jij? Ik denk niet dat ik haar ooit kan vergeven dat jij haar zo hebt moeten vinden!'

'Rich?'

Dylans stem sneed dwars door de emotionele uitbarsting heen die Richard verstikte. Hij was blij met het excuus om de vrouwen te laten staan. Opals hand gleed van zijn elleboog, maar ze klampte zich aan hem vast als een druivenrank. Hij moest zich beheersen om zich niet los te trekken.

'Nare dag, broer,' zei hij met een schaapachtige glimlach tegen zijn broer.

'Echt wel! Luister, ik moet gaan. Sorry. Je weet dat ik zou blijven als ik kon. Die wijven zijn in staat je dood te voeren met een stoofschotel en cake als er niemand op je let.'

'Mag mijn broer even mee naar huis om iets met ons te eten?' vroeg Richard aan de bewaker die er het slimst uitzag.

'Sorry. Alleen de plechtigheid, meer niet,' zei de man vastberaden.

Zijn neus was roder dan de temperatuur en het lekkere briesje konden verklaren. De man hield wel van een slokje.

'Kom nou,' drong Richard aan. 'U en uw partner kunnen wel een opkikker gebruiken, iets wat de kou uit je lijf verdringt. Wat zegt u ervan? Dan heb ik de troostende aanwezigheid van familie en u bent even uit de sleur.' Richards glimlach was prachtig. Sara had ervoor gezorgd dat hij nooit op tandartskosten had bezuinigd.

Roodneus keek naar zijn collega. 'Wat vind jij?' Hij kon de drank al proeven, dat zag Richard wel. De andere bewaker had waarschijnlijk andere verslavingen, maar volgens Richard lagen die niet op het vlak van de alcohol maar op die van de jongens die hij 'bewaakte'.

'Alleen de plechtigheid. Opdracht is opdracht.'

'Kom op, man.' Richard probeerde zijn glimlach weer tevoorschijn te toveren. 'Een paar minuutjes maar. Niemand hoeft het te weten. Het kan toch geen kwaad?'

'Onmogelijk,' zei het pedante mannetje stijfjes.

'Doe niet zo lullig,' snauwde Richard, en hij wist meteen dat hij te ver was gegaan.

Zelfs Roodneus rechtte zijn rug. 'Je kunt maar beter je mond houden, jongeman. Het spijt me van je tante of zo...'

'Achterlijke idioten, je hebt alleen maar een diploma van een openbare school en een baan waarbij je kinderen kunt koeioneren, en dan heb je het gore lef naar het graf van "mijn tante of zo", naar mijn moeders begrafenis verdomme te komen...'

'Rich, hou je mond. Rustig aan. Kom op, broer.' Dylan pakte zijn arm met beide handen vast, hetgeen door de handboeien een onhandige beweging was. Hij drukte zijn schouder tussen Richard en zijn bewakers. 'Het is wel goed, Rich. Bedankt. Maar ze kunnen het me in de bak heel lastig maken.' Tegen de bewakers zei hij: 'Laat mijn broer maar even. Hij is net iemand kwijtgeraakt. Doe niet zo vervelend. Laat hem alsjeblieft met rust, oké?'

De twee mannen zetten een paar stappen achteruit. Roodneus stak een sigaret op.

'Het is niet belangrijk, Rich. Over een paar jaar ben ik immers vrij. Als ik achttien ben, ga ik naar het grote huis. Wat een gedoe, hè? Kom op, broer, treur jij maar om Sara. Het komt wel goed met me. Het is wel goed.' Dylan kwam dichter bij hem staan, zijn voorhoofd bijna tegen dat van Richard en met zijn geboeide handen nog steeds stevig om Richards arm. 'Ze zijn het niet waard, Rich. Neem dat maar van mij aan. Ze zijn de moeite niet waard.'

Richard haalde diep en langzaam adem en probeerde iets van de ijzige rijp die zich om zijn hart had gevormd weg te blazen. 'Ik ben oké.'

'Zeker weten?'

'Ja, ik weet het zeker.'

Dylan droeg een goedkoop colbert dat hij van Drummond had gekregen – of dat ze aan alle jongens uitleenden – voor formele uitstapjes. Richard legde zijn hand op de pols van zijn broer, waardoor zijn mouw omhoogschoof en Dylans onderarm zichtbaar werd.

Dylan zei niets.

'Shit!' zei Richard. 'Waarom heb je je broeders niet gewoon *criminele ex-gevangene* op je voorhoofd laten zetten? Je weet toch wat hier het gevolg van is? Hierdoor denken mensen dat je een loser bent. Als je eruit komt, ziet iedereen dit en dan denken ze allemaal dat je een rotzak bent.'

Richard draaide zich om en keek in de zon, probeerde de kou weg te laten branden die opeens weer bezit van hem had genomen. 'Gewichtheffen en gevangenistatoeages. Je bent wel trots op jezelf zeker?' vroeg hij zonder zich om te draaien.

'Laat maar, Rich. Het was stom van me. Ik was high. Laat maar.'

'High.'

'Laat maar, Rich.'

Iets in Dylans stem maakte dat Richard zich weer naar hem toe draaide. Dylan voelde gevaarlijk.

'Tuurlijk,' zei Richard. Hij glimlachte en sloeg Dylan op de schouder. 'Tuurlijk.' Hij liep met zijn broer en de beide bewakers mee naar de boevenwagen, een oude stationwagon met een hek erin en bouten in de vloer om kettingen en handboeien aan vast te maken.

'Het grote huis' had Dylan gezegd. Richard dacht dat hij enige trots in Dylans stem had horen doorklinken. Zoals een basketbalspeler in de lagere divisie praat over 'de show'.

Gewichtheffen en tatoeages.

Hij moest Dylan eruit zien te krijgen zolang Dylan nog Dylan was, nog steeds zijn broer. Als dat betekende dat hij Phil Maris' kont met zijn goede relaties moest likken, dan moest dat maar.

21

'Phil Maris kan de pot op. Hij was niemand,' zei Rich. 'Zelfs zijn tante was niemand; ze was alleen maar de secretaresse van de gouverneur. Die klootzak had dat jaren geleden al moeten doen. Je was verdomme nog maar elf!'

'Hij heeft gelijk, Dylan. Ik ben blij dat meneer Maris dit heeft bedacht, maar je bent hem niets schuldig.' Dit zei de man achter in de auto, de man met het dikke wollen pak. De man die met Rich was meegekomen. Meneer Leonard van het Minnesota Gevangeniswezen.

Dylan bande hen allebei uit zijn gedachten en keek naar de akkers waar ze langsreden. Hij was niet geboeid, hij zat niet achter een dik veiligheidsscherm en er zat een kruk aan de binnenkant waarmee hij het portier kon openen en sluiten. Hij kon elk moment uitstappen.

Hij was vrij.

Een soort misselijkmakende schuld drukte als rottend voedsel op zijn maag. Waarom was hij Phil niet oneindig dankbaar? Niet naar het grote huis, niet naar de staatsgevangenis. Vrijheid. Ieder ander zou dolblij zijn, op schouders slaan en vertellen wat hij allemaal zou doen zodra hij een café, een restaurant of een vrouw zag.

Dylan was alleen maar bang. Dat wilde hij niet bekennen, niet aan Richard of aan de man op de achterbank – niet eens aan zichzelf, niet in woorden in elk geval – maar hij wilde vooral naar huis, terug naar Drummond. Niet echt. Daar wilde hij niet echt naartoe. Maar in Drummond kende hij de regels, wist hij wie hij was, hoe hij zich moest gedragen. Wat zou er buiten gebeuren als de mensen ontdekten dat hij de beruchte Butcher Boy was? Binnen had hij makkers, ze beschermden elkaar. Dylan had status; hij was een oudgediende in deze gevangenis waar korte straffen werden uitgezeten.

Zouden ze hem buiten verrot slaan? Hun kinderen naar binnen roepen als hij voorbijliep? Hun honden achter hem aan sturen? Zijn moeder en vader hadden heel veel vrienden gehad. Zouden zij proberen hem weer in de gevangenis te krijgen? In de echte wereld was geen plek voor mensen zoals hij. Hij hoorde achter de tralies. Verkrachters, dieven, vrouwenmishandelaars, moordenaars – dat waren mensen zoals hij.

'Niet naar Rochester,' zei hij opeens. 'Niet naar Minnesota.' Hij had geen idee waar hij naartoe wilde. Behalve naar Californië, waar hij was geweest toen hij vier was om een neef te bezoeken, was hij nooit verder geweest dan Iowa.

Na deze mededeling was het stil. Schuldgevoel kroop omhoog in zijn slokdarm. Misschien was hij wagenziek, maar dat betwijfelde hij. De stilte duurde voort. Kilometers lang reden ze langs groene akkers en de zomerlucht was zo helder en zoet dat de vogels zongen dat het een lust was. Als Dylan niet oppaste, zou hij als een klein kind gaan zitten janken.

'Ik heb het huis gelaten zoals het was,' zei Rich ten slotte. 'Ik dacht dat je wel naar huis zou willen.'

Waarom zou iemand denken dat hij naar huis zou willen? *Thuis is waar je hart is.*

Dylan stelde zich zijn hart voor, buiten zijn lichaam, liggend in de bebloede hal naast het verminkte lijfje van zijn zusje. Dat beeld was kort maar hevig. Hij duwde dat beeld terug naar een verborgen plekje in zijn geest. Hij had geprobeerd de laatste jaren niet aan deze dingen te denken, hij had geprobeerd te voorkomen dat Kowalski die beelden weer opriep. Hij was er goed in geworden.

Hij zei niets, bleef uit het raam kijken. Langs de weg stonden koeien te grazen. Als hij een leven mocht kiezen, dan zou hij dát leven kiezen: het leven van een koe die op gras kauwde en niet wist dat hij op een dag een hamburger zou zijn.

'Ik begrijp wel waarom je niet terug wilt naar Rochester, zoon,' zei de man op de achterbank omzichtig.

Dat 'zoon' irriteerde Dylan. Hij was niemands zoon.

'Het is moeilijk om het gewone leven weer in te stappen. Heel veel jongens kunnen er niet aan wennen. De meeste jongens eigenlijk niet. Ze komen weer in de bak. Ik hoop dat dit bij jou niet gebeurt, maar het kan wel.'

Dylan dacht hier een tijdje over na. Dat was niets nieuws. Tijdens zijn zeven jaar in Drummond had hij die draaideur zien draaien: jongens kwamen binnen, gingen weg, kwamen weer binnen. Meestal schepten ze op over de tijd dat ze buiten waren geweest, als zeelieden die opschepten over hun overwinningen tijdens hun uitstapjes op de wal. Dat kon hij ook: een auto jatten of in een vechtpartij terechtkomen en zichzelf weer de gevangenis in werken. De staatsgevangenis deze keer. Hij was nu achttien.

'Gegarandeerd,' zei Dylan.

'Waarom? Je hebt helemaal geen familieleden meer die je kunt vermoorden, alleen mij nog,' zei Richard. Hij lachte, maar de woorden waren vlijmscherp. Dylan had zijn gevoelens gekwetst; hij had geen waardering gehad voor wat zijn broer voor hem had gedaan, nog steeds voor hem deed.

'Vechtpartijen,' zei hij kortaf. 'In Rochester zal ik alleen maar vechten. En uiteindelijk zal ik iemand vermoorden.' Hij schepte niet op, constateerde alleen maar feiten. Dylan was groot en hij was sterk. Als hij iemand verkeerd raakte, was ie dood.

Niemand ging ertegenin.

Na een tijdje zei Richard: 'Ik heb je ingeschreven op de junior high waar ik ook op heb gezeten. Je wilt vast niet je hele leven in de keuken werken, wel?'

'Je moet naar de universiteit, zoon,' zei het bruine pak vanaf de achterbank. 'Phil Maris zei dat je een van de slimste jongens was die hij ooit les had gegeven. Dat wil je vast niet verspillen aan vechtpartijen en zo.'

Universiteit. Dat woord echode door Dylans hoofd, als de ochtendklok in Drummond. Jongens in Drummond gingen niet naar de universiteit; jongens die bestemd waren voor de staatsgevangenis droomden ook niet dat ze op een vliegend tapijt het raam uit konden vliegen.

Het enige waar hij echt plezier in had gehad in Drummond was Phil en wiskundeles.

Phil had niet de moeite genomen afscheid te nemen. Hij had zelfs nooit geschreven.

Voor Dylan keerde de vredige orde van vliegtuigen, dimensies en getallen die precies deden wat ze moesten doen uiteindelijk terug. Phil Maris niet. Tot nu toe had Dylan aangenomen dat hij hem was vergeten.

'Universiteit?' Hij zei het zo zacht dat meneer Leonard, op de achterbank, hem niet hoorde.

'Waarom niet?' vroeg Richard. 'Ik kan dat wel betalen.'

'Laten ze jongens zoals ik dan toe?'

Meneer Leonard vergat zijn ideeën. 'Dat moet wel kunnen,' zei hij langzaam.

'Niet in Rochester. Niet in Minnesota,' zei Dylan.

Richard lachte. Niet de verbitterde lach die hij vaak uitte, maar een goede hartelijke lach, alsof hij aan iets moois dacht, aan iets geweldigs. 'Ach, het is hier 's winters toch veel te koud,' zei hij.

Louisiana, 2007

Andrea Yates. Verdronk vijf kinderen. Ik kan die vrouw niet veroordelen. Ik kan mezelf niet eens opwerken tot een fikse woede. Hoe kan iemand het haar kwalijk nemen? Ze is jong, alleen, depressief; haar man is weg voor zijn werk maar regelt haar leven tot in detail. Ze kan de kinderen niet naar school sturen. Er is geen geld voor hulp. Ze zou hen eigenlijk zelf les moeten geven. Dat hele religieuze gedoe wordt haar te veel.

Dan vertelt een stem haar dat er een manier is om te ontsnappen.

Je moet wel respect voor Andrea hebben. Ze heeft geprobeerd niet naar die stem te luisteren. Geprobeerd hulp te krijgen. Vertelde haar man dat ze soms dacht dat ze haar kinderen vermoordde. Daar heb je moed voor nodig. Jezus, iets ergers kan een vrouw toch niet bekennen? Niemand hielp haar, niet genoeg in elk geval, en weer kreeg ze die drang te moorden.

En dan die stem, die haar vertelde dat er een manier was om te ontsnappen.

Die arme vrouw moet toen wel heel erg wanhopig zijn geweest. Ik vraag me af of ze toen nog wist wat wel en niet de realiteit was. Haar realiteit was krankzinnig, en daarom leek die krankzinnigheid logisch.

De stem wordt dringender. De kinderen worden wilder. Zij denkt dat ze een slechte moeder is en alles is beter voor de kinderen dan een slechte moeder.

Dan, op een dag, wint de stem. Ze verdrinkt ze omdat er geen andere mogelijkheid meer is.

Ik heb bewondering voor Andrea Yates. Niet voor die moorden, maar voor het heroïsme en de kracht die ze heeft getoond toen ze tegen die krankzinnigheid inging in een poging hen te redden. Als iemand zich ermee had gemoeid en haar met deze strijd had geholpen, zouden de kinderen nog leven. Net als mevrouw Yates' geest.

22

Getrouwd. Polly stond in de avondschemering op de trap van de kathedraal en zag dat de lantaarns op het plein aangingen. Ze weerstond de neiging naar de ringen aan haar linkerhand te kijken. Een briesje, gefilterd door de afkoelende lichamen van de toeristen, speelde door haar haren. Zoals altijd als ze zich de toekomst liet voorspellen, liet ze zich meevoeren door de magie. Ze sloot haar ogen en haalde diep adem. De French Quarter rook naar kermis: suikerspinnen met een vleugje ondeugende seks, oud bier en urine vermengd met Frans parfum, en daar doorheen een stroompje onstuitbaar leven, een uitzinnige moeder, een tienermeisje in tranen, de geur van de rivier.

Op deze prachtige avond waren alle tarotlezers aanwezig, parasol naast parasol in een postpsychedelische paddenstoelvormige cirkel die afstak tegen de glanzende witte steen van St.-Louis; de krachten van de oude magie verzetten zich opzichtig tegen de christelijke beunhazen. Polly wist nog niet welke tarotlezer ze zou nemen en vroeg zich af wat de kaarten zouden zeggen. Jarenlang hadden ze erop gezinspeeld dat een geheimzinnige man op haar wachtte en dat ze smoorverliefd op hem werd. Er wáren mannen geweest en er wás geheimzinnigheid geweest, maar alleen op Marshall was ze smoorverliefd geworden. De Geliefden zouden worden gelegd, en De Wereld, en De Maan. Polly glimlachte. De liefde had haar o zo dom gemaakt.

Twee meisjes – kinderen volgens Polly, maar ongeveer even oud als zijzelf was geweest toen ze de eerste keer naar Jackson Square was gekomen – stonden op van een tafeltje dat tussen de banken tegenover de deuren van de kathedraal stond. Ze waren gekleed in die verschrikkelijke mode die jonge meisjes eruit liet zien als hoertjes in een wereld vol roofdieren.

De meisjes keken om zich heen als acteurs op zoek naar een publiek. Toen ving een van hen, de dapperste – tenminste, dat was wat Polly vermoedde gezien de hoeveelheid blote huid – Polly's blik en riep: 'Als u uw kaarten wilt laten leggen, moet u naar de Vrouw in het Rood gaan.'

'Dat verschrikkelijk dikke mens,' zei het andere meisje grof, maar gelukkig heel zacht.

'De Vrouw in het Rood,' herhaalde het eerste meisje, 'is echt heel goed.' Ze strekte haar arm met zeker een stuk of zes armbanden erom en wees naar het tafeltje dat ze net hadden verlaten. Daar zat een omvangrijke vrouw; de lucht om haar heen golfde en rimpelde door alle sjaaltjes die ze droeg. Ze hield haar handpalmen omhoog en haar felrode nagels bewogen alsof ze een forel uit de lucht sloeg.

'Dan wordt het dus de Vrouw in het Rood,' zei Polly en ze glimlachte toen de geesten uit haar verleden giechelend wegliepen. Deze vrouw had ze tijdens eerdere zoektochten naar haar toekomst al vaker gezien. Dat kon ook moeilijk anders, want de kleding van de vrouw was als een oogverblindende zonsondergang: rozen en liefdeshartjes, kersen, appels, bloed en wijn – alles door elkaar. Als één tint rood luidruchtig was, dan was het ensemble van deze vrouw een kakofonie.

Voordat de tijd en het zonlicht hun tol hadden geëist, waren haar kakikleurige tafel en stoelen even rood geweest als de rest. Toen ze haar indrukwekkende gewicht verplaatste, bewoog het houten frame van haar stoel, waardoor de oorspronkelijke kleur – van vers geslacht vlees – van de dunne canvas banden zichtbaar werd. Toen Polly de trap van de kathedraal af liep, leunde de vrouw naar voren met een gebaar als van een bedelaar of van een drenkeling die haar redder onder water sleurt. 'Voor ze dame, ze lezing voor ze dame iz graties,' zei ze met een kinderlijk stemmetje met een zogenaamd Frans accent.

Straatventers en hoertjes bedoelden nooit dat iets echt gratis was.

Omdat Polly vroeger beide beroepen in min of meerdere mate had uitgeoefend, wist ze dat 'gratis' alleen maar de onderhandelingen opende. Ze ging in de gammele regisseursstoel zitten.

Rode stof wapperde, goedkope sieraden rinkelden. De vrouw verplaatste de grote kaarten met het gemak van lange ervaring. Het waren groezelige kaarten die ontelbare malen door haar handen waren gegaan; ze hadden ezelsoren en versleten randen. Nadat Polly de kaarten had geschud, begon de vrouw ze met theatrale zwier te leggen.

Op tarotkaarten staan opgehangen mannen, met een zwaard doorboorde harten, priesteressen, kastelen, gouden bokalen, astrologische tekens, scepters, Jung-achtige archetypes, getallen en tientallen andere symbolen, bij elkaar geveegd in een allegaartje van mythes en religies, een tafel vol hapjes uit spirituele, geestelijke en psychologische werelden.

Het kaarslicht lichtte de kleuren op en de kaarten kwamen in razend tempo op de tafel terecht. Materiaal, papier, verf, inkt en vaag licht brachten het oog in verwarring. Vanaf de patronen op het tafelkleed leek het bekende patroon van scepter en kruis op te stijgen.

'Het Keltische Kruis,' zei de vrouw. Haar stem had geen accent meer. Het Frans was vervangen door de echo van een koud oord, het noorden van het Midden-Westen of de staat New York. Haar vingers vlogen over de vieze stukjes karton, haar lange acrylnagels creëerden kleurrijke uitroeptekens, haar woorden stroomden vlak en snel uit haar mond.

Als een schoolkind dat doodsbang is dat ze haar tekst vergeet, dacht Polly.

Maar haar woorden waren niet de woorden van een kind. Vol afschuw en gefascineerd schoof Polly dichter naar de snel afgevuurde monoloog. Er schoot een losse gedachte door haar heen: Had Hamlets vader in zijn slaap ook op deze manier naar voren geleund om het gif in zijn oor te laten spuiten?

Verlamd luisterde ze naar de vrouw die haar dingen vertelde die echt waren gebeurd, geheime dingen: de abortus die Polly zeven uur voor haar eindexamenfeest had laten uitvoeren, een van haar stiefvaders die haar bespiedde door een gat dat hij in de badkamermuur had geboord, de decaan die ze had verleid om een volledige beurs te krijgen voor haar eerste jaar op Tulane, Gracie die toen ze acht maanden oud was van het bed was gerold waarna Polly doodsbang was dat ze er een hersenbeschadiging aan zou overhouden.

Even plotseling als hij was begonnen, hield de woordenstroom op. De vrouw perste haar lippen op elkaar; ze had zo'n dikke laag lippenstift opgesmeerd dat het in de rimpels boven haar mond was gevloeid. Ze keek naar de kaarten die tussen hen in op de tafel lagen.

Langs de randen van Polly's bewustzijn, als dansers rondom een vuur, schoten gedachten het licht in en uit: dat ze de kaarten op de grond wilde smijten, dat ze wilde opstaan en wegrennen, dat ze de politie moest bellen.

De vrouw boog haar hoofd over de kaarten en Polly zag de witte wortels in het vuurrode haar. Zonder haar lippen te ontspannen, begon de vrouw op een Halloween-achtige manier te praten: 'Je bent omringd door bedrog. Leugens groeien om je heen in verstikkende ranken. Je kinderen worden bedreigd. Je leven hangt aan een zijden draadje. Oud kwaad heeft wortel geschoten en is gaan groeien.'

Ze kneep haar ogen, zwaar van de mascara, halfdicht in haar vlezige gezicht. Ze drukte haar buik tegen het tafeltje, zo dichtbij dat Polly sigaretten en alcohol kon ruiken. Een hand vol goedkope ringen schoot naar voren; haar acrylnagels boorden zich diep in het vlees van Polly's onderarm.

'Je man is niet wie je denkt dat hij is,' siste de vrouw. 'Je zult hem vermoorden.'

Polly probeerde los te komen. De acrylnagels drongen dieper haar vlees binnen.

De vrouw kwam nog dichterbij. 'Je man zal sterven door jouw hand.'

Een korte eeuwigheid staarde Polly naar het gezicht van de vrouw. Goedkope foundation, oranje in het vreemde licht van de schemering, had zich in de rimpels verzameld. De zwart omrande ogen waren vochtig, het oogwit vergeeld door ouderdom en slechte gewoonten. De zoetige geur van wanhoop droop van haar af, er brak een mentale dijk door, giftig water stroomde naar buiten.

'Nee!' kon Polly eindelijk uitbrengen. Ze vond kracht in het geluid van haar eigen stem en rukte zich los, waarbij stukjes huid achterbleven onder de nagels van de Vrouw in het Rood. Ze stond zo snel op dat haar stoel omviel en ze liep weg.

'Open je ogen,' zei het monster. 'Open je ogen.'

Polly graaide in haar portemonnee, haalde er drie briefjes van twintig uit en smeet ze op tafel.

'De lezing is gratis,' zei het monster, maar ze keek met een gretige blik naar het geld.

'Niets is gratis,' fluisterde Polly. Ze rende naar de hoek, draaide zich om en liep daarna snel over het beschaduwde pad tussen het park en een rij winkels.

Ze had het liefst de kortste weg door de tuin genomen, maar die was na zonsondergang gesloten. Bij een zijhek keek een jonge vrouw, met haar handen om de ijzeren hekspijlen, de tuin in. Toen Polly dichterbij kwam, draaide ze zich om en keek haar aan. 'Katten,' zei ze. 'Overal.'

Polly zag alleen maar kakkerlakken. Ze leefden als koningen op alles wat de mensen lieten vallen. Een walgelijk groepje kakkerlakken vluchtte weg van de voeten van het meisje die in open sandalen waren gestoken. Ze leek het niet te merken. Of het kon haar niets schelen.

'Wat doen al die katten?' vroeg ze aan Polly.

Polly ging naast haar staan en keek de omheinde tuin in. De lampjes in de bomen verlichtten de schaduwen eronder niet, maar maakten ze juist dieper. Lichte stenen paden gloeiden in het licht. In dit kleurloze droomschema zag ze zeker zes katten: grijze tijgers met lange poten, een korte vacht en een lusteloze houding. Ze waren zich aan het poetsen. Ze rekten zich uit. Ze sliepen met hun ogen halfopen. Ze staarden zonder te knipperen. Veilig achter het gietijzeren hek doften ze zich met bestudeerde onverschilligheid op.

Polly keek naar hen en zij keken terug. ‘Ik weet het niet,’ zei ze tegen het meisje. ‘Ik weet niet wat ze doen.’

‘Misschien wachten ze tot ze iets kunnen vermoorden,’ zei het meisje somber.

Polly vluchtte.

23

Tijdens het avondeten vertelde Polly het verhaal van de tarotlezer. Het was een grappig en mal verhaal, en voor het komische effect overdreef ze de griezelige elementen. Emma en Gracie gingen er gretig op in en voorspelden zelfs nog afschrikwekkender gebeurtenissen.

Marshall vond hun gelach een kwelling, het eten was een kwelling. Bonen, brood, zelfs de aardappelpuree bleef in zijn keel steken. Hij moest zijn best doen alles door te slikken. Als een slang die slikt en slikt tot een rat helemaal door zijn lichaam is geschoven. Een rat in zijn keel, niet klauwend en vechtend, maar levend; hij voelde dat hij opzwol tegen zijn slokdarm alsof hij vocht om te kunnen ademen.

'Niet doen!'

Marshall had dit hardop gezegd. Het gesprek aan tafel stopte. Drie paar ogen keken hem aan: Gracie, Emma en Polly. Ze waren nog maar een paar maanden een gezin. Nadat ze uit Venetië waren teruggekeerd was het begonnen. Het was hun huis binnen geslopen en nu probeerde het contact te krijgen, Polly aan te raken. 'Jezus, nee!' mompelde hij.

'Tegen jezelf praten is het eerste teken van krankzinnigheid,' zei Gracie. 'Dat heb ik ergens gelezen.'

'O-o!' zei Emma. 'Je moet het zeggen, hoor, als je stemmen hoort.'

'Vooràl in hondentaal. Wie was die man ook alweer, wiens hond hem vertelde dat hij mensen moest vermoorden?'

'Sam,' zei Emma.

'Zoon van Sam,' verbeterde Marshall. Te abrupt. Te luid. Van schrik hielden ze hun mond en keken ze hem aan – Emma, Gracie en Polly.

'Sam noch zijn zoon noch de hond van zijn zoon is welkom aan deze tafel,' zei Polly. Hierdoor verdreef ze als een ervaren gastvrouw de nare stilte die was ontstaan. Met het puntje van de opscheplepel schepte ze drie bonen op en legde ze op het bord van haar jongste dochter. 'Het spijt me zo, liefje, maar volgens mij heb ik je zus meer opgeschept en je moet nu eenmaal eerlijk omgaan met je nageslacht.'

In elk geval voor hen drieën was de sfeer weer normaal en ze vroeg aan Marshall: 'Wat niet doen, lieverd?'

'Let maar niet op mij,' zei hij en hij probeerde een glimlach. Die kon er kennelijk mee door, want de meisjes keken opgelucht. 'Ik heb een beetje last van indigestie.'

'Als het door mijn kookkunst komt, zal ik het proberen goed te maken. De keuken is niet mijn meest favoriete vertrek.' Polly verleidde hem met haar ogen, knipperend op een manier die zowel sexy als ironisch was.

Gevangen in het universum van haar ogen drukte Marshall zo hard tegen de duisternis in zijn geest dat hij rafelige bliksemschichten zag. De voorboden van migraine.

Het gebeurde weer.

Er gebeurde niets! Zwijgend riep Marshall de stem in zijn hoofd tot de orde. *Een vergissing. Een nare droom.*

Hij hield bijna evenveel van de meisjes als van hun moeder, en hij was van plan hen te adopteren. Ze waren zo leuk. Emma was elegant en had een olijfkleurige huid; Gracie was blonder, had een bredere glimlach en grotere ogen. Over twee weken was ze jarig.

Polly wilde haar een kitten geven.

In gedachten zag hij heel even Tippity, de chihuahua, met rijp om zijn bekje.

Groeide je over dat soort dingen heen? Was er een verjaringswet voor menselijke ellende? BTK: Bind, Torture, Kill (vastbinden, martelen, vermoorden). Deze term was bedacht door Dennis Rader, de seriemoordenaar die in 2005 bekende dat hij tussen 1974 en 1991 in Wichita, Kansas, tien mensen had vermoord. Jaren later stuurde Dennis Rader brieven naar de politie. Niet omdat hij berouw had, maar omdat hij erkenning wilde voor zijn werk.

'Ik moet nog wat werken,' zei Marshall abrupt terwijl hij opstond. Weer bliksemschichten achter zijn ogen. Deze keer veroorzaakten ze een lichte spookachtige valstreep. Hij moest snel een pil nemen. Polly keek bezorgd, maar zei niets. Gracie en Emma waren nog zo jong dat ze accepteerden dat alle stiefvaders kwamen en gingen, met plotselinge zweetdruppels op hun voorhoofd en met gespannen kaakspieren. Ooit zouden ze zich realiseren dat ze geen normale papa hadden gehad.

Als ze lang genoeg bleven leven.

Angst – of een migraineaanval – krabde zo scherp en gemeen in zijn nek dat hij half geloofde dat hij als hij in de spiegel keek een monster op zijn rug zou zien hangen, met schubben en klauwen en met zijn tanden in zijn nek. Kaarsrecht verliet hij de eetkamer, slikte zijn woorden en zuchten in, en liep naar boven naar zijn werkkamer.

Een spookachtige hand drukte stevig tegen zijn nek. Marshall kneep zijn ogen stijf dicht, met zijn gezicht vertrokken alsof hij een kind was.

Alsof het gisteren was. Alsof het nu was. Alsof het nooit was opgehouden. Hij drukte één hand tegen zijn voorhoofd en de andere tegen zijn achterhoofd om te voorkomen dat zijn hersenen uit zijn schedel sprongen. Op de overloop bleef hij staan.

Hij kon het verleden ruiken, vlijmscherp in zijn neusgaten. Hij kokhalsde en de aanval gierde met de kracht van een lintzaag door zijn hoofd.

Zijn vrouw, de meisjes – hij zag hen over de beelden in zijn hoofd heen en schreeuwde het uit.

'Schat, wat is er met je?' vroeg Polly van beneden met die stem waar hij zo van hield dat hij soms net deed alsof hij hem niet had gehoord zodat ze iets nog een keer zou zeggen. Hij, die sinds zijn jeugd nooit van iemand had gehouden behalve van zijn broer, hield nu te veel van iemand.

Danny had geweten dat dit het op gang zou brengen. Hij had alles geprobeerd om het huwelijk te voorkomen, behalve toen tijdens de plechtigheid werd gevraagd of iemand bezwaren had tegen hun huwelijk.

'Schat?'

'Niks aan de hand, hoor!' riep Marshall terug. Hij dwong zijn ogen open te blijven en liep door naar boven. Vaag, vanuit de diepte van de donkere plaatsen in zijn geest, hoorde hij sirenes, voelde hij de handen van de agenten en de ambulancebroeders, nog koud van de buitenlucht, van zich afglijden doordat hij kronkelde en draaide van angst en pijn.

Hij werd gek.

Nee. Hij was altijd al gek geweest. Hij had zichzelf alleen maar wijsgemaakt dat hij dat achter zich had gelaten. Nu kwam de gekte weer terug.

Hij concentreerde zich op lopen en niet op nadenken en op de pijn. Hij slaagde erin de geluiden van de film die in zijn hoofd werd afgespeeld weg te drukken, maar de film zelf kon hij niet stilzetten. Zwart en wit en bloedrood, de vertrouwde beelden flitsten achter zijn oogleden.

In de badkamer haalde hij het potje pillen uit het medicijnkastje. Er vielen vrouwenspulletjes in de wasbak en het geluid van het vallende scheermesje en de losse mesjes sneed door zijn hoofd. Hij verstijfde en keek naar Polly's ladyshave en het pakje losse mesjes.

Dood was aantrekkelijk; dat had hij lang geleden aan zichzelf bekend. Maar zelfmoord was een eerloze dood, een manier waarop een lafaard zijn schulden niet hoefde in te lossen. Voordat Marshall architect werd, had hij niet veel gehad om trots op te zijn, maar hij was wel trots geweest op het feit dat hij zijn lot zonder klagen had geaccepteerd.

Door het scheermes in de wasbak, roze en met een dikke handgreep, Polly's scheermes, dacht hij dat de dood misschien wel de moeder der wijsheid was. Hij drukte die gedachte weg, maakte de envelop die Danny hem had gegeven open, schudde twee pillen in zijn hand, deed er een migrainepil bij en slikte ze allemaal door met een glas water.

Godzijdank voor Danny en voor drugs.

Hij zette het potje terug, sloot de deur van het medicijnkastje en keek naar de wasbak om niet naar het gezicht in de spiegel te hoeven kijken.

Een kitten. Waarom wilde ze Gracie in vredesnaam een kitten geven? Als hij een chihuahua in een vriezer had gestopt, wat zou hij dan met een kat gaan doen? Frituren?

Jezus!

Op de top van een golf werd hij opeens duizelig en hij hield zich aan de wasbak vast om niet te vallen. Het scheermes lag tussen zijn handen, de spiegel wachtte tot hij erin keek. Hij draaide zich om en stommelde naar boven.

Nog zeventien traptreden en dan was hij in zijn werkkamer. Het was niet waar wat hij tegen Polly had gezegd, hij was niet naar boven gegaan om te werken, hij was niet naar boven gegaan voor de drugs, hoewel hij wilde dat hij twee keer zoveel had durven innemen.

Marshall was naar boven gegaan omdat hij het moest zien.

Hij leunde tegen de psychische wind, dwong zichzelf nog twee treden op te lopen. Voor de deur van de ouderslaapkamer had zijn psychische storm orkaankracht bereikt. Hij hield zich vast aan de deurpost, wilde zich verzetten tegen de drang naar binnen te gaan. Drie keer vanavond had hij de pelgrimstocht door de nachtmerrie van het trappenhuis naar deze kamer gemaakt, om te zien of het was teruggekomen. Hij wist niet of het deze keer een opluchting zou zijn of een extra bewijs dat hij het scheermes van zijn vrouw beter moest leren kennen.

Misschien had hij het zich alleen maar ingebeeld; misschien was het er zelfs nooit geweest. Een vierde keer zou dodelijk zijn; zijn hoofd implodeerde achter zijn rechteroog. Een vierde keer was meer dan voorzichtig, meer dan dwang. Het was niet normaal.

Normaal was iets wat hij kende. Zijn leven was een casestudy in normaal geweest. Normaal woonde niet op een vuilnisbelt en raakte niet geobsedeerd door kleinigheden. Normaal droeg schone kleren, maar raakte niet in paniek als er een vlek op kwam. De handdruk van normaal duurde 1,7 seconde.

Normaal zocht niet herhaaldelijk naar dingen die er niet waren omdat hij, hijzelf, ze had weggehaald. Dat was het probleem. Hij had het mee naar de kelder genomen en het aan twee spijkers gehangen die voor dat doel in een balk waren geslagen.

Als van een afstandje zag hij zichzelf over het vloerkleed naar het bed lopen, zag hij zichzelf naar de sprei kijken. Zijn dubbelganger viel op zijn knieën en vouwde de sprei netjes terug.

Marshall floepte zo snel terug in zijn eigen lichaam dat de lucht uit zijn longen werd geperst, een lichaam dat geknield lag in gebed tot een dode of onverschillige god.

Hij haalde diep adem alsof hij een diepe duik wilde nemen, bukte zich en keek onder het bed.

Niets.

Schoenendozen, hoedendozen.

Niets.

Overdreven zorgvuldig vouwde hij de sprei weer terug en streek hem glad. Toen liet hij zijn hoofd op zijn vuisten rusten met de duimen stevig in zijn ooghoeken zodat hij geen tranen in zijn ogen zou krijgen.

24

De Vrouw in het Rood, dacht ze. Ze hing met haar gezicht boven de wastafel in de badkamer om dichter bij de spiegel te komen. De wastafel was zwart door het vele gebruik en de spiegel vaag door de jarenlange combinatie van stof, haarspray, badpoeder en andere badkamerdampen. Op een bepaalde manier was die viezigheid haar vriend; als een film die in de mist was opgenomen, verzachtte het de minder aangename kanten van haar gezicht. Vochtplekken bedekten de verwoestingen van ouderdom, vet vulde de rimpels en rondde de ooit scherpe kaaklijn. Van dichtbij, als ze alleen naar haar ogen en lippen keek, voelde ze zich soms zelfs aantrekkelijk.

Ze kneep haar linkeroog half dicht en concentreerde zich op haar lippenstift. Rood. Altijd rood. Na zovele jaren rood had ze ook andere kleuren geprobeerd, maar ze leken allemaal verkeerd, alsof haar mond van een andere vrouw was.

'Fuck,' fluisterde ze omdat haar hand zo trilde dat ze bijna een rode lijn langs haar neus tekende. 'Verdraaid,' verbeterde ze vastberaden. Meneer Marchand hield niet van grove vloeken. Vroeger had hij het niet erg gevonden, maar één jaar, of twee of twintig geleden had hij haar verrot geslagen nadat ze het F-woord had uitgesproken. Daarna had ze het hem nooit weer horen zeggen. Het leek wel alsof hij religieus was geworden of zo. Hij had haar helemaal niet hoeven slaan. Hij had het alleen maar hoeven vragen. Ze kon geen nee tegen hem zeggen.

Niet na die eerste avond.

De herinnering toen was beter dan de herinnering nu. Er viel sneeuw uit een laaghangend donker wolkendek. De wereld was koud en stil, niet heet en hongerig zoals Louisiana. Haar moeder en vader waren naar een nachtwake voor een dominee die net was overleden. Het huis was gewikkeld in stilte, sneeuw en duisternis. Ze stond voor het raam op de tweede verdieping naar het huis van de buren te kijken.

Door sneeuwvlokken die half zo groot waren als haar vuist en door het halo van de straatlantaarns vielen, zag ze zijn moeder. Ze droeg een flanellen nachthemd met een bijpassende kamerjas en slippers, net als June Cleaver, gaf zijn broertje een kus op de wang, ging op de rand van het bed zitten en zong een liedje.

Hij kwam in de deuropening staan en keek naar hen. Ze hield van de manier waarop zijn haar golfde, lang van voren en kort boven de oren. Ze hield van zijn donkere ogen, van de manier waarop hij stond, met zijn benen iets uit elkaar alsof hij de hele wereld aankon. Hij was wat haar grootmoeder een 'oude ziel' noemde.

Ze leunde tegen het raam om dichterbij te zijn en viel in slaap. Toen opende ze haar ogen, zonder aanleiding. Het was niet alsof ze wakker werd, maar alsof ze al wakker was en in een pikdonkere bioscoopzaal zat waar de film opeens begon.

Hij stond vlak voor haar, liep door de schemerig verlichte hal naar het raam. Hij bleef staan, keek haar recht aan en glimlachte die iets scheve glimlach waar haar knieën altijd zo slap van werden.

'Sst,' hoorde ze zichzelf sissen. Het geluid bracht haar terug voor de spiegel en naar de streep lippenstift langs haar neus.

Ze moest iets hebben. Een opkikkertje.

Op haar ladekast stond een glas whisky, op een plekje dat door het vele gebruik was uitgesleten. De rest van de stortbak was bedolven onder een kapot doosje oogschaduw, haren die uit een borstel waren gehaald, twee bussen haarlak, een vies washandje en een heleboel haarspelden en tissues. Het teveel kon nergens naartoe. In de loop der tijd was de ruimte tussen de stortbak en het wastafelkastje vol geraakt. Het glas stond op een bijna perfecte cirkel die was ontstaan door oude vochtkringen van de bodem van het glas.

Omzichtig pakte ze het glas, tuitte haar lippen om haar make-up niet te bederven en nam een slok. 'Cocktail,' zei ze om het woord 'drank' weg te duwen dat in haar opkwam.

De whisky dronk ze alleen maar om het trillen van haar handen tegen te gaan. Vanavond wilde ze niet aangeschoten worden. Na deze oppepper deed ze een nieuwe poging lippenstift aan te brengen. Nu zat het grootste deel van de lippenstift gelukkig in de buurt van haar lippen. Haar lippen waren van nature dun en leken nu in elk geval dikker. Ze bewonderde het effect, schudde een sigaret uit het gedeeltelijk verkreukelde pakje Dorals en stak hem op. 'Shit.' De lippenstift was in orde, maar er lág al een brandende sigaret op de rand van de wastafel en dat veroorzaakte nóg een schroeiplek. Ze pakte hem op, liet hem in het toilet vallen en legde de nieuwe ervoor in de plaats.

Na nog een slok whisky begon ze aan haar ogen. Meestal deed ze er zwarte oogschaduw omheen en bracht ze mascara aan. Vroeger, toen ze nog saai was, voordat ze naar New Orleans was gekomen en de Vrouw in het Rood was geworden, had ze nooit zo veel make-up durven dragen. Als ze dat had gedaan, zou haar moeder haar hebben gedwongen het eraf te wassen of de een of andere bemoeial zou haar hebben gevraagd: 'En wie ben jij zogenaamd?' Daarna zou die trut het haar moeder vertellen. New Orleans was dol op maskers, en make-up was een soort masker. Verf om jeugdige uitspattingen en zonden te bedekken, om een vrouw te laten zijn wie ze zou moeten zijn in plaats van wie ze moest zijn. Toen ze voor het eerst make-up had opgesmeerd, had ze een personage opgesmeerd, de Vrouw in het Rood. Nu maakten de dikke laag foundation, wit poeder, rode lippenstift, zwart omrande ogenschaduw en klonters zwarte mascara deel uit van de rol die ze al zo lang speelde dat het allang geen rol meer was.

Vanavond wilde ze er leuk uitzien, met nette lijnen om haar ogen en zonder klontjes in de mascara. Turend door de nevel van whisky, rook en troep, kamde ze haar wimpers zorgvuldig uit met een oude tandenborstel. Ze hoopte in elk geval dat het een oude was.

Om acht uur zou ze meneer Marchand ontmoeten en ze wilde zichzelf niet te schande maken. Deze keer niet. Ze wilde niet te aangeschoten zijn. Ze zou alles goeddoen: leuke jurk, leuk opgemaakt, haar netjes. Deze ontmoeting was belangrijk. Meneer Marchand was net familie, maar beter – dichterbij – en een ontmoeting met hem was niet onbelangrijk.

'Hij is degene die onze relatie verdiept,' zei ze ernstig tegen het gezicht in de spiegel. Eigenlijk wist ze wel dat het niet zo was. Hij deed dingen omwille van zijn eigen redenen en had haar jarenlang niet verteld welke dat waren. Nee, hij vertelde haar nooit waarom hij dingen deed of haar dingen liet doen. 'Dit is net alsof meneer Marchand me aan zijn moeder gaat voorstellen,' zei ze en ze nam een lange trek aan haar sigaret. Nu haar hart weer op zijn plek zat, pakte ze de haarborstel op.

Voordat ze naar New Orleans was verhuisd, had ze nog nooit van tarot gehoord. Omdat ze dicht bij meneer Marchand moest blijven, had ze iets in de buurt van Jackson Square gezocht, zodat ze de deur van zijn kantoor in de gaten kon houden. Aangezien ze niet kon schilderen en geen karikaturen kon tekenen en ze nooit van z'n leven lang genoeg stil kon staan om als levend standbeeld de kost te verdienen, zelfs niet als ze slanker was geweest, leek tarotkaarten lezen het gemakkelijkst.

Toen bleek dat ze er goed in was. Omdat ze te groot, te rood, te veel was van vrijwel alles en te weinig van de rest, had ze nooit gedacht dat ze érgens goed in zou zijn, maar ze zag dingen in die kaarten die waar waren. Mensen maakten haar vaak belachelijk als ze dat zei, vooral meneer Marchand. Daarom schepte ze er nooit over op, maar ze bleef het wel vinden. Dat was het enige waar ze goed in was. Het was waar en het klopte en ze weigerde te denken dat ze er niet goed in was.

Heimelijk geloofde ze dat ze een goede tarotlezer was, maar ze was haar hele leven niet genoeg geweest – niet knap genoeg, niet slim genoeg, niet rijk genoeg, niet gelukkig genoeg – en daardoor doorzag ze andere mensen.

Ego kwam niet tussen haar en het pak kaarten. Zij kon zien of klanten die naar haar tafeltje kwamen gedesillusioneerd waren en de kaarten vertelden haar hoe ze hen kon helpen. Heel vaak was het natuurlijk een act. Toeristen betaalden zowel voor die act als voor het kaartlezen. Maar niet altijd. Af en toe 'zag' ze echt iets. Zoals toen ze de vrouw van meneer Marchand waarschuwde. Daar was ze van geschrokken. De act werd zo precies in de kaarten weerspiegeld dat ze wist dat het geen act was. Een paar minuten was er een raam opengegaan tussen nu en de toekomst. Ze had er dwars doorheen kunnen kijken, precies in die afschuwelijke plek waar die vrouw naartoe op weg was. De woorden waren niet van haar, in elk geval niet allemaal, maar zij was wel degene die het had gezien.

Haar hand trilde en ze prikte de mascararoller in haar oog. Dat deed zo'n pijn dat de brandende sigaret op de vloer viel. Niet echt op de vloer, want die was niet meer te zien doordat er een paar centimeter troep op het hardboard lag. Het smeulende peukje viel in een stapel tijdschriften en rolde achter het toilet. De whisky kreeg haar te pakken toen ze zich bukte, en ze viel in het toilet; haar hand klapte tegen de pot.

Ze was per ongeluk toch wat tipsy geworden.

Grommend groef ze de sigaret uit en stampte op die plek voor het geval er iets was gaan smeulen. Toen ze het peukje in de toiletpot liet vallen, zag ze dat een van haar acrylnagels eraf was gegaan. Nu was er een schurftig stompje zichtbaar waar de echte nagel was afgevijld om ruimte te maken voor de kunstnagel.

'Fuck!' siste ze en ze krabbelde overeind. Haar nagels waren nep, maar ze waren mooi, het allermooiste aan haar. Zodra ze rechtop stond, stak ze haar vinger in haar mond en keek weer in de spiegel. Door dat gezuig had ze haar lippenstift uitgesmeerd en zwarte tranen stroomden over haar make-up en veroorzaakten grijze stroompjes die lastig te camoufleren waren.

'Fuck!' Ze smeet de mascararoller naar de spiegel, waar meteen een zwarte veeg op verscheen. De roller stuiterde van het glas af en viel in het halflege whiskyglas. 'Godverdomme!' schreeuwde ze en begon met haar vuist tegen de spiegel te slaan.

Pech, zeven jaren lang. Daar had ze net behoefte aan.

Ze hield haar adem in, sloot haar ogen en begon te mopperen. 'Achtenzeventig kaarten, tweeëntwintig Grote Arcana, troefkaarten, kunnen niet worden veranderd, zesenvijftig Kleine Arcana verdeeld over vier kaartkleuren...'

Toen ze op Jackson Square was gaan lezen, had ze deze informatie opgeschreven. Meer dan dit wist ze niet toen haar eerste klant ging zitten. De vaak herhaalde litanie kalmeerde haar. Toen ze nog een klein meisje was had ze het Onzevader gebruikt. Dat was nooit zo voordelig geweest als meneer Marchand, laat staan dat ze er biljetten van twintig dollar mee had verdiend zoals met tarot.

'Oké, oké.' Ze deed haar ogen open, maar keek niet weer in de spiegel. 'We gaan het langzaam doen, heel voorzichtig,' coachte ze zichzelf. Ze pakte het whiskyglas op, viste de mascararoller eruit en liet hem op de grond vallen. 'Beide handen, goed zo meisje.' Ze hield het glas vast, zoals een gelovige de heilige graal, en nam een grote slok. Later, als haar handen niet meer zo trilden, zou ze haar make-up weer in orde brengen. Op die manier zou ze er frisser uitzien voor haar afspraakje.

Afspraakje.

Daar moest ze om glimlachen. Hij zou lachen als hij haar dat woord hoorde uitspreken. Of woedend worden. De laatste tijd, sinds meneer Marchands vrouw in beeld was gekomen, was hij gespannen geweest. Voordat zij op de proppen was gekomen, had hij haar belachelijk gemaakt maar was hij niet meer zo kwaad geweest. Hij ijsbeerde en sloeg niet langer. Polly Marchand en die kleine meisjes maakten hem overstuur. Hij zou het weer gaan doen. Dat had meneer Marchand haar verteld.

Doodzonde. Juffrouw Pollyanna leek aardig, maar ze wist het niet zeker; de kaarten vertelden veel, maar ze hadden ook geheimen.

Vanavond wilde ze niet aan Polly Marchand denken. Er was een andere gedachte die ze wel leuk vond. Even wist ze niet meer wat het was. De graal maakte nog een reisje naar haar mond, en toen wist ze het weer.

Een afspraakje. De Vrouw in het Rood heeft een afspraakje, dacht ze, en ze schoot in de lach. Niemand hoefde te weten dat ze dat woord gebruikte. Als hij geheimen kon bewaren, kon zij dat ook.

De hele avond zou ze eraan denken als aan een afspraakje, een echt afspraakje. Hij dacht dat hij haar gedachten kon lezen, maar volgens haar kon hij dat niet, meestal niet in elk geval.

'Afspraakje, afspraakje, ik heb een afspraakje. Zo is het, meneer Marchand. We hebben een afspraakje,' zong ze, en ze stapte door de troep op de vloer naar de kast in de kamer ernaast. Ze had bijna geen whisky meer.

Meneer Marchand betaalde haar airco en ze had hem altijd op de hoogste stand zodat haar appartement niet te erg stonk. Hij had haar beloofd een betere flat voor haar te huren als ze deze schoonmaakte. Dat zou ze binnenkort doen. Maar er zaten heel veel kostbare dingen tussen. Het zou stom zijn die allemaal weg te gooien. Ze zou tijd vrijmaken om het allemaal op te ruimen. Het werd haar allemaal een beetje te veel de laatste dagen.

Nog twee flessen goedkope whisky. 'Puur, zonder ijs,' zei ze tegen een denkbeeldige barkeeper terwijl ze drie vingers inschonk. Een slok verzachtte de pijn in haar oog en haar teleurstelling over het feit dat een nagel was gebroken. Met de fles tegen haar borst geklemd liep ze terug naar de slaapkamer.

'Ik ben heet, heel erg heet, voor een heel belangrijke date,' zong ze terwijl ze in haar overvolle rode kledingkast keek – nog meer rood en nog meer rood, het ene kledingstuk was nog meer versleten dan het andere. Meer dan de helft van de kleren paste haar niet meer, maar ze bewaarde ze wel. Zodra ze afviel, kon ze die weer aan. Uiteindelijk koos ze een rode polyester kaftan. De stof ademde niet in de warmte, en er stonden kleine zwarte strijkijzers, koffiepotten en mengkommen op, maar hij paste en als ze hem achterstevoren droeg waren de vlekken niet zo zichtbaar. Voor- of achterkant, dat maakte toch niets uit? Het ding was toch vormeloos.

Ze trok hem uit de stapel en vroeg zich af wanneer haar kleren van de hangertjes op de vloer waren beland.

Twee winters geleden had er ijs gelegen en had ze haar knie verdraaid. Het had lang geduurd voordat hij was genezen. In die tijd was haar woning een puinhoop geworden. Deze kast was een van de dingen die ze als eerste wilde aanpakken. Er lagen waarschijnlijk wel een paar leuke dingen in, zoals nieuwe schoenen. Zodra ze de boel op orde had, zou ze aan die kast beginnen, besloot ze. Misschien lag er wel een compleet nieuwe garderobe op haar te wachten.

De kaftan was verkreukeld en dus spreidde ze hem uit op haar bed, waarna ze de kreukels er zo goed mogelijk met haar handen uitstreek. Er spatte een beetje whisky op, maar die zou al snel zijn opgedroogd. Ze feliciteerde zichzelf omdat ze eraan dacht haar lippen op elkaar te persen terwijl ze hem aantrok zodat er geen lippenstift op de jurk kwam en trok hem over haar hoofd. Te laat dacht ze eraan dat ze een beha en panty's had willen aantrekken.

Maakte niet uit. Dit was sexier.

Toen ze haar kleren aanhad, bekeek ze zichzelf in de passpiegel die ze aan de binnenkant van de kastdeur had geschroefd. Ze bekeek zichzelf echt. Dagen, weken of jaren konden verstrijken zonder dat ze dat deed. Ze maakte zich op, kamde haar haren, kocht goedkope ringen en deed ze op verschillende manieren om, vijlde haar nepnagels of lakte ze, maar ze besteedde geen aandacht aan het gebied tussen lippenstift en tenen behalve om dat te bedekken met steeds meer lagen stof. Rode stof. Ze zag er goed uit in het licht van een enkele lamp, rood licht, kleedlicht, romantisch.

Door de schok van wat ze zag, was ze meteen weer nuchter.

Ik pas verdomme niet in de spiegel.

Misschien stond ze te dichtbij. De deur werd al heel lang geblokkeerd door stapels kleren en schoenen die uit de kast waren gevallen, maar ze schoof ze opzij. Dat scheelde een paar centimeter.

'Zo dik ben ik niet. Dit lijkt wel een circusact. Shit!'

Opgelucht dacht ze weer aan de whisky in haar hand en ze nam een forse slok uit het geslepen kristallen glas. Het was echt kristal; ze had hem in een rommelwinkeltje gekocht. Drinken uit een mooi glas was oké. Alcoholici dronken rechtstreeks uit de fles. Zij was geen alcoholicus.

Na de volgende slok zat er een halve centimeter minder in het glas. Ze zette het glas voorzichtig op het met een sjaaltje bedekte telefoontafeltje zodat de wankele stapel ongeopende post en sokken niet omviel. Dat was ook belangrijk: alcoholici zetten hun glas nooit neer, maar hielden het altijd vast.

Ze schuifelde achteruit, schoof met haar hak vieze kleren, oude kranten en twee lege Diet Pepsi-blikjes op een hoge stapel troep en had weer een paar centimeter gewonnen. Nog steeds kon ze alleen haar gezicht en hals in de spiegel zien. En rood, rood van de ene kant van de lijst tot aan de andere. Geen armen, handen, heupen – alleen rood en nog meer verdomde rood.

Een verdomde gestoorde circusact, een dikke circusvrouw in het rood.

In de negentiende eeuw had deze bijnaam bijzonder mysterieus geklonken. Doodziek was ze van de dikke homp vlees die ze al sinds de wieg was geweest – of sinds ze zich kon herinneren – en ze had de kleurrijke kans gegrepen zoals ze ook deze kleurrijke nieuwe stad had gegrepen.

In die tijd was meneer Marchand aardiger tegen haar geweest. Ze waren naar de winkels op Decatur gegaan. Het French Quarter was toen ruiger; alles was nog goedkoop en drugs en echte seksshows waren op elk moment binnen bereik. Hij had alles gekocht wat ze wilde. Zij wees en hij betaalde. Dan kwamen ze terug met armenvol zakken met sjaaltjes, schoenen, hoeden, jurken. Voor in totaal honderdachtenzeventig dollar. Gulle gever, verdomd gulle gever, dacht ze terwijl ze in de goedkope spiegel aan haar kastdeur keek. Toen had ze het gul gevonden. Zo veel geld had ze nog nooit in één keer aan kleren uitgegeven. Ze had het vooral geweldig gevonden omdat hij bij haar was. En omdat hij het had gedaan om haar gelukkig te maken, was ze gelukkiger dan ze daarvoor of daarna ooit was geweest. Die dag werd zij de Vrouw in het Rood.

De hals van haar kaftan krulde naar buiten. Ze duwde hem terug. *Niet eens borsten. Ik ben een dikke freak zonder borsten,* dacht ze toen ze de hals weer naar binnen duwde. Ze had hem achterstevoren aangetrokken en het label wilde niet binnen blijven zitten. Ze stak een vinger in de hals en probeerde het label eruit te trekken, maar het bleef zitten. Ze trok harder. Toen het losliet, scheurde ook de hals van de kaftan open tot halverwege haar buik. Wit vlees rolde in het rood van de spiegel; slappe, leeggelopen borsten hingen over bergen vet.

'Wel verdomme!' schreeuwde ze, en ze stapte achteruit. 'Niet oké. Niet oké.' Ze beende naar de andere kamer en begon dingen van de ene stoel op een andere te smijten. Ze leek wel een gravende das en mompelde: *'Fuck you, fuck me!'*

Eindelijk vond ze wat ze zocht. Ze klemde het tegen haar naakte borst en wankelde terug naar de slaapkamer met een spuitbus zwarte verf die ze had gekocht om haar kraam op te knappen. Ze drukte op het knopje, schreeuwde *'Fuck yoooooou!'* en bespoot de spiegel en de kastdeur tot ze alleen nog maar haar hoofd zag dat op een beroete wolk dreef. 'Dat werd tijd,' zei ze tegen het hoofd. 'Dat werd verdomme wel tijd!'

Ze verstijfde toen er op de deur werd geklopt.

Haar handen zaten onder de zwarte verfspatten die uit het spuitmondje waren gedruppeld, haar jurk was gescheurd, haar mascara liep uit over de dikke laag make-up. Vanavond was belangrijk, echt heel belangrijk. Ze moest er zo goed mogelijk uitzien, ze moest zich zo goed mogelijk gedragen, maar ze kon zich niet herinneren waarom.

Meneer Marchand.

Hij was hier.

'Nee, nee, nee,' jammerde ze, en ze keek om zich heen alsof er een nieuwe ontsnappingsroute kon zijn, een plek die zo groot was dat een circusact in het rood zich er kon verstoppen.

Klop, klop, klop...

'Momentje nog,' zong ze. 'Ik kom eraan.'

Ze kon hem vertellen dat een man – een zwarte man – had ingebroken en haar had verkracht. Haar jurk had gescheurd. Haar had geslagen. Ze kon, ze kon... Ze kon haar drankje niet vinden, haar glas whisky.

Dreun, dreun, dreun...

Deze keer trilde zelfs de dunne wand.

Haar jurk had gescheurd. Haar had geslagen...

Hij zou het niet geloven. Misschien, als ze iets aardigs voor hem deed, iets bijzonders, zou hij haar jurk en haar gezicht over het hoofd zien. Als hij iets zou zeggen, zou het zijn dat ze goed voor hem had gezorgd en dat hij had genoten. Dat was beter dan dat verhaal over dat ze was verkracht. Niemand vond het belangrijk of je was verkracht of niet.

Ze zou hem pijpen.

Mannen vonden dat lekker. En het was leuk om te doen, gemakkelijk. De meesten waren snel, zodat het niet de hele avond verpestte en zo. Als ze weinig klandizie had en meneer Marchand er niet aan dacht haar geld te sturen, pijpte ze vaak even iemand om maar wat geld in handen te krijgen.

'Kom eraan,' zong ze gemaakt vrolijk. Ze greep de whisky van het kastje en nam een grote slok uit de fles. Als hij niet gepijpt wilde worden, zou het niet uitmaken of ze wel of niet alcoholist was.

25

Met de mouw van haar kaftan veegde ze haar mond af in de hoop dat hij de whisky daardoor niet meer kon ruiken. Hierdoor smeerde ze haar lippenstift helemaal over haar wangen en kin.

'Ik ben de Vrouw in het Rood,' zei ze.

Met een gebaar uit een ver verleden, waarin deze naam zelfvertrouwen en verleidelijkheid had opgeroepen, sloeg ze de gescheurde kaftan over haar schouder in de hoop dat hij haar half ontblote staat sexy zou vinden, deed de deur van het nachtslot en zwaaide de deur open. 'Goedenavond, meneer Marchand,' zei ze flirterig. En toen: 'Je zei...'

'Vergeet wat ik zei. Je ziet er niet uit! Zo ontvang je toch geen bezoek? Wat is er gebeurd?' Hij perste zich langs haar heen en bekeek de smerige woonkamer. 'Ik bewijs de wereld een dienst,' mompelde hij.

'Wat zei je, schat?'

Hij had een doos bij zich, een grote. Ze had dit soort dozen wel eens gezien, in oude films; daarin bezorgden piccolo's twaalf rozen met lange steel. Maar er zat geen lint omheen en hij was nog groter. Ze wist niet wanneer ze voor het laatst een cadeautje had gekregen. Haar angst, waardoor ze bijna in tranen was geweest, maakte onmiddellijk plaats voor warme opwinding.

'Schat, ik moet me nog even omkleden. Deze oude jurk scheurde toen ik hem aantrok, maar ik wilde een gast niet op de deurmat laten wachten.' Ze had geen deurmat. Net als zo veel andere bezittingen was hij kapotgegaan en verdwenen. Ze vond het echter wel leuk klinken.

'Laat maar. Ga zitten. Als er een plek is om te zitten.' Hij keek om zich heen naar de puinhopen van haar leven. Zonder te wachten of ze hem wel gehoorzaamde, veegde hij een stapel troep van een oude leunstoel.

Hij droeg handschoenen.

Even helder als onplezierig zag ze haar huis door zijn ogen. Smerig. Onhygiënisch. Zo walgelijk dat je niets met blote handen kon aanraken zonder bang te hoeven zijn dat je ergens mee werd besmet. Voordat ze door de grond zakte van schaamte verdween dat beeld.

'Ik had nog even willen opruimen,' zei ze. 'Maar mijn knie is nog steeds niet in orde. Weet je nog dat ik ben gevallen en mijn knie heb verdraaid?'

Natuurlijk wist hij dat niet meer. Meestal realiseerde ze zich precies hoe hij was en accepteerde dat. Maar om de een of andere reden – misschien door de handschoenen of de gebroken nagel of de gescheurde jurk of de verpeste make-up – wilde ze vanavond denken dat hij af en toe ook aan haar dacht als hij haar niet nodig had, dat hij het erg vond als ze gewond was. Hij gaf geen antwoord, maar schopte de troep op de vloer aan de kant zodat hij een poef kon verschuiven.

Hij wist het niet meer; dat zag ze aan zijn nietszeggende blik. Dat kwetste haar, ze wist niet goed waarom. Niet omdat hij het niet meer wist. Wie zou zich herinneren dat ze gewond was geraakt? Nee, het kwetste haar dat hij niet deed alsóf hij het nog wist. Dat kostte toch geen moeite?

'En ik heb de boel een beetje laten verslonzen,' zei ze slapjes.

'Het maakt niet uit, hoor,' zei hij vriendelijk. Zijn eerdere vijandigheid leek vergeten.

Ze was opgelucht. Hij vergaf het haar. 'Ben zo terug.' Weer liep ze in de richting van haar slaapkamer om zich om te kleden.

'Blijf. Ik vind het leuk zo,' zei hij met een bepaalde blik in zijn ogen. Belangstelling. Of humor. Misschien lachte hij haar uit. Dat deed hij wel vaker. Daar was ze aan gewend geraakt, zo was hij gewoon. Toch vond ze het af en toe verschrikkelijk; niet dat hij haar als een clown of een stomkop beschouwde, maar dat hij haar niet belangrijk genoeg vond om dat voor haar te verbergen. Maar deze keer was zijn blik dubbelzinnig; het zou oprechte belangstelling kunnen betekenen, de belangstelling van een man in een vrouw.

Het was al heel lang geleden dat ze iets anders in de blik van een man had gezien dan een zelfgenoegzame grijns, áls ze haar al zagen. Meestal, ondanks haar rode jurk en rode haar en rode lippen, leken ze haar niet meer te zien. Die blik van meneer Marchand wond haar op. Ze liet de kaftan een beetje zakken zodat de bovenkant van haar borsten zichtbaar werd. Meer niet. Meneer Marchand zou het niet leuk vinden als ze vulgair werd.

'Waarom schenk je jezelf geen drankje in?' vroeg hij. 'Zodat je lekker ontspant.'

Weer keek hij om zich heen naar de puinhopen in haar appartement. Deze keer zag ze haar flat niet met die heldere blik. Door het aanbod van een drankje realiseerde ze zich dat ze heel veel behoefte had aan een beetje moed, een beetje troost. Ze deed haar best niet te gretig te lijken en liep niet al te snel naar de kast. De fles stond er nog steeds bovenop, zonder dop, die lag tussen de rotzooi op de grond. Ze schermde de fles af met haar lichaam zodat hij niet zou zien dat hij al open was, pakte haar glas en schonk het vol. 'Kan ik jou ook iets inschenken, schat?'

'Nee, dank je.'

Nee, dank je. Hij was een echte heer, een vriendelijke man. Dit werd een leuke avond. *Een afspraakje*, dacht ze weer. Glimlachend nam ze een grote slok voordat ze zich omdraaide. Ze moest eerst echt iets binnen hebben voordat ze kleine slokjes kon nemen.

'Kom bij me zitten,' commandeerde hij. De scherpe klank was terug in zijn stem.

Ze hield haar glas met beide handen vast zodat hij niet zou vallen en schuifelde naar hem toe. Het zou echt iets voor haar zijn om alles te bederven door iets stoms te doen, door zijn geduld op de proef te stellen of door iets verkeerds te zeggen. Ze liep op eieren en het zou verschrikkelijk zijn als ze ze kapot trapte.

Niet vloeken. Geen grote slokken nemen. Niet te hard lachen. Niet te veel praten. Niet boeren. En God, laat me alsjeblieft geen scheten laten, bad ze terwijl ze naar de stoel liep die hij zo resoluut voor haar had leeggemaakt.

'Ga jij niet zitten, schat?' vroeg ze terwijl ze zichzelf voorzichtig in de stoel liet zakken. Als een dame plofte ze niet in de stoel, maar liet ze zich erin zakken.

Hij glimlachte.

God, wat hield ze van die glimlach.

Zelfs ondanks de whisky, en de opwinding, en de angst, wist ze dat hij niet glimlachte omdat haar aanbod hem plezier deed. Hij glimlachte omdat hij het walgelijk vond in haar huis te zijn. Toch kon ze net doen alsof, en dat deed ze. 'Ik zal even een stoel voor je vrijmaken,' bood ze aan. Ze probeerde op te staan maar de stoel en de drank spanden samen om haar terug te zuigen en ze begon te lachen. 'Oeps! Jeetje!' zei ze toen ze terugviel, met haar glas in de hand, op de armleuning. *Niet goed. Zo leek het net of ze dronken was.* Tevreden over zichzelf omdat ze niet had gevloekt, keek ze glimlachend naar hem op.

Hij had de doos bij haar voeten op de grond gezet en trok een voetenbankje bij. Hij hield het bankje schuin zodat de kranten, schoenen en de twee tasjes waarvan ze niet meer had geweten dat ze die had tussen de rest van de troep gleden, en schoof het zo dat hij recht tegenover haar kon zitten. Voordat hij ging zitten, keek hij even naar de brokkelige bruine stof vol schroeivlekken van sigaretten en ze wist, in een vlaag van buitenzintuiglijke waarneming, dat hij overwoog een zakdoek te pakken en die op de zitting te leggen. Dat hij dit niet deed, beschouwde ze als een compliment en ze glimlachte toen hij bij haar voeten op het voetenbankje ging zitten.

'Ik vind het heerlijk dat je hier bent,' zei ze en dat meende ze zo oprecht dat ze haar make-up bijna ruïneerde door in tranen uit te barsten. 'Je bent net familie, weet je.'

'Familie,' zei hij met vlakke stem, een geluid uit een ver verleden, uit jarenlange duisternis en kou.

Ze rilde, waarom wist ze niet. 'Je hebt iets meegenomen,' zei ze opgewekt in een poging hem terug te halen van de plek waar zijn stem hem mee naartoe had genomen.

'Ja, een cadeautje,' zei hij. 'Je moet vanavond iets bijzonders voor me doen.'

Hem pijpen, hoopte ze, maar hij zag er niet uit als een man die een seksuele gunst verlangde.

Zorgvuldig pakte hij al pratend haar cadeau uit. Ze had het liever zelf uitgepakt terwijl hij toekeek. Dat zou ze bijzonderder hebben gevonden, intiemer, maar ze wilde dit moment niet bederven door haar zin door te drijven. Een cadeautje was genoeg.

Hij was hier, hij zat in haar huis en hij gaf haar een cadeau.

Het cadeau was niet in wit papier verpakt zoals ze eerst had gedacht, maar in plastic, in twee gigantische stukken plastic. Afdekfolie of doorzichtige douchegordijnen. Terwijl hij ze losmaakte, kwam er een enorme hoeveelheid tape tevoorschijn, zo'n ijzersterke tape met vezels erin.

'Gaan we iets bouwen?' vroeg ze. De tape en het plastic gaven haar een naar gevoel. Niemand verpakte een cadeau in plastic en met tape die je met een mes moest lossnijden.

'Zoiets,' antwoordde hij. 'Een doos voor een vriendin van me.' Hij glimlachte, meer in zichzelf dan tegen haar.

Het nare gevoel verdween niet. Ze schonk er whisky op in de hoop dat het daardoor zou verdwijnen.

Eindelijk lag alle plastic en alle tape op een nette stapel en het enige wat nog over was, was het cadeau, losjes in bruin papier verpakt.

Geen rozen met lange stelen dus. Wat het wel was wist ze niet.

'Voordat ik je dit geef, wil ik je een verhaal vertellen,' zei hij. Hij keek haar recht aan, zijn gehandschoende handen rustten op zijn knieën en hij begon te vertellen: 'Er was eens een lelijk eendje...'

'Veranderde die in een mooie zwaan?' Haar hand vloog naar haar mond. Ze was hem in de rede gevallen. Hij had er de pest aan als ze hem in de rede viel. Voordat ze sorry kon zeggen, vertelde hij verder.

'Nee. Dit is een echt verhaal. In het echte leven worden lelijke eendenkuikentjes, in elk geval diegene die niet door honden worden doodgebeten of door katten worden opgegeten, grote lelijke eenden. Grote, vette, lelijke kwakers,' zei hij. Opgelucht omdat hij niet boos was geworden omdat ze hem in de rede was gevallen, viel het haar amper op hoe scherp zijn toon was.

'Dit lelijke eendje was een nieuwsgierig vogeltje, een bespionerend vogeltje. Ze had een scherpe blik en ze zag dingen die ze niet mocht zien.'

De stand van zijn mond, de bozige manier waarop hij het verhaal vertelde, sneed door de alcohol heen. Ze realiseerde zich dat hij vertelde over de Vrouw in het Rood, over haar. Dat wist ze op dezelfde manier als ze andere dingen wist, op de manier die ze door de tarot had leren kennen.

Zij was dat bespionerende vogeltje.

Ze probeerde te bedenken wat ze had kunnen zien dat ze niet had mogen zien. Hij wist dat ze het kantoor in de gaten hield, maar toch had hij niets gedaan dat interessant was. Op een dag was hij naar de bank gelopen waar Polly nog-wat op zat. Dat had iedereen kunnen zien. Dat was zo ongeveer het interessantste wat hij ooit had gedaan. Buiten dat, waren het cliënten en zaken.

'Wat zag ze dan?' vroeg ze. Door de whisky praatte ze onduidelijk en ze schaamde zich. Maar hij werd niet kwaad.

'Je weet wel wat ze zag.'

Dat was niet zo, maar ze was bang dat hij, als ze dat zou zeggen, zou denken dat ze stom was of koppig. Dan zou hij pas echt kwaad worden. Daarom knikte ze.

'De prins... elk verhaal heeft een prins,' zei hij en hij keek haar met een warme glimlach aan.

Ik zou willen sterven voor een uur met deze liefde. Die gedachte dreef als een luchtbel op de whisky en haar angst. Wat was hij knap.

'De prins betaalde het lelijke eendje geld om geheim te houden wat ze had gezien. O, ze praatten er nooit over, want een prins praat niet met dikke lelijke eendjes, maar hij betaalde haar wel. Hij betaalde haar zo veel geld dat het lelijke eendje bij hem in de schuld stond. Op een avond kwam de prins naar het nest van het eendje om de schuld te vereffenen.' Op dit punt in het verhaal bukte hij zich en begon hij zorgvuldig de tape los te maken, waarna hij het bruine papier openvouwde.

'Een bijl,' zei ze niet-begrijpend.

'Melodramatisch, vind je niet? Het wapen van een kind, maar voor mij is historische continuïteit belangrijk en daarom moet het dus een bijl zijn.' Hij maakte geen aanstalten de bijl op te pakken of aan te raken, maar hij bleef naar haar kijken, met een warme glimlach.

Ze kon haar blik niet van het blad halen, dik aan de ene kant en vlijmscherp aan de andere.

'Geevje mun bijl?'

Wat ze had willen vragen was: *Geef je me een bijl?* Meestal werden haar lippen niet doof en werden haar woorden pas onduidelijk als ze alleen was.

'Ja, dat kun je wel zeggen. Zie je al dit plastic? Dat ga ik op de grond uitspreiden – ik neem tenminste aan dat er een grond ís onder deze troep. En dan ga jij in het midden staan. Of zitten. Ik betwijfel of je nog kunt staan. Dat geeft niet. Whisky is een goed verdovingsmiddel. Ik wil je geen pijn doen, daarom zal ik ervoor zorgen dat de eerste slag raak is. Als je niet beweegt, zou je het niet eens moeten voelen.'

De glimlach lag nog steeds knus en troostend op zijn gezicht. Glimlach en woorden waren zo in tegenspraak met elkaar dat het even duurde voor het tot haar doordrong wat hij zei. 'Je gaat me vermoorden.' Een golf adrenaline maakte haar even nuchter. 'Waarom?' jammerde ze terwijl ze probeerde op te staan. Hij leunde naar voren, legde een gehandschoende hand tegen haar borst en duwde haar terug. Vergeten gleed de kaftan open, ontblootte haar linkerborst. 'Waarom?' vroeg ze weer. Haar gejammer stierf weg in een verwarde snik. 'Ik hou van je.'

'Dat weet ik. Het is beter als je niet denkt dat ik je vermoord. Denk maar dat je me iets geeft waar ik behoefte aan heb. Ik ben niet boos op je. Dit is geen straf. Ik weet dat je me niet wilde bespioneren, bespionerend klein eendje. Dat is het minst belangrijk, weet je. Het is iets wat ik wil dat je doet, zodat ik iets verkeerds kan goedmaken. Op die manier kun je me laten zien dat je echt van me houdt.'

Terwijl hij zo redelijk tegen haar praatte, vouwde hij de vellen plastic open en spreidde ze uit op de grond, over de rotzooi heen die erop lag. Uiteindelijk bedekte het plastic bijna het hele vloeroppervlak.

Ze keek naar hem en wist niet wat ze moest voelen. Hij zou haar vermoorden; dat wist ze. Een deel van haar wilde opstaan en naar de deur rennen, maar ze wist dat ze het nooit zou halen. Ze overwoog te gillen, maar ze deed het niet. De angst was er, zo intens dat ze ervan rilde, maar het was niet die gruwelijke angst die ze voelde als ze hem kwaad maakte.

'Je hebt immers niets om voor te leven? Kijk toch eens naar jezelf. Je bent van middelbare leeftijd en pathologisch zwaarlijvig. Je woont in een stal waar elk zichzelf respecterend varken zich voor zou schamen. De mensen die je kennen lachen je uit. De mensen die je niet kennen lachen je uit. De heftigste emotie die je bij anderen opwekt is walging. Je bent een zatlap. In de nabije toekomst ga je toch dood aan een leverziekte. Dit is jé kans om met enig nut een einde te maken aan je ellendige leven. Zo wil je toch niet doorleven, wel? Als een dronken slet die voor vijf dollar mannen pijpt? Ja, ik ben op de hoogte van dat bijbaantje van je. Je bent een hoer geworden, een goedkope hoer zelfs. Ik zal je uit je lijden verlossen.'

Hij stond weer bij haar stoel en stak zijn hand naar haar uit. De tranen stroomden over haar wangen; dat wist ze omdat ze de warme druppels op haar blote borsten voelde vallen.

'Wil je je handschoenen alsjeblieft uitdoen?' smeekte ze met een lief stemmetje, zoals ze had gepraat toen ze nog een meisje was, voordat ze een dikzak was geworden, daarna een vetzak, toen een hoer, een goedkope zelfs. 'Alsjeblieft? Heel even maar?'

Als ze zijn huid kon voelen, zijn hand kon vasthouden, zou alles goed zijn.

Even dacht ze dat hij zou weigeren, maar uiteindelijk gaf hij toch om haar.

Hij trok een handschoen uit en hielp haar opstaan. Ze wankelde en zou zijn gevallen, maar hij steunde haar met een arm om haar middel.

We zouden kunnen dansen, dacht ze. *Mijn hand in de zijne, gracieus bewegend over de dansvloer; kaarslicht zette de wereld in een gouden gloed en hij keek glimlachend op haar neer en hield haar in zijn armen alsof ze het kostbaarste ding op aarde was.*

Toen ze midden op het plastic stonden dat hij op de grond had uitgespreid, keek hij om zich heen. 'Zo moet het goed zijn,' zei hij nuchter. 'Er zullen wel bloedspatten ontstaan, maar volgens mij heb ik alles onder controle. Ik zal je met het stompe deel van de bijl vermoorden en dan laat ik je even liggen. Als je bloed niet rondpompt, wordt het niet zo'n troep.'

Hij praatte niet tegen haar, maar tegen zichzelf. Ze hoefde dus niet naar hem te luisteren, dat was nergens voor nodig. Ze deed haar best niet op de grond neer te ploffen toen hij haar hielp te gaan zitten.

Als een dame.

'Ik geef je een cadeau,' zei ze, en ze was er trots op dat haar woorden duidelijk uit haar mond kwamen.

'Ja, dat is zo. Een prachtig cadeau. Dit is vele malen beter en ga zo maar door.' Hij pakte een handdoek op die op de een of andere onverklaarbare manier in de woonkamer was beland. 'Stel je maar voor dat dit een blinddoek is,' zei hij en hij drapeerde hem over haar hoofd. 'Als ik te hard sla, zal dit de meeste troep opvangen.'

'Alsjeblieft, ik wil je gezicht zien,' smeekte ze, maar hij maakte geen aanstalten de handdoek van haar hoofd te halen.

Hij wilde dat ze die handdoek op haar hoofd hield.

Eerst dacht ze dat hij niet zou antwoorden, en ze wachtte op de klap die een einde aan haar leven zou maken.

'Oké, tuurlijk,' zei hij.

Hij gaf om haar.

Ze voelde dat hij vlak bij haar kwam staan. Zijn handen raakten haar hoofd door de katoenen stof heen zacht aan. Hij vouwde de handdoek terug zodat haar gezicht vrijkwam. De geur van zijn aftershave streelde haar zintuigen. Meer dan wat ook wilde ze dat hij haar zoende – niet omdat ze dat vroeg, maar omdat hij haar nodig had, omdat ze de Vrouw in het Rood was en zij de enige was die hem kon geven wat zo belangrijk voor hem was, omdat hij het wonder was waaromheen zij haar leven had vormgegeven.

Hij stond naar haar te kijken. 'Volgens mij is het zo goed. Laat de handdoek zo maar hangen.' Hij pakte de bijl en kwam terug. 'Dit is niet iets wat ik leuk vind om te doen. Ik ben verdomme niet gek. Het moet gedaan worden om het goed te maken; er komt in feite geen passie bij kijken.'

Hij tilde de bijl op en draaide hem zo dat het stompe uiteinde onder was.

Het laatste wat de Vrouw in het Rood hoorde, was: 'Volgens mij is dat het verschil tussen kunst en wetenschap.'

26

Danny legde zijn menukaart neer en zwaaide toen zijn schoonzus het Bluebird Café binnen kwam. Ze ging met nonchalante gratie zitten. De huid rondom haar ogen was gespannen; ze zag eruit alsof ze niet had geslapen.

Maar zo hóórde een bruid er toch uit te zien? Danny betwijfelde of zij om deze afspraak had gevraagd om de zegeningen van het huwelijk met hem te bespreken. Geen van beiden zei iets totdat de serveerster, efficiënt als altijd, hun bestelling had opgenomen, het bonnetje tussen de zout- en pepermolen had gestoken en was weggesneld.

Daarna zei hij: 'Zeg het maar.'

'Ik hou van directe mannen.' Polly's gebruikelijke glans was vervaagd, de halfhartige flirterige opmerking in feite gewoonte.

'Goed dan. Marshall is...' Polly zweeg en nam een slok van de koffie die de serveerster onopvallend op hun tafeltje had gezet. 'Hij lijdt en ik kan met geen mogelijkheid bedenken waarom. We hebben een heerlijke tijd gehad tijdens onze huwelijksreis in Venetië. De meisjes zijn gek op hem en hij op hen. Hij en ik hebben zelfs nog nooit gekibbeld. Maar vrijwel meteen na onze thuiskomst is alles veranderd. Marshall blijft zeker tot negen uur op zijn werk. Zodra hij thuiskomt, neemt hij een valium en gaat hij slapen – meestal met zijn rug naar me toe. Hij is afwezig. Hij isoleert zichzelf van ons en hij wil er niet met me over praten. Het klinkt misschien gek, maar volgens mij is hij ergens bang voor. Heeft hij jou iets verteld?'

Danny besloot die vraag niet te beantwoorden. 'Over de telefoon zei je dat er iets is gebeurd wat het erger heeft gemaakt.'

Haar koffie werd koud toen ze Danny het bizarre verhaal van

haar tarotlezing vertelde. Hij glimlachte om haar beschrijving van de vrouw als een 'lawaaierig rood type', maar hij onderschatte niet welke impact deze gebeurtenis op haar had gehad.

'Ik heb Marshall over deze lezing verteld, Danny. En hij verstijfde letterlijk, als de vrouw van Lot die achteromkeek en in een zoutpilaar veranderde.'

'Het verbaast me niet dat hij van slag was...' zei hij om zijn broer te verdedigen.

'Van slag is heel zacht uitgedrukt, lieverd. Hij kon niet eten. Hij kon amper praten. Hij ging van tafel en rende naar boven. Ik vond hem in onze slaapkamer waar hij naar het bed stond te staren. Hij schrok zich dood toen ik binnenkwam. Je zou denken dat ik hem in dat bed had betrapt met het hele Russische atletiekteam. Zijn gezicht werd asgrauw. Toen vertrok hij en is hij zeker drie uur weggebleven. Ik was ontzettend bezorgd...' De tranen sprongen Polly in de ogen. Ze schudde haar hoofd en pakte haar servetje om dit gebrek aan fatsoen te camoufleren.

Danny begreep het wel. 'Het is heel normaal als een man een beetje overgevoelig reageert als zijn vrouw hem vertelt dat de een of andere tarotlezer haar zegt dat haar man een bedrieger is, een leugenaar. En wat nog erger is, dat ze hem zal vermoorden. Het helpt ook niet dat je geloof hecht aan dat soort dingen,' voegde hij eraan toe.

Over de rand van zijn koffiekopje heen keek hij naar zijn splinternieuwe schoonzus. Ze moest ergens achter in de veertig zijn. Dat was moeilijk te zeggen bij vrouwen uit het zuiden van de VS en zij weigerde het te vertellen. Toch was ze absoluut de knapste vrouw in het café. En ook nog eens de vrouw met de minste tatoeages.

Heel veel dingen in de vrouw van zijn broer vond hij aantrekkelijk: haar vingertoppen, haar gemanicuurde nagels, de manier waarop ze haar hoofd scheef hield en niet met haar handen zwaaide als ze praatte, dat ze als een katje met kleine pasjes liep. Mooie vrouwen verontrustten hem niet, zoals bij andere mannen vaak wel het geval was. Hij kon zich niet voorstellen welke emotionele stormen een vrouw bij Marshal veroorzaakte. Of een man. Eén keer, toen hij nog te jong was om het te weten maar al oud genoeg om het erg belangrijk te vinden, had hij gedacht dat hij homo was. Na verloop van tijd besefte hij dat dit niet het geval was. Het zou gewoon te ingewikkeld zijn om iemand op die manier bij zijn leven te betrekken. En te gevaarlijk. Het leven zou een stuk eenvoudiger zijn als Marsh dat ook zou vinden.

Toen hij aan zijn broer dacht, glimlachte hij, en hij schudde zijn hoofd.

'Het spijt me, maar ik vind het echt niet grappig,' zei Polly, met een vleugje citroen in de natuurlijke honing van haar stem.

Danny realiseerde zich dat hij niet op de juiste wijze reageerde. Hij verontschuldigde zich. 'Sorry,' zei hij oprecht. 'Ik weet niet waarom je jezelf toevertrouwt aan die zogenaamde toekomstvoorspellers. De meesten zijn overdag hoer of drugsdealer.'

'Je hebt gelijk. Ik denk dat ik gewoon een beetje bijgelovig ben. Nee, dat is niet helemaal waar. Ik wéét dat ik een beetje bijgelovig ben. Misschien vind je het gek, maar ik vind het eng als ik een zwarte kat zie of als de meisjes onder een ladder door lopen. Ik had het Marshall misschien niet moeten vertellen, maar ik dacht dat hij erom zou lachen en ik had het nodig dat iemand erom lachte om de smaak van die verschrikkelijke vrouw uit mijn mond te verdrijven. Sorry als ik je eetlust bederf door mijn beschrijving, maar het was een bijzonder onsmakelijke vertoning.'

'Geen probleem, hoor,' verzekerde hij haar. 'Heel veel mensen zijn gevoelig voor zwarte magie: heksen of engelen, geluksbedeltjes en zo. Mijn moeder was stenografe en had een universitaire titel, maar zij geloofde in dat soort dingen. Je kon haar heel gemakkelijk doodsbang maken. Een beetje geklop, een beetje gefluister, en dan weigerde ze te gaan slapen tot Frank thuiskwam.'

'Je vader? Noemde je hem Frank?'

'We hadden geen echte band met elkaar,' zei Danny afwijzend. 'Hoe dan ook, wat ik wilde zeggen was dat onze ouders in deze tijd van het jaar zijn overleden. Volgens psychologen vergeet je onderbewustzijn dergelijke data niet, ook al kun je je die data niet herinneren. We vonden het allebei verschrikkelijk, maar volgens mij vond Marsh het 't ergst. Hij was een echt moederskindje.' Danny onderdrukte de neiging de rekening te vragen of op zijn horloge te kijken.

Hij vond het helemaal niet prettig om met Polly over zijn broer te praten. Ze praatte over Marsh alsof echtgenote en broer gelijken waren. Vrouwen konden irritant bezitterig worden als ze getrouwd waren en waren er vast van overtuigd dat ze dankzij hun trouwring de man die hem om hun vinger had geschoven helemaal begrepen. Maar een huwelijk van een paar weken was niet te vergelijken met een halve eeuw bloedverwantschap.

Polly was Marsh' identiteit binnen gestormd als de Duitsers Warschau, maar ze kende hem lang niet zo goed als zijn broer hem kende. Danny vond het irritant dat ze net deed alsof dat wel zo was.

'Wat vond jij van die tarotlezing?' vroeg hij om maar een ander onderwerp aan te snijden. 'Het moet jou toch ook hebben geschokt?'

'Ik vond het ook schokkend,' beaamde Polly. 'Toen ik pas in New Orleans was, heb ik een tijdje in dat wereldje geleefd. Ze hebben wel eergevoel, hoor. De mensen die serieus met hun vak omgaan – of zo serieus als mogelijk is als je klanten veren en malle hoedjes dragen – zouden nooit tegen iemand zeggen dat ze ziek zijn of doodgaan. Dat is een ongeschreven regel.' Polly pakte haar kopje en nam een slok koffie.

'Deze regel is ongetwijfeld niet in steen geschreven, want een toekomstvoorspeller die nare gebeurtenissen voorspelt loopt de kans te worden onthoofd door geïrriteerde klanten,' zei ze en ze keek even ondeugend als Emma. 'En dat is precies wat ik had moeten doen toen die tuthola met haar rode sjaaltjes me vertelde dat ik mijn man zou vermoorden!'

'Dat is lariekoek!'

'Ja, dat is het.'

De serveerster bracht hun eten. Even zwegen ze. Danny at twee frietjes.

De Bluebird maakte ze goed, maar eigenlijk had hij in New Orleans nog nooit een slechte maaltijd gehad. Misschien een paar in de weken na de overstroming, maar toen was hij zo opgelucht geweest dat hij nog leefde en te eten had, dat hij niet kritisch was geweest.

'Pure onzin,' zei hij. 'Absolute leugens. Waarom maak je je er dan druk om?'

Polly haalde diep adem en keek omhoog en toen naar rechts. Danny had ergens gelezen dat mensen de ene kant opkeken om zich iets te herinneren en de andere als ze een leugen verzonnen. Maar hij wist niet meer hoe het precies zat.

'Ik dacht dat die vrouw gek was,' zei Polly ten slotte. 'Ik vroeg me af waarom ze in vredesnaam zoiets gemeens zou doen. Dat rare mens was duidelijk gestoord.'

Ze zweeg. Danny liet de stilte voortduren.

'Maar dat rare mens wist dingen over mijn leven die ik nog nooit aan iemand had verteld, behalve aan Marshall,' bekende Polly na een tijdje. 'Die rode kenau kon die dingen onmogelijk weten. Het klinkt vreemd, maar ze móét dat in de kaarten hebben gezien.' Haar hand, de hand met die diamant van tweeënhalf karaat, trilde. Het was haar gewoonte mensen aan te raken. Hij moest het haar nageven dat ze al heel snel had begrepen dat Danny het niet prettig vond aangeraakt te worden en daar hield ze rekening mee.

'Dat is griezelig,' zei hij zonder een spoortje humor of sarcasme. 'Dat kun je moeilijk niet serieus nemen.'

'Dank je wel,' zei Polly.

'Een paar van die lui zijn slim,' zei hij. 'Professionals verdienen de kost met dit soort shows in Vegas. Je weet zeker dat je deze dingen uit je verleden alleen aan Marsh hebt verteld?'

'Geloof me, heel zeker.'

'En weet je zeker dat Marsh dat aan niemand heeft verteld?'

'Natuurlijk.'

Aan de manier waarop ze haar lippen op elkaar perste en haar neusvleugels bewoog, zag Danny dat ze begon te twijfelen. Hij zag dat ze de twijfel van zich af probeerde te schudden.

'Je hebt natuurlijk gelijk,' zei Polly. 'Als ze de toekomst echt konden voorspellen, zouden ze niet op dat plein zitten maar ergens anders een fortuin verdienen.' Ze nam nog een slok koffie, vertrok vol afkeer haar gezicht – haar koffie was natuurlijk koud geworden – en zei voorzichtig: 'Wat me zorgen baart, is dat de woorden van deze belachelijke vrouw Marshall op de een of andere manier hebben gekwetst. Sinds ik het hem heb verteld loopt meneer Marchand, mijn meneer Marchand,' voegde ze er in een beleefde erkenning van Danny's bestaan aan toe, 'op aarde rond alsof hij erop jaagt in plaats van erop leeft.'

'Ik ga wel met hem praten,' beloofde Danny. Hij was toch al van plan geweest hierover met Marsh te praten. Marsh begon aan de randen een beetje te slijten.

'Dat zou geweldig zijn.' Opluchting en hoop maakten haar stem luchtig. 'Marshall houdt heel veel van je. Je bent goed voor hem.'

'En hij voor mij,' zei Danny hoffelijk. Het irriteerde hem dat zij probeerde een relatie te beschrijven waar ze niets van snapte.

Hij pakte de rekening die de serveerster had gebracht. 'Ik moet zo langzamerhand weer aan het werk, anders draaien ze me nog een poot uit. Deze dag is vol gepland met vergaderingen en locaties bezoeken.'

'Romantisch, hoor, een drugsdealer als zwager,' teemde Polly en ze zwaaide naar hem toen hij de uitgang aan Prytania Street nam.

Drugsdealer, dacht Danny geamuseerd. In de jaren tachtig, toen de bomen tot in de hemel groeiden, had hij in een apotheek geïnvesteerd. In die tijd dachten investeerders nog dat de zelfstandige apotheek zou uitsterven, net als de dodo en goede service.

Hij had de zaak veranderd in een 'apotheekboetiek'. Zijn keten van vier apotheken was opgezet volgens het stramien van een oude apotheekwinkel – Marhs' idee, Marsh' ontwerp – en verkocht niet alleen de gebruikelijke apotheekartikelen, maar ook traditionele kruiden en medicijnen. Medicijnen, zelfs legale medicijnen, waren bijzonder winstgevend, maar wat de welvarende clientèle naar Le Cure trok was de snelle, vakkundige en bijzonder persoonlijke service.

Danny was niet van plan geweest die dag locaties te bezoeken, maar zijn bespreking met Polly had hem eraan herinnerd dat hij niet alleen om het geld drugsdealer was. Als hij Marsh geen verlichting kon schenken voordat deze te gespannen raakte, kon zijn broer knappen.

En dat was niet iets wat zijn vrouw en kinderen zouden willen meemaken.

Scott Peterson. Vrouw en ongeboren baby. 2005. Waarom deze weet ik niet. Hierover heb ik al heel lang niet geschreven. Misschien omdat ik me met Peterson kan identificeren. Niet met wat hij deed, maar met het geheime leven dat hij leidde, een leven vol leugens, wetende dat wat de mensen leuk aan hem vonden een leugen was. Hij was niets zonder die leugens. Hij wás die leugens. Hij vertelde die leugens al zo lang dat hij misschien dacht dat als men de waarheid kende, als zijn façade werd neergehaald, dat hetzelfde was als hem vermoorden. De 'hij' die hij had geconstrueerd, het personage waarbij hij een man was met wie rekening moest worden gehouden, zou worden vermoord. In zijn verknipte wereld handelde hij uit zelfverdediging. Hij begon met een nieuwe vrouw die niets van hem wist en hij vernietigde de vrouw die volgens hem de Scott Peterson die hij wilde zijn zou wegscheuren en het zielige mannetje eronder zou blootleggen.

Dat Peterson het ongelooflijk slecht uitvoerde, is het beste wat ik over hem kan zeggen. Volgens mij werd hij door het afslachten van zijn vrouw en ongeboren kind van binnenuit vernietigd, en daarom verknoeide hij het, en werd gearresteerd en ter dood veroordeeld. Ik hoop maar dat mijn fictie, als die bedreigd zou worden, niet zo'n hoge prijs zou eisen.

27

Het felle zonlicht accentueerde de fijne lijntjes in Polly's gezicht die twee weken geleden nog onzichtbaar waren – de fluwelen handschoen van de ijzeren vuist van de zomer. Door het verblindende licht moest ze haar ogen half dicht knijpen. De hitte was drukkend. Ze had een hoed moeten dragen.

Iedere vrouw uit het zuiden met ook maar een beetje christelijke deugdzaamheid zou een hoed moeten dragen, dacht ze afwezig.

Ze stak haar kin de lucht in, zodat de tranen niet over haar onderste oogleden zouden druppelen. Ze zat op een bankje op Jackson Square en schoof iets naar achteren, in de schaduw van de immer groene Amerikaanse eiken. Haar onrust groeide uit tot een angstige rilling.

De dingen die je doodsbang maken zijn de dingen die je niet ziet aankomen.

Het onverwachte. 'Dat wat we moeten omhelzen,' had de tarotlezeres gezegd. Of verdragen. De zesde kaart in het Keltische Kruis, dat wat komt.

'Dat wat we niet kunnen vinden,' mompelde Polly hardop.

'Zei u iets tegen mij?'

Een donkere jongeman was bij haar op de bank komen zitten. Hij keek haar bezorgd aan, met zijn boterham halverwege zijn mond. De tranen, weliswaar nog niet geplengd, moesten te zien zijn. Dat vond Polly erg. Niet omdat tranen geen perfecte uiting van emotie waren – of het einde ervan – maar omdat het ongepast was de controle te verliezen. Bovendien was het meestal weinig effectief.

'Ik ben op zoek geweest naar een van de tarotlezers,' zei ze. 'Een forse vrouw: rood haar, rode jurk, rode nagels, rode lippenstift.'

'U bedoelt de brandweerwagen, denk ik,' zei de man terwijl hij een hap nam.

'Eh... ja,' zei Polly. 'In elk opzicht een sirene. Ze is behoorlijk opvallend.'

'De vaste mensen ken ik wel.' De boterham was in drie happen op. Hij vouwde het papier op en gooide het geroutineerd in de afvalbak een paar meter verderop. Polly zei niets. Hij was zo tevreden over zichzelf dat zij daar niets aan hoefde toe te voegen. 'Heb haar al een tijdje niet gezien.' Hij stond op om weg te gaan. 'Vraag het maar aan de lezers. Zij weten meer dan ik.'

Ook al had ze zich voorgenomen het niet te doen, opende Polly haar handtas en haalde er een witte geopende envelop uit. Ze haalde er een kaart uit en hield hem kieskeurig tussen duim en wijsvinger zodat ze er geen vieze handen van zou krijgen. De envelop was niet bedoeld om de kaart tegen de elementen te beschermen, maar om de elementen te beschermen tegen de kaart. Of de binnenkant van haar tas.

Hij was iets kleiner dan een ansichtkaart, niet het gebruikelijke formaat. Maar dit was New Orleans en ondanks Katrina had de stad zijn traditie om menselijke afwijkingen te stimuleren en te steunen gehandhaafd.

Polly twijfelde er niet aan van wie de tarotkaart afkomstig was. Het was een Rider-Waitekaart, versleten en donker door vieze handen, de randen gerafeld door het vele gebruik. Als Polly de beschikking over een forensisch laboratorium had gehad, zou ze hebben durven wedden dat het DNA van de rode helderziende erop zat. Het was een spuuglelijke kaart, die suggereerde dat de wereld werd bedreigd door het kwaad. De Duivel was een ineengedoken, dikbuikige sater en had oren met harige punten en een schedel met de horens van een ram. Aan zijn schouders zaten vleermuisvleugels en hij had roofvogelklauwen in plaats van hoeven. Aan zijn voeten gekluisterd waren een naakte man en een naakte vrouw.

De Duivel had meer symbolisch dan letterlijk verschillende betekenissen: onderworpenheid, verslaving, hebzucht, leugens, bedrog. Anders dan andere kaarten in de tarot betekende geen enkele uitleg iets goeds. Alleen de plaatsing van de Duivel in het ontwerp kon zijn duistere aanwezigheid verlichten.

Polly's kaart had een bijzondere plaatsing. Ze had hem in haar brievenbus gevonden. Achterop, geschreven over de verbleekte, vieze, wit met blauwe vakjes heen, stond het adres van de Marchands en was een postzegel geplakt. Op de voorkant, over de genitaliën van de Duivel gekrabbeld met wat eruitzag als rode nagellak, stonden de woorden *Help me.*

Er stond geen afzender op.

Alsof hij met antrax was bestrooid, stopte Polly de kaart voorzichtig weer in de envelop. In haar ooghoekjes vermengden angst en woede zich tot harde tranen. *Als dit zo doorgaat, moet ik nog waterproof mascara kopen,* dacht ze spottend.

Ze had de kaart een paar dagen eerder ontvangen en niets gedaan. Ze had niemand iets verteld en hem aan niemand laten zien, zelfs niet aan Marshall. Hij gedroeg zich al zo vreemd dat ze geen behoefte had de zaak nog te verergeren door hem de Duivel in zijn naakte glorie te tonen.

Een verstandige vrouw zou de kaart hebben weggegooid, maar het ging tegen haar natuur in om een verzoek om hulp te negeren, zelfs als die afkomstig was van de minst respectabele smekeling. Er was een tijd geweest waarin zij, net als Blanche Dubois, afhankelijk was geweest van de vriendelijkheid van onbekenden.

De kaartlezers zaten bij elkaar onder de povere beschutting van hun stakerige parasols en voerden een onsamenhangend gesprek. Slechts één van de zes tafels had een klant. Overdag hadden de toeristen minder behoefte zich de toekomst te laten voorspellen dan op een romantische avond, als alles mogelijk leek.

Polly begon op de hoek van St.-Anna's en het plein. Een man met grijs haar die kennelijk in zijn kleren had geslapen, niet alleen de vorige nacht maar vele nachten tijdens vele jaren, luisterde naar haar beschrijving.

'Voor twintig dollar lees ik uw hand; het staat er allemaal in geschreven,' zei hij wantrouwig.

Polly liep naar de volgende parasol. Daar zat een broodmagere vrouw met een huid die zo beschadigd was door jarenlang aan de zon te zijn blootgesteld dat haar leeftijd onmogelijk te schatten was. Ze zat op een metalen klapstoel, met een koeltas naast zich en een oude teckel op haar magere schoot. Een lange avondjurk, de helft van de lovertjes op het bovenstukje was eraf, hing met spaghettibandjes aan haar botten. Eentje was kapot en vastgemaakt met een veel te grote veiligheidsspeld. Aan haar lange, smalle voeten droeg ze schoenen met naaldhakken waarvan het zwart van de zijkanten en achterkant was afgesleten.

Ze zag eruit alsof ze twintig jaar geleden na een fantastische nacht haar huis niet had kunnen terugvinden. De hond en de oprechte glimlach van de vrouw schonken Polly moed. Ze ging in de andere klapstoel zitten. Ze had iets geleerd van de eerste afwijzing, had medelijden met de oude hond, haalde een biljet van tien dollar tevoorschijn en legde dat op de tafel.

'Ik wil alleen informatie,' zei ze.

'Dat – en liefde – is alles wat een vrouw nodig heeft,' zei de lezer. Ze pakte het bankbiljet en stopte hem keurig in een plastic portemonneetje. 'Voor tien dollar kan ik je allebei geven. Een goede deal, toch? Ik ben Emily.' Haar stem en haar glimlach waren zo vriendelijk dat Polly lachte en zich opeens beter voelde. Ze beschreef de vrouw die ze zocht en wachtte.

'Rood,' zei Emily meteen. 'De Vrouw in het Rood, zo wil ze genoemd worden. Veertig jaar en veertig pond geleden was het een passende naam, maar nu... Nou ja... Ze kan d'r niets aan doen, die arme ziel.'

Polly glimlachte. In het zuiden kon je alles zeggen en, als het werd gevolgd door die bezwering was de spreker gevrijwaard van het stigma van kwaadsprekerij.

'Ken je haar echte naam?'

'De meesten van ons kennen hun eigen naam niet eens meer, laat staan die van een ander, liefje. Rood werkt al jaren op het plein. Ze is hier bijna elke dag, maar ik heb haar al een week of zo niet gezien.'

'Weet je waar ze woont?'

Emily reageerde met een ondoorgrondelijke glimlach.

'Ik ben niet van de politie of zo,' flapte Polly eruit. Ze voelde zich een beetje beledigd toen Emily in de lach schoot, alsof dat wel heel erg duidelijk was.

'Hier.' Polly haalde de envelop uit haar tas en haalde de kaart eruit. 'Deze kreeg ik per post. Volgens mij is hij van haar. Misschien zit ze in de problemen.'

Emily verschoof de hond en boog zich naar Polly over om te kijken. Net als Polly leek ze de kaart niet te willen aanraken. 'De Duivel,' zei ze.

'Ja.'

'Nogal dramatisch. Met de mobieltjes, faxen, sms'jes en zo van tegenwoordig zou je toch denken dat iemand die in de problemen zit wel iets anders kan verzinnen.'

Dat had Polly ook gedacht. De groezelige kaart, het ontbreken van een afzender, de melodramatische woorden met rode nagellak, het leek meer op een truc of een val dan op een oprechte noodkreet. Een spel om Polly ergens bij te betrekken waar ze zich liever verre van hield.

'Heb jij enig idee wat dit kan betekenen?' vroeg Polly.

'Bedrog,' zei Emily meteen. 'En daar heb ik de kaarten niet eens voor nodig. Wat voor bedrog weet ik niet, maar het klinkt niet goed. Wil je dat ik je kaarten leg en even kijk?'

Het was goed bedoeld, maar Polly had voorlopig haar buik vol van tarot. 'Dank je wel, maar vandaag niet. Weet je waar ze woont?'

'Rood is erg op zichzelf, bemoeit zich niet veel met de anderen. Dat is niet ongebruikelijk voor amateurs, maar wel voor de lui die al een tijdje op dit plein werken. Wij móéten ons op een bepaalde manier wel met elkaar bemoeien.'

'Anders worden we een voor een gepakt.'

'Zeg dat wel!' zei Emily. 'Greta!' riep ze naar een vrouw twee tafeltjes verderop. 'Weet jij of iemand anders waar Rood woont?'

Terwijl Emily en Greta de mogelijke woonplek van hun collega in de zwarte magie bespraken, dwaalden Polly's blik en aandacht naar de kathedraal, naar de schone, witte stenen van de voorgevel en de stevige veiligheid van de grote dubbele deuren. St.-Louis leek bescherming en betamelijkheid te bieden, verlichting van de Duivel met zijn harige gekromde lichaam, met het vuil van de zwakte van de wereld onder zijn gelakte nagels en met de waanzinnige leugens achter zijn kruiperige glimlach. Het interesseerde haar dat een tijdelijk geloof in de Duivel een tijdelijk geloof in de kerk met zich meebracht.

'Greta denkt dat Rood in Center City woont, voorbij Jackson vlak bij Loyola,' zei Emily.

'Dank je wel,' zei Polly beleefd. 'Jij ook bedankt, Greta.'

Het gedeelte van de stad waar Rood waarschijnlijk woonde, was vóór de orkaan een onopvallende vervallen stadswijk geweest. Nu stond de wijk bekend om de vele moorden. De straten waren opgebroken en vol kuilen, de huizen in verschillende stadia van verval, sommige vernield door brand, andere ingestort door de wind. De opruiming in dit deel van de stad was minder voortvarend aangepakt dan in de meer welvarende wijken.

Ooit was het een middenklassewijk geweest, met leuke huizen en appartementen. Daar waren alleen de botten nog van over, hun ziel was opgesplitst in twee-onder-een-kapwoningen, maisonettes en goedkope kosthuizen. De restanten van fastfoodlunches en door de orkaan vernielde huizen verstopten de goten. De gazons lagen vol vuil.

Polly parkeerde haar Volvo in de schaduw van een van de Amerikaanse eiken – de laatste overblijfselen van elegantie in dit deel van de stad – maar liet de motor draaien zodat de airco aan bleef. Ze wist niet goed wat ze nu moest doen en keek naar de straat waar de Vrouw in het Rood volgens zeggen haar hol had.

Haar woning, verbeterde Polly zichzelf. Ze vond het moeilijk om die arme rode vrouw niet als een beest te beschouwen.

De in verval geraakte huizen vertelden haar niets. Ze wist niet goed wat ze had verwacht, misschien dat ze deze vrouw in al haar trotse glorie op straat zou zien lopen of in een vuurrode ochtendjas en donzige slippers op haar veranda een sigaret zou zien roken. Het enige levende wat ze nu zag, was een klein meisje gehurkt op een kapotte stoep die in een ernstig gesprek verwikkeld was met een hond die zeker zeven kilo zwaarder was dan zijzelf.

Kleine meisjes zagen veel en hadden er zelden bezwaar tegen hierover te praten met iedereen die maar wilde luisteren. Met tegenzin verliet Polly haar koele auto. Het meisje was nog jong – vier of vijf misschien – en klein voor haar leeftijd. De hond was groot, zwart en zo te zien aanhankelijk. Polly had geen idee hoe oud de hond was.

'Sorry dat ik jullie gesprek onderbreek,' zei ze tegen hen. 'Maar ik heb hulp nodig.'

Het kind en de hond keken naar haar op.

'Bent u verdwaald?' vroeg het meisje. Ze stond op en streek haar felroze topje glad. Verder droeg ze een lichtgroene korte broek met een roze kikker op het zakje geborduurd. Ze liep blootsvoets naar Polly toe. Haar voetjes moesten keihard zijn. Ze knipperde niet eens toen ze over de gloeiend hete stenen liep. De hond, zijn kop op dezelfde hoogte als de schouder van zijn bazinnetje, liep met haar mee. Het meisje had een open en vriendelijk gezicht. De hond niet, zag Polly opgelucht. Kinderen hadden een bodyguard nodig.

'Nee, ik ben niet verdwaald, maar lief dat je het vraagt. Ik zoek een vriendin van me. Ze is heel groot en draagt allemaal rode kleren, zelfs haar haren, nagels en lippen zijn rood. Jij ziet eruit als iemand die goed oplet en ik hoopte dat jij haar wel eens hebt gezien.'

'Ja, mevrouw. Ze houdt niet erg van kinderen. Er komt wel eens een man bij haar op bezoek, maar verder niemand. Hij woont niet hier in de buurt. Ik liep er een keer naartoe en toen schreeuwde ze dat ik van haar veranda moest gaan. Ik wás niet eens op haar veranda. Nou ja, ik was wel op haar veranda, maar ik haalde zo'n ding op, zo'n rond gooiding, een soort vliegende schotel. Kaeisha had hem weggegooid en hij was daarheen gevlogen. Ik en Newt wilden hem alleen maar ophalen en toen kwam ze naar buiten en begon ze te schreeuwen alsof we iets wilden stelen of zo, maar ze heeft helemaal niets om te stelen. Ze is alleen maar een arme ouwe blanke dame, zegt mammie. We moeten haar met rust laten, omdat ze misschien wel problemen heeft waar wij niets van weten.'

'Jouw mammie is een heel verstandige dame,' zei Polly.

'Ja.'

'Op welke veranda kwam die frisbee terecht?'

'Ja, een frisbee, zo heet dat. Dáár was het.'

Het meisje wees in de richting waar Polly vandaan was gekomen. Drie huizen verderop, op de hoek, stond een roze woning van twee verdiepingen, met beneden houten veranda's en boven houten balkons. Niets aan het gebouw was recht: de dakspanen hingen langs de randen van het dak, de stijlen van de veranda's en de balkons hingen scheef en de nok van het dak golfde als de zadeltas van een oud paardje. De roze verf bladderde, van het dak tot aan het fundament.

'De bovenste?'

'Ja. Kaeisha is heel sterk, sterker dan een jongen. Zij gooide hem erop, maar ze is doodsbang en ook al is ze groter dan ik, toch zei ze dat ik maar naar boven moest gaan omdat ik Newt heb en Newt niet met haar mee wil. Hij wil wel met haar mee, maar alleen als ik met haar meega. Daarom hebben Newt en ik hem zelf maar opgehaald en we wilden hem net naar beneden gooien toen de vrouw die daar woont naar buiten kwam en tegen ons begon te schreeuwen. Ze schold me uit,' voegde het meisje eraan toe, eerder beschaamd dan boos.

'Dan heeft haar mammie haar misschien niet zo netjes opgevoed als jouw mammie jou.'

'Dat denk ik ook.'

'Dank je wel, je hebt me heel goed geholpen,' zei Polly en ze stak haar hand uit om haar haar even aan te raken. Newt ontblootte zijn tanden. 'Brave hond,' zei ze.

Ze liep een trap op die tussen de beide benedenwoningen ingeklemd zat. Het trappenhuis was niet verlicht en stonk naar sigarettenrook en gekookte worst.

Polly bereikte een smal bordes met aan weerszijden een deur en bleef even staan. Ze trok haar kraag recht en ging gewoontegetrouw even met haar tong over haar tanden om eventuele etensrestjes of verdwaalde lippenstift weg te halen.

Ze klopte stevig op de voordeur. Niemand reageerde, maar de deur ging een stukje open en er kwam ijskoude lucht uit het donkere appartement. De blinden waren neer en de gordijnen dicht.

'Hallo?' riep Polly. 'Iemand thuis?' Geen reactie. Misschien was de

Vrouw in het Rood verhuisd toen wat haar ook maar angst aanjoeg haar te pakken had gekregen.

Polly duwde tegen de deur en hoorde een onzichtbare blokkade wegglijden. Het weinige licht van het portaal kon de duisternis niet wegnemen. Polly tastte langs de deurpost op zoek naar een lichtknopje, vond het en knipte het licht aan.

'Jezus!' fluisterde ze.

Het was een flodderhuis. Polly herinnerde zich zo'n huis in Prentiss, waar de kinderen waren weggehaald door de kinderbescherming. Een foto van de ouders en hun woonkamer stond op de voorpagina van de lokale krant. Carver, de vader van Emma en Gracie – en alle boetedoening die ze ooit nodig zou hebben om zich een plekje in de hemel te garanderen – had zo'n moeder. Hij had letterlijk een maand nodig gehad om haar huis te ontruimen. Het appartement van de Vrouw in het Rood was half zo groot als dat van Polly's ex-schoonmoeder, maar er zou zeker meer dan een maand nodig zijn om het schoon te maken.

Daar had je Gods hulp bij nodig.

De stapel die was omgevallen met een geluid alsof er tien slangen wegkronkelden, was een één meter hoge stapel oude tijdschriften. Elke vierkante centimeter van de vloer was bedekt: kranten, dozen, zakken, boeken, halflege frisdrankflesjes, pluizen, vuilniszakken waar van alles uitpuilde, toiletpapier, kleren, en kleren, en kleren, bloempotten en pannen, emmers, schoenen, hoeden, tasjes – tientallen tassen, sommige nog steeds met het prijskaartje eraan – snoeppapiertjes, televisiegidsen, overvolle asbakken, pizzadozen. In de hoeken waren de bergen afval van het leven van de vrouw het hoogst.

De vloer was begraven onder een halve tot één meter hoge laag afval. Tussen die dikke laag troep door was een smal pad gestampt, van de voordeur naar de kamer ernaast. Naast dit pad waren stukken waar Polly niet rechtop had kunnen lopen. Zelfs meubels waren begraven: ze zag het uiteinde van de armleuning van een stoel bekleed met grijze ribstof, vol schroeiplekken van sigarettenpeuken, ergens onderuit steken en onder een stapel kleren stak een paar konijnenoren uit.

Tv-antenne, dacht Polly. *Of een autoantenne.*

De gedachte dat op de tweede verdieping van het oude huis een auto onder de troep begraven kon zijn, maakte haar aan het lachen. Ze bleef lachen, door de zenuwen, de ongerijmdheid van alles of medelijden. Terwijl ze door de woestijn van dit vrouwenleven waadde, schoot ze steeds weer in de lach als ze zich voorstelde wat er allemaal nog meer onder deze puinhoop begraven kon liggen.

De kamer aan het uiteinde van het platgetrapte pad was schemerig verlicht, alsof er een nachtlampje brandde. Polly liep naar binnen via een deur die al sinds juli 1991 niet meer dicht was gedaan. Die datum stond in elk geval op een glossy die boven op een stapel troep lag die ertegenaan lag.

Het was de slaapkamer. Eén kant van het tweepersoonsbed was relatief vrij van afval en op het pad dat naar de badkamer leidde, kon ze een paar plekjes hardhout zien. Op een toilettafel stond een kleine tv te midden van een wirwar aan cosmetica, sjaaltjes, haarversieringen en ondergoed. Losse overvolle laden vormden een kleurrijke trap op de grond. Het enige raam van de kamer was geblindeerd door de vele lagen gordijnen en de vensterbank was veranderd in een laag prulletjes en paperassen die doorliep tot de zitting van een stoel die eronder stond. Een kast braakte goedkope rode kleren uit.

Een excentriek element in dit huis vol excentrieke elementen vormde de passpiegel aan de deur van de klerenkast. Hij was voor tweederde zwart gespoten. Kennelijk was het een haastklusje geweest, want ook de deur erachter was gedeeltelijk zwart. Toen Polly zichzelf in de spiegel wilde bekijken, kon ze alleen haar hoofd zien. Het spiegelbeeld was onwerkelijk, dreigend, alsof ze in een onbekende toekomst of een onbekend universum onder de guillotine was beland.

Snel keek ze achterom naar het enige plekje waar nog leven kon zijn, het bed. Lege hamburgerverpakkingen en papieren bekers waren zo hoog opgestapeld geweest dat ze waren omgevallen. Ze lagen nu over het bed verspreid en vormden een zee rondom het laatste eilandje ruimte van de vrouw.

Geen wonder dat de geur van wanhoop om haar heen had gehangen.

Aan de andere kant van de kamer was een kleine badkamer met amper voldoende ruimte voor een badkuip met een douchegordijn eromheen, een ladekast en een kleine wasbak. De badkamer zag eruit alsof iemand had geprobeerd er zo veel toiletartikelen in te proppen dat hij ze allemaal weer uitbraakte. Een gevoel van claustrofobie vermengd met medelijden verstikte Polly. Nu had ze de verklaring, niet alleen voor de kaart van de Duivel met de noodkreet erop, maar ook voor de bizarre en angstaanjagende lezing.

De vrouw was gek.

Het gewicht van al deze verzamelde ellende drukte op haar borstkas, zodat ze moeite had om te ademen. Wat voor hulp de Vrouw in het Rood ook nodig had, het was meer dan Polly kon geven. Toen ze zich omdraaide om te vertrekken zag ze dat de badkuip ook vol was. Er lag een grote plastic zak in waar een heleboel tape omheen gewikkeld was.

Polly wist opeens zeker wát ze zou zien en trok het douchegordijn in één keer opzij, waardoor de helft losscheurde van de haken.

Het gemarmerde plastic zat gewikkeld om iets wat heel groot en heel rood was. Vreemd genoeg zonder enige emotie keek Polly naar het pakketje dood. Waarom zou de Vrouw in het Rood hebben gedacht dat zij haar had kunnen helpen, dat zij dit had kunnen voorkomen? Polly had niets te maken met het leven van deze arme vrouw. Er was geen enkele relatie, alleen die lezing.

Je zult je man vermoorden.

Toen Polly met Danny lunchte, had ze hem verteld dat de vrouw dingen had geweten die ze alleen aan Marshall had verteld. Had Marshall ze aan deze vrouw verteld? Een spel met haar geest? Intimidatie van de nieuwe echtgenote? Had hij deze vrouw verteld dat hij haar ging vermoorden, vandaar de kaart van de Duivel in haar brievenbus?

Toen haar huis in brand stond had Marhall haar gebeld om haar te wekken en hij was er al voor de brandweer arriveerde om haar te redden. En hij had haar en haar kinderen in zijn huis opgenomen.

Zoals hij had gewild.

Daardoor had ze geen tijd gehad er eerst goed over na te denken, hem beter te leren kennen.

Nadat ze getrouwd waren, was hij ontwijkend gedrag gaan vertonen, was geheimzinnig gaan doen, had meer tijd op kantoor en met zijn broer doorgebracht dan met haar en de meisjes.

Het lege gevoel in Polly vulde zich met zwart ijs. Ze dacht dat ze viel en gooide een stuk of zes dingen op de grond terwijl ze de rand van het bad vastgreep om overeind te blijven.

Misschien was de kaart gestuurd zodat zij deze vrouw zou redden. Maar het was logischer dat hij was gestuurd opdat zij het lijk zou vinden. Waarom? Waren in deze puinhoop bewijzen geplaatst waardoor zij schuldig zou lijken? Waarom zou iemand een hoogleraar Engels voor moord willen laten opdraaien? Om de voogdij over haar kinderen te krijgen?

Het ijs begon te barsten, de ijskoude splinters sneden door haar aderen.

Boven op het lichaam zag ze een vel gelinieerd papier met drie perforatiegaten erin, verfrommeld tot een vuistdikke prop. Ze zag haar hand over de rode plastic zee heen reiken en het papier pakken, zoals een mechanische arm op de kermis een knuffel oppakt.

Ze streek hem vlak tegen de muur. In de linkerbovenhoek stond één zin geschreven, met potlood.

Waarom kinderen? Zijn ze gemakkelijker te vermoorden? Leuker?

Het handschrift leek op dat van haar man.

Polly belde de politie niet. Ze had niet geleerd hen te vertrouwen en, tot ze wist waarom ze naar dit appartement was gelokt om te vinden wat ze had moeten vinden, zou ze het niemand vertellen.

Ze nam het vel papier mee, raakte verder niets aan, en vertrok op dezelfde manier als ze was gekomen. Ze deed de voordeur achter zich dicht en veegde haar vingerafdrukken van de deurkruk.

28

Polly had op twee verdiepingen alle spullen van haar man doorzocht en geen enkele aanwijzing gevonden voor moord of bedrog. Hij bleek een man te zijn met slechts eenvoudige behoeften en te veel medicijnen in zijn nachtkastje. Terwijl ze enveloppen vol boordenknoopjes en visitekaartjes leegde, realiseerde ze zich voor het eerst hoe weinig ze eigenlijk wist van Marshall Marchand. Ze was getrouwd in de sprookjesachtige betovering van nieuwe liefde, waarin niets belangrijk was behalve het moment zelf en de man.

Als hij al vrienden had, was er geen spoor van hen te vinden in zijn persoonlijke bezittingen. Geen andere familie dan Danny, geen foto's van hem als kind.

Ten slotte kwam ze in de kelder. Ze ontdekte een stuk of zes archiefdozen op houten pallets. Deze hoogwateropslag was aangebracht langs de dikke stutten die de kelder in de lengte doormidden deelden.

Eén doos stond uit het gelid, stak iets naar voren alsof hij onlangs nog was verplaatst en snel teruggezet. Als ze boven was geweest, in het zonlicht in plaats van als een kakkerlak in een vochtige kelder rond te scharrelen, was het haar misschien niet eens opgevallen.

Door haar zoekactie was ze extra gevoelig en daardoor wist Polly onmiddellijk dat ze hiernaar had gezocht – ook al had ze geen idee gehad waar ze naar zocht – en ze keek met een blik vol afkeer naar de doos. Ze haalde een stok uit de bak aanmaakhout, veegde het dekkleed eraf en duwde met hetzelfde stokje het deksel van de doos omhoog alsof er slangen in zaten.

Haar ongerustheid verdween niet toen ze zag dat er geen slangen in zaten maar dat de doos voor driekwart was gevuld met allerlei paperassen. Ze wilde dat ze kon weglopen, maar accepteerde dat ze dat niet kon. Ze liet de stok vallen. Ze nam de paperassen mee naar een van de ramen zodat ze beter licht had en bekeek het bovenste vel: handgeschreven, geen datum, geen naam. Ze las de eerste zin.

'Ik vraag me vaak af of het goed voelt om mensen te vermoorden. Krijg je er een lekker gevoel van, zoals van hasj of zo? En kleine kinderen, zou dat leuker zijn? Anders voelen?' Vrijwel dezelfde woorden als op het papier op de laatste rustplaats van de Vrouw in het Rood. Waren die hiervan overgenomen? Of waren ze de herhaling op een thema?

Polly haalde het stukje papier dat ze in het huis van de vrouw had gevonden uit haar zak en legde de beide vellen naast elkaar. Het handschrift was niet hetzelfde, maar dat bewees niets. Zelfs je handtekening was elke keer anders.

Polly bekeek het volgende vel.

'Vannacht had ik diezelfde droom weer. Ik zit onder het bloed, zo vers dat het warm is, en ik lach als een waanzinnige.'

En het volgende vel.

'Waarom een bijl? Omdat dat meer spat? Omdat het enige geluid het gegil is? Is dat macho?'

'Ik denk altijd aan moorden, ik bedoel *altijd*! Dag en nacht. Ik denk dat één keer niet genoeg was. Niet dat ik van plan ben het weer te doen, ik dénk er alleen maar aan.'

De vellen papier waren niet genummerd en lagen niet in een bepaalde volgorde. Op sommige vellen stonden de lijntjes dicht bij elkaar, op andere was de interlinie groter, andere vellen waren tekenpapier. De willekeurige aantekeningen van een gestoorde geest.

Een gestoorde geest die zijn gedachten uit in het handschrift van haar man.

Ze werd misselijk, ze had het gevoel dat er een giftige plant met snelgroeiende ranken in haar lichaam groeide, zo woest en vraatzuchtig dat ze dubbel klapte. Braaksel brandde in haar keel. Haar hart bonsde fel tegen haar ribben. Ze wankelde naar een oude schommelstoel zonder kussen en hield haar hoofd tussen haar knieën.

Ze bande elke gedachte uit haar hoofd en slaagde erin niet over te geven. Ze ademde diep in en uit, zodat haar hart rustiger ging slaan.

Ze had van nature een sterke drang tot zelfbehoud, maar die was pas echt sterk geworden na de geboorte van Gracie. Toen ze nog alleen was mocht ze falen, was het niet erg als ze zwaargewond raakte en kon ze zelfs accepteren dat ze zou sterven. Maar nu twee van de kostbaarste meisjes ter wereld afhankelijk van haar waren, keek ze links én rechts voordat ze een straat overstak en slikte ze vitaminepillen.

Emma en Gracie waren naar de dierentuin en zouden niet voor halfvier terug zijn. Marshall kwam zelden voor negen uur thuis. Boven was ze zeker van privacy en airco, maar het idee dat ze een doos vol smerigheid moest meenemen naar een plek waar haar dochters speelden vond ze verschrikkelijk. Er was vergif waar geen antistoffen voor waren, viezigheid die geen enkel schoonmaakmiddel kon reinigen; dat soort dingen zou geen enkele moeder in het gootsteenkastje bewaren, waar er kinderen bij konden.

Polly sloot een compromis door de doos naar de achtertrap te brengen, waar ze voldoende licht had om bij te lezen. Ze ging op het eerste tussenstukje van de trap zitten, onder het raam bij de eerste bocht van de smalle trap, met de archiefdoos tussen haar voeten. Ze staarde door het vieze glas naar de achtertuin; de bloemen stonden in uitbundige herfsttooi. Normaal vond ze troost in de weelderige begroeiing van de tuin. Nu zag ze alleen maar vochtig onkruid, dood blad op de vensterbank, een spin in zijn web die wachtte tot ze het leven uit haar buren kon zuigen.

Ze onderdrukte een rilling en wijdde haar aandacht weer aan de doos. Ze legde een stapel knipsels uit kranten en tijdschriften en computeruitdraaien op haar schoot: *Het duivelse vriendje uit Boston; Slecht nageslacht doodt peuters; Moord voor de kick; Jury niet overtuigd in de zaak-Phillips; Raines veroordeeld voor afslachten gezin;* BTK-*moordenaar bekent; Speck 'thuis' in de gevangenis.*

De artikelen gingen over kinderen die kinderen vermoordden, kinderen die ouders of buren vermoordden, vrouwen die echtgenoten vermoordden, moeders die hun baby's vermoordden, broers die hun zussen vermoordden, Bundy en Speck en Gacy en Dahmer die iedereen vermoordden.

Het duivelse vriendje uit Boston was een stencil – iets wat ze al jaren niet had gezien – van een artikel uit 1874. 'Het duivelse vriendje uit Boston heeft weer toegeslagen en het ergste is dat dit meisje niet had hoeven sterven. Nadat dit monster in jongenskleren had bekend en was veroordeeld voor de moord op de vier jaar oude Horace Mullen en het seksueel misbruik van zeven anderen, is hij vervroegd vrijgelaten door de directie van een opvoedingsgesticht die de waarschuwing van de rechtbank in de wind sloeg. Nu is hij veroordeeld voor de wrede moord op een tienjarig buurmeisje.'

In verbleekte blauwe inkt, naast 'het seksueel misbruik...' stond in Marshalls eigenaardige handschrift: 'Waarom heb ik dit niet gedaan?' en 'Incest of pedofilie, je mag kiezen'.

De misselijkheid die even was verdwenen kwam in alle hevigheid terug. Met gesloten ogen wachtte Polly tot het gevoel dat ze zou braken of gillend het huis uit zou rennen was weggetrokken en ze las door.

Slecht nageslacht doodt peuters. Ook een stencil. *Engeland 1968* stond boven aan de pagina. 'De elf jaar oude Mary Flora Bell, "Fanny" van "Fanny en Faggot" zoals ze zichzelf noemden, is vandaag veroordeeld voor tweemaal doodslag voor het afslachten van twee peuters: een is verdwenen en waarschijnlijk omgekomen tijdens een ongeluk drie maanden geleden; de tweede is vier weken later gevonden, dood door wurging, het lichaam verminkt.'

'Twee peuters' was onderstreept. In de marge had Marshall geschreven: 'Twee? Shit, en ik dacht nog wel dat ik recordhouder was.' En: 'Waarom kleine kinderen? Omdat het zo gemakkelijk is?'

Moord voor de kick was een krantenknipsel. Geen datum, maar de krant was door ouderdom verkleurd. 'Volgens hun eigen verklaring belden de vijftienjarige Cindy Collins en de veertienjarige Shirley Wolf in hun flatgebouw bij verschillende buren aan. Ze wilden een auto stelen en waren op zoek naar autosleutels, zeiden ze. Een oudere vrouw liet hen binnen. Shirley Wolf heeft bekend dat ze het hoofd van de vrouw bij de haren naar achteren trok en haar doodstak. Volgens het autopsierapport had het slachtoffer achtentwintig messteken. Zowel Wolf als Collins vertelde de rechter dat ze een "kick" kregen als ze iemand vermoordden.'

Onder aan de bladzijde stond gekrabbeld: 'Een oude dame doodsteken voor de kick. Doden voor de lol. Dat moet je niet vergeten.'

De zon ging al onder. Warmte en fel licht kwamen door het raam naar binnen. Polly's haar plakte aan haar voorhoofd en wangen, en haar kleren kleefden aan haar lichaam. Vliegen fladderden tegen het glas, met een wanhopig gezoem dat als een stroomstoot door haar zenuwen stroomde.

Boven het volgende artikel stond: *De echte Amityville Horror*.

Opeens kreeg ze een visioen van haar huis dat door opgezwollen vliegen werd belaagd; ze gilde, zo echt leek het. Net als in een nachtmerrie kon ze zich niet bewegen; haar benen weigerden haar te dragen. Net zoals de vliegen niet van het raam konden ontsnappen, kon zij niet van haar plekje op de trap ontsnappen.

Ze pakte de resterende krantenknipsels op en legde ze op de grond, ongelezen. Eronder zag ze vellen papier, allerlei formaten, niet gescheurd maar gesneden met een scherp mes of geknipt met een schaar. Geen enkel vel was genummerd. Of als dat wel zo was geweest, was het eraf gesneden. Een stuk of wat bevatten niet meer dan een of twee regels tekst.

'...de kat was dood, onze oude rode Ginger, en toen ik keek, zaten mijn handen onder haar ingewanden... Ik verdrink ze... Als iemand je probeert tegen te houden, schiet je ze gewoon dood... Ik liep van de ene kamer naar de andere en ze zaten allemaal onder het bloed; ik begon te lachen... Toen de andere jongens hoorden wat ik had gedaan, keken ze... Als ik ooit de kans krijg het weer te doen... vanaf het begin tot mislukking gedoemd... Ik had een mes in mijn hand, en ik joeg... Massamoord. Dat zie ik mezelf wel doen... Stukken vlees eraf bijten... Moord. Tuurlijk...'

Zo ging het maar door. De diepgewortelde gestoordheid die eruit sprak drong via Polly's ogen haar geest binnen, en ze haatte de gedachte dat zij deel uitmaakte van een ras dat tot zulke wreedheden in staat was.

Verderop ontdekte ze een paar complete pagina's. Aan het soort papier en de kleur van de inkt te zien waren ze op verschillende dagen geschreven, misschien zelfs in verschillende jaren. De zinsconstructie en ongelijke lettergrootte leken te wijzen op een jonge schrijver.

Een jonge Marshall Marchand.

'Monster' en 'kind' waren volgens Polly geen tegenstrijdige begrippen. Ze dacht aan de films *Lord of the Flies* uit 1990 en *The Bad Seed* uit 1956.

Ze pakte het volgens haar oudste papier op, met raar geschreven letters: 'John List. Vermoordde vrouw, moeder en drie kinderen. Tuurlijk. Ik begrijp zoiets wel. Die knaap had God aan zijn zijde. Daarom kan hij dat. Hij wil uit die gezinssituatie. Hij zit onder de plak van zijn vrouw, zijn moeder is een zeurpiet en hij heeft niet het lef zelf te vertrekken...'

De volgende tekst was geschreven met verbleekte balpen: 'Ze deden gewoon wat ze wilden. Namen wat ze wilden. Toen stierven ze in een glorieuze uitbarsting. Te gek gewoon, vind ik!'

En weer in inkt: 'Het gezin doodschieten begint aantrekkelijk te lijken. Verstandig zelfs. Tot de kinderen aan de beurt zijn. Misschien denkt hij dat het nog geen echte mensen zijn; d'r zijn er acht van, niet bepaalde een bedreigde soort dus, gewoon een schoonmaakactie.'

Er was nog meer, maar Polly stopte de kranten en artikelen terug in de doos en deed hem weer dicht. *Pandora die te laat spijt heeft.*

De teksten waren misselijkmakend, gewelddadig, opschepperig, wellustig, harteloos; de beschrijving van een man zonder een ziel, een griezel die genoot als hij leed veroorzaakte. Ze waren gruwelijk. Maar Polly was minder van slag dan ze volgens haar had moeten zijn. In de loop der tijd had ze duizenden bladzijden tekst kritisch doorgelezen en ze zag de contradicties in deze... ze zocht een woord... verzameling? Groepering? Dit opus?

De stem in de teksten richtte zich tot de lezer, nee, tot een innerlijke rechter. Misschien waren ze geschreven tijdens een periode van ernstige mishandeling en was het de bedoeling geweest dat ze werden gelezen door de mishandelaar of een therapeut of hardop tijdens een groepssessie.

De tijdspanne waarin ze waren geschreven wees op een externe invloed, iemand die de stukken opeiste. De eerste teksten wezen op de snoeverij van een gewelddadige moordenaar die zichzelf vergeleek met zijn verdomde helden, maar ze waren kinderachtig qua stijl en inhoud. De teksten die in verschillende jaren waren geschreven, waren vreemd afstandelijk, alsof ze waren opgeschreven door een acteur die zich voorbereidde op een rol, die aantekeningen maakte, een karakterstudie van het kwaad.

Of door een monster dat probeert te ontdekken wat zijn plek is in een afschuwelijk universum. Zoekend...

'Zoekend om kleine kinderen te vermoorden,' onderbrak ze haar eigen gedachtegang hardop. 'Wakker worden en de lijken ruiken, Pollyanna,' snauwde ze.

Dit was geen Frankenstein-achtig literair monster dat moest worden ontleed en geanalyseerd; dit was haar echtgenoot die opschepte dat hij 'dacht dat hij recordhouder was'; haar geliefde meneer Marchand die vroeg: 'Waarom kinderen? Omdat ze gemakkelijk zijn?' De man die elke nacht bij haar in bed kroop, vroeg zich af waarom hij geen zeven kinderen seksueel had misbruikt.

Tranen welden op, brandden weg. Snikken kwamen op, bevroren in haar keel. Haar handen wilden haar gezicht bedekken, maar vielen hulpeloos in haar schoot. Woede flitste op. Dankzij het huiveringwekkende licht kon ze de angst zien die zich in haar ontwikkelde.

Haar emoties rolden weg als druppels kwik in haar handpalm zodra ze ze probeerde aan te raken.

'Dit is echt,' zei Polly met een stem die even klein en zoet was als Emma's stem.

Maar niet even onschuldig.

Het belachelijk fraaie en elegante gouden horloge dat Marshall haar had gegeven leek aan te geven dat het bijna twee uur was. Het was een prachtig horloge en hoefde, als een echte femme fatale, niet precies op tijd te lopen. De meisjes zouden over anderhalf uur thuis zijn. Gracie was al zo oud dat Polly hen best even alleen kon laten, maar ze wilde niet dat ze alleen thuisbleven.

Stel dat Marshall thuiskwam?

Ze kokhalsde bijna bij die gedachte. Zweet plakte op haar huid. Vliegen brandden op haar armen en zoemden vlak bij haar ogen. Haar benen waren stijf. Haar rug deed pijn toen ze zichzelf dwong op te staan, alsof ze daar de hele dag had gezeten in plaats van een uur. Ze wilde de doos nog steeds niet in het huis halen, maar zette hem in het washok boven aan de trap.

Ze nam een douche, trok schone kleren aan en bracht lippenstift op. In de keuken schreef ze een briefje voor Marshall: 'De meisjes en ik zijn bij Martha.' Daarna belde ze Gracie op haar mobieltje. 'Liefje, wil je mevrouw Fortunas vragen of ze jou en Emma naar tante Martha brengt in plaats van naar huis? Nee nee, liefje, alles is in orde. Ik leg het je later wel uit. Dank je wel, liefje.'

Ze pakte de doos en liep de trap af naar de kelder.

Onder aan de trap stond Danny.

De doos in Polly's handen werd loodzwaar, alsof er een afgehakt hoofd in zat.

'Wat heb je daar?' vroeg hij vriendelijk.

'Wat doe jij hier?' vroeg ze. Door de geschrokken blik op zijn gezicht herinnerde ze zich weer dat er alleen maar papier in de doos zat en dat zij een respectabele vrouw was die naar haar eigen kelder onderweg was.

Hij stak zijn hand uit naar de archiefdoos. 'Zal ik je even helpen?' vroeg hij beleefd.

De doos trilde.

Danny lachte. 'Heb je Gracie dat katje toch maar gegeven?'

'Katje?' vroeg Polly onnozel. Toen wist ze het weer, het katje dat Gracie voor haar verjaardag wilde. 'Geen katje,' zei ze. 'Alleen een paar papieren die ik naar Marshalls kantoor moet brengen.'

In een reflex keek ze naar de teruggeslagen doek waar ze de doos onder vandaan had gehaald. Danny volgde haar blik en ze zag emotie op zijn gezicht, een verstijving die van zijn lippen naar zijn wangen trok, een glimlach die verstierf, een bittere gedachte die te dicht onder het oppervlak lag.

Hij weet het, dacht Polly. *Het verraderlijke hart. Edgar Allen Poe was een genie.*

'Ik ga zo weer weg,' zei Danny. 'Ik wil die doos wel even naar hem toe brengen. Dat bespaart jou een rit.' Weer wilde hij de doos van haar overnemen. Even vroeg Polly zich af of hij een spelletje met haar speelde.

29

De eerste fles was leeg; de tweede ging dezelfde kant op. Emma en Gracie waren allang in bed gestopt. Polly en Martha zaten in de woonkamer van Martha's kleine woning. Elke vierkante centimeter van het huis wás Martha. Drieënvijftig van haar vierentachtig jaren had ze in dit huis gewoond. Stukje bij beetje waren het huis en de tuin op haar gaan lijken: eclectisch, slim, grappig en een diep gevoel van tevredenheid uitstralend.

'Het lijken wel dromen,' zei Martha. Ze had een hoge krakende stem, als een jongen die de baard in de keel krijgt. 'Ik bedoel, luister maar, dit zijn droombeelden.' Martha pakte een paar vellen papier van het tafeltje naast haar ligstoel en leunde naar het licht van de tafellamp.

'Denk aan dromen: "Ik liep van de ene kamer naar de andere en ze waren vol bloed." Dat zeg je niet als je mensen ziet die onder het bloed zitten. Dit zijn beelden uit het onderbewustzijn: "vol bloed"' Ze las er nog een voor: '"Ik had dit meisje doormidden gehakt, maar er zat helemaal geen bloed op mijn handen of kleren..." Volgens mij heeft Marshall zijn dromen opgeschreven.'

Polly was naar Martha gegaan met het plan haar te vertellen dat de aantekeningen geschreven waren door een van haar studenten over wie ze zich zorgen maakte. Maar ze had haar de waarheid al verteld voordat de kurk uit de eerste fles cabernet was. Het enige wat ze niet had verteld was dat die gestoorde tarotlezeres, net als Marat, dood in het bad lag. Martha zou de politie willen bellen. Als kind was Polly geïndoctrineerd met het idee dat de politie nutteloos was; na Katrina had de politie van New Orleans niets gedaan om dat beeld te verdrijven. Zodra ze de feiten kende, als ze alleen maar het leven van de schuldigen zou ruïneren en niet dat van de onschuldigen, dan pas zou ze de politie bellen.

'Dit is een klassieker,' zei Martha. '"De kat was dood, onze oude rode Ginger, en toen ik keek, zaten mijn handen onder haar ingewanden." Zie je, hier staat "Toen ik keek", maar als je handen onder de ingewanden van een kat zitten, dan weet je dat. Dat weet je gewoon. Dit is een droom.' Ze zwaaide met het papier om haar woorden te benadrukken.

Polly was het met haar eens, maar had allerlei argumenten bedacht tegen deze droomtheorie omdat ze zo wanhopig graag wilde dat die waar was.

'Misschien heb je wel gelijk,' zei ze.

'Ik heb gelijk. Dit is een ander perfect voorbeeld: "Ik bleef maar inhakken op die agent en er gebeurde niets. Hij nam mijn slagen in ontvangst en glimlachte alsof ik hem met een veertje te lijf ging, en ik bleef schreeuwen..." Droom! Je maakt mij niet wijs dat dit geen droom is!'

'Hoe zit het dan met die andere aantekeningen en die knipsels? Dat zijn géén dromen,' zei Polly. Ze nam een slokje rode wijn en hield die even in haar mond voor ze slikte.

Met een klap zette Martha haar ligstoel rechtop en keek naar de papieren die over het kleed verspreid lagen. Als ze vol ideeën zat, met haar felle kleuren en extra kilo's, deed ze Polly denken aan een discobal.

Martha perste haar lippen op elkaar. 'Deze jongen werd mishandeld. Ernstig mishandeld. Op een bepaald moment heeft hij iets gedaan – of hij wilde alleen maar iets doen – en toen besloot hij dat hij een monster was dat niet verdiende te leven. Van wat ons hier nog rest...'

Martha bleef doorpraten, maar Polly's gedachten waren afgedwaald. 'Ja,' zei ze hardop, Martha in de rede vallend. 'Ja. Weet je wat je net zei? Van wat ons hier nog rest... Dit, de stukjes, de beetjes, zonder namen of data waar we iets uit kunnen afleiden of die ons extra informatie kunnen geven, die we kunnen controleren. Dit is voor óns gemaakt – of voor mij – om te vinden en te zien. We mochten het geheel niet zien. Het is versnipperd, en bijgeknipt, en vermaakt. Waarom vermaak je iets?' vroeg Polly.

'Om het passend te maken,' antwoordde Martha.

'Ja. Deze vellen papier zijn zo geredigeerd dat ze een verhaal vertellen. Als de schrijver dit gewoon in een doos heeft gestopt, waarom dan niet alles? Ik kan me niet voorstellen dat hetgeen is weggelaten nog erger kan zijn dan wat er nog in zit. En dus zijn de dingen die eruit zijn gehaald, er niet uitgehaald om een positiever beeld te schetsen...'

'...maar om een nog erger beeld te schetsen,' maakte Martha de zin af.

'Ja!' zei Polly met een vals lachje. 'Lieve help, ja!'

Ze zaten elkaar aan te kijken zoals een kat soms in een spiegel kijkt, glimlachjes gefilterd door massa's gedachten. Martha nam een slokje wijn. Polly keek naar de paperassen op de vloer. Nu ze Martha had laten zien wat ze had gevonden, door er met haar over te praten en er samen met haar naar te kijken, was de zwarte magie die ze hadden uitgestraald verdwenen.

Polly had dit niet per ongeluk gevonden; het was daar neergezet zodat zij het zou vinden en dat maakte alle verschil.

'Het maakt geen enkel verschil,' zei Martha.

'Wel waar!' schreeuwde Polly, maar toen ze zich realiseerde hoe kinderachtig ze zich gedroeg, gehoorzaamde ze toen Martha gebaarde dat ze haar mond moest houden.

'Niet waar.' Martha wees naar de paperassen. 'Zelfs als dit alles is gepland om Marshall in een slecht daglicht te plaatsen, is Marshall nog steeds degene die dit alles heeft geschreven. Het is zijn handschrift in de marge van die artikelen. Wie zou dit anders hebben geredigeerd en daar neergezet waar jij het kon vinden? Waarom? Wil hij betrapt worden, ontdekt worden? Vindt hij het noodzakelijk dat jij hem in een even slecht licht ziet als hij zichzelf ziet? Wat de reden ook is, het is te explosief om te negeren. Marshall zit in de problemen. Dat betekent dat jij, Gracie, Emma en zelfs Danny in de problemen zitten.'

Tegen Martha's goede raad in en nadat ze haar had beloofd goed voor de meisjes te zorgen, was Polly iets na halfeen 's nachts vertrokken. Toen ze over Carrolton Avenue reed, voelde ze de invloed van de wijn en ze realiseerde zich dat de nacht in New Orleans nog duisterder was dan vóór Katrina het geval was geweest. Bovendien had ze geen idee waarom ze was vertrokken.

Wilde ze soms naast Marshall in bed glippen, zich tegen zijn schouder nestelen, haar rechterbovenbeen over zijn benen leggen zoals ze sinds hun huwelijk vrijwel elke nacht had gedaan en de moorden gewoon negeren – de echte, ingebeelde, letterlijke en historische?

'Wat heb jij vandaag gedaan, liefje?'

'Niets bijzonders. Boodschappen gedaan. O ja, heb jij misschien toevallig nog iemand vermoord voor je naar je werk ging?'

Tot haar eigen verbazing schoot ze in de lach.

'Ik hou zoveel van die man,' fluisterde ze. In gedachten zag ze zichzelf als talloze mishandelde vrouwen, gewond en bloedend, met hun tanden uit de mond geslagen, tegen de rechter en familieleden en politie blèrend: 'Maar ik hóú van hem!'

Dit was anders.

Misschien waren ze allemaal anders.

Marshall had het hek voor haar opengelaten. Sinds er een meter water en een magnolia tegenaan waren geklapt, had het niet goed meer gefunctioneerd. Toch parkeerde ze niet achter het gebouw. De parkeerplaats in de achtertuin lag onder de slaapkamers van de beide woningen. Ze wilde nog niemand wakker maken. Ze bleef een paar minuten in de auto zitten. Ze wist niet of ze moest blijven of weggaan, waar ze naartoe moest als ze wegging, wat ze moest zeggen als ze bleef.

Ze wist niet precies wat ze deed – wat ze zou doen – maar liet zichzelf binnen via de zijdeur in de kelder en deed hem achter zich weer op slot. In een stad was het nooit echt donker. Het licht van de lantaarnpalen scheen hooguit een meter naar binnen en hun gloed leek de schaduwen alleen maar dieper te maken. Op een maanloze nacht waren de bossen rondom Prentiss, Mississippi, even donker geweest als diep in een mijnschacht. Polly was 's nachts vaak naar die duisternis toe gerend omdat die haar beschermde tot de volgende ochtend, wanneer monsters weer in mensen veranderden.

Na de warmte van buiten was het koel in de kelder. Polly voelde zich net een spook en sloop naar het achterste deel van de kelder, naar Danny's kant, waar de dozen stonden. Daar ging ze in de oude schommelstoel zitten. Onder de bescherming van de nacht en gerustgesteld door haar eenzaamheid leunde ze met haar hoofd achterover en sloot ze haar ogen. In de troostende duisternis wilde ze een plan bedenken, een tijdpad opstellen, zichzelf in elk geval de illusie van controle verschaffen. Maar overmand door de wijn en vermoeidheid viel ze ongemerkt in slaap.

Ze werd gewekt door een geluid en was onmiddellijk alert en helder, alsof ze helemaal niet had geslapen. De enige nog functionerende tl-lamp aan de andere kant van de kelder was aangegaan. Tussen de verticale steunbalken en de harken, scheppen, houwelen en ander gereedschap dat aan spijkers aan de middenbalk hing, zag ze haar echtgenoot. Als hij haar kant op had gekeken, had hij haar ook kunnen zien, maar ze dacht niet dat hij dat zou doen. Hij dacht dat hij alleen was.

Het spook voelde zich sterker en kreeg daardoor ook een gevoel van macht. Ongetwijfeld hetzelfde gevoel waardoor inbrekers bleven inbreken. Marshall had iets vanuit het appartement mee naar beneden gebracht. In zijn parallelle universum liep hij in haar richting naar de gehavende werkbank. Het leek wel een bezem of misschien was het een nieuwe tl-buis om de kapotte aan deze kant van de kelder te vervangen. Maar toen hij het op de werkbank legde, zag ze wat het was: een bijl.

Haar man had een bijl gehad in hun appartement, in hun huis, en nu, midden in de nacht, nu hij dacht dat zij er niet was, bracht hij hem naar de kelder. Haar schedel kriebelde, haar haren gingen rechtovereind staan en haar huid rondom de haarwortels kromp.

Dit was de jongen die opschepte dat hij peuters en katten vermoordde, maar nu volwassen was.

Polly keek, met de ontluikende angst van een vrouw die onvermijdelijk naar de rand van een steile afgrond wordt geduwd, naar Marshall die de dop van een blik verfverdunner schroefde, een doek bevochtigde en zorgvuldig de kop van de bijl schoonveegde. Toen hij klaar was, smeet hij de doek op de vloer en gooide er een brandende lucifer op. De steekvlam zette Polly en haar stoel in een spotlight alsof ze op een toneel zat. Marshall keek niet eens. De vlam was bijna even snel gedoofd als hij was omhooggeschoten, waarna de kelder naar chemicaliën en verbrande katoen rook. Met de langzame, methodische bewegingen van een slaapwandelaar doofde hij de as met zijn schoenen, pakte de bezem, veegde de as in een stofblik en leegde die in de afvalbak.

Gacy en zijn kruipruimte vol rottende kinderlijkjes doemden voor Polly op, even reëel alsof ze erbij was geweest en het niet alleen op de tv had gezien. Ze kon het ontbindende vlees zelfs ruiken.

Met precieze, zorgvuldige bewegingen hing Marshall de bijl aan de middenbalk. Hij liep naar de achtertrap, maar hij liep de trap niet op, maar ging op de onderste trede zitten, met zijn ellebogen op de knieën, zijn gezicht in de handen en begon te huilen. Even stilletjes als het spook dat ze was geworden stond Polly op. Ze sloop naar Danny's achterdeur en stapte de tuin in. Zonder geluid te maken glipte ze door het hek en stapte in haar auto.

Of Marshall haar wel of niet had opgemerkt wist ze niet. Ze kon zich er niet toe brengen achterom te kijken.

30

01.04 uur.

Polly was een vampier geworden die in het holst van de nacht door de stad sloop en aan bloed dacht. Dat moest het zijn geweest, de vlekken op de bijl die Marshall mee naar de kelder had genomen. Waarom zou hij het blad anders met terpentine hebben schoongemaakt en die doek daarna hebben verbrand?

Het bloed van de Vrouw in het Rood? Was ze vermoord omdat ze Polly had gewaarschuwd? Omdat hij Polly's verhaal aan haar had verteld? Of had hij Polly's verhaal juist aan de vrouw verteld zodát ze Polly zou waarschuwen? Of had hij het gedaan om redenen die alleen een psychopaat kon begrijpen en die je nooit aan een normaal mens kon uitleggen?

Ze leunde met haar hoofd tegen de hoofdsteun van de Volvo en sloot haar ogen. Niet zien was erger dan zien. Als ze haar ogen dicht had, werden de beelden in haar hoofd juist scherper. Van het ene moment op het andere – sinds die afschuwelijke zielige vrouw haar had verteld dat ze Marshall zou vermoorden – was het verrukkelijke leven van een hoogleraar Engels van middelbare leeftijd, voor het eerst echt verliefd, veranderd in een slechte B-film.

'Typerend,' mompelde Polly. Haar moeder was veertien geweest en had in een caravan gewoond toen Polly ter wereld kwam. Caravanafval.

'Lieve mensen, ik ben afkomstig uit de afvalberg van Prentiss,' zei ze tegen een denkbeeldig publiek. 'Mijn moeder was caravanafval en mijn vader, tja, die was blank afval.'

Polly had alle cadeaus die ze had gekregen – van haar moeder het vermogen zich te handhaven, van haar grootmoeder het vermogen te werken en ongetwijfeld van de een of andere marskramer een goed karakter – gebruikt om weg te komen van die vuilnisbelt waar het leven goedkoop en smerig was, waar kapotte wasmachines in de voortuin stonden en oude auto's in het gras onder het keukenraam werden gestald.

Vannacht had ze het gevoel alsof de tijd als een slang om zichzelf heen was gekronkeld en ze weer een klein meisje was, gevangen in een leven vol sigarettenpeuken, gedeukte bierblikjes en rottende autobanden. Misschien was ze wel in die caravantroep geboren voor deze nacht. Misschien was het Gods manier om haar voor te bereiden op 'dat wat moet worden doorstaan'.

Ze maakte haar gordel vast en startte de auto.

Ze parkeerde de auto niet voor het vervallen huis op La Salle, maar in een zijstraat om de hoek met minder verkeer en minder verlichting. Toen ze de auto op slot deed, verzon ze allerlei slimme smoesjes.

Wat moest ze doen als de auto werd gestolen of opengebroken? De politie bellen? Het leven van een misdadiger was niet zo simpel als iedereen dacht.

De deur naar het trappenhuis hing open, nodigde haar het pikkedonker in, de muil van een watermonster met een bijzonder kwalijke adem. Katers, op twee of vier benen, hadden hun territorium met penetrante regelmaat gemarkeerd.

'Hoe erger het stinkt, hoe kleiner de kans dat er aanvallers of moordenaars binnen zijn,' fluisterde Polly.

Ze wilde snel naar boven lopen zodat ze daar was voordat ze moest inademen en stapte de inktzwarte duisternis in. Op de kleine overloop voor de voordeur van de tarotlezeres bleef ze staan. Het was een korte klim, maar haar hart ging tekeer alsof ze het Empire State Building had beklommen.

Eén duwtje en de deur ging open. Polly voelde zich een beetje dom en heel erg moedig, maar ze glipte toch naar binnen, deed de deur achter zich dicht en knipte het licht aan. Er was niet veel kans dat iemand zag dat ze hierbinnen was. Voor de ramen hingen gele rolgordijnen die waren bedekt met van alles, van handdoeken en lakens tot een gebloemd dekbedovertrek. Dit was meer een hol dan een huis, niet omdat Rood een beest was, maar omdat ze zich hier voor de wereld verstopte. Polly drukte de gedachte aan de in plastic gehulde vermoorde vrouw in de badkamer weg en bekeek het bizarre landschap. Ze dacht aan *Onze wederzijdse vriend* van Dickens: de vuilnisman die jaar na jaar door bergen Londens afval struint op zoek naar een verloren schat. Ergens te midden van de bergen afval van de Vrouw in het Rood hoopte ze de antwoorden te vinden op vragen die ze haar echtgenoot niet durfde te stellen.

Om te voorkomen dat haar handtas in het moeras zou wegzinken, zette ze hem op een omgekeerde mand bij de deur en ze begon aan de dichtstbijzijnde berg, als een archeoloog die het afval van een verloren beschaving doorzoekt.

Een uur later had ze drie meter afgewerkt. Waar een hopeloze wanorde had geheerst, heerste nog steeds een hopeloze wanorde, maar ze had alles onderzocht. Bukkend, kruipend, onderzoekend bekeek Polly elk object – van vieze koffiebekers tot stukjes papier – en smeet het daarna over haar schouder. Omdat ze niet wist wát ze zocht, kon ze het zich niet permitteren iets over het hoofd te zien.

Haar vermoeidheid verdreef algauw het ongemakkelijke gevoel dat ze samen met de waarschijnlijk onrustige geest van de vermoorde vrouw in dit appartement was. Onbewust begon Polly tegen de Vrouw in het Rood te praten; ze besprak elke ontdekking die ze deed: 'Je lijkt Ma Flodder wel. Het verbaast me dat je geen kat hebt. Je hebt in deze puinhoop toch geen kat verstopt, hoop ik? Kom eens katje, poes-poes-poes! Sorry, liefje, maar ik heb net een lippenstift kapotgemaakt. Het zit allemaal op de zool van mijn schoen. Maar ach, je schoonmaakster merkt dat vast niet. Lieve hemel, wat doe je in vredesnaam met al die tassen? In New Orleans is niet eens genoeg geld om al deze portemonnees te vullen. Je hebt ze nooit gebruikt, hè? Kijk maar, hier hangt het prijskaartje nog aan. Arme ziel. Het gaf je vast een goed gevoel om een cadeautje voor jezelf te kopen en te dromen. Een koopje voor negen-negenennegentig. Aanstekers en aanstekers en boekjes lucifers! Het verbaast me dat ze je niet hebben opgepakt voor brandstichting. Nee hè! Je hebt een abonnement op *Plus Magazine*! Er liggen hier wel veertig van die tijdschriften! Liefje, ik zou niet dood gevonden willen worden met zelfs maar eentje in mijn huis. Sorry, liefje, maar je bént dood gevonden. Ik heb in de wachtkamer van de dokter een keer een *Plus Magazine* gelezen, zoals een kleine jongen stiekem de *Playboy* van z'n vader doorbladert. Lieve help, je bent moediger en minder ijdel dan ik ben!'

Tegen drieën had Polly de muur bereikt tussen de woonkamer en de slaapkamer met badkamer. Haar oogleden schuurden over haar netvlies en haar keel was ruw van het stof.

Inmiddels vond ze het wel erg, dat lichaam in de badkuip. Nadat ze de restanten van het leven van de dode vrouw had bekeken, had ze medelijden met haar en voelde ze eigenlijk ook wel enige genegenheid voor de vrouw.

Nu ze haar rommelige bezittingen had doorgespit, wist Polly dat de Vrouw in het Rood dol was geweest op Nancy Drew, Ethan Hawke en een professionele worstelaar, de Mondo King. Ze hield van schoenen en sjaaltjes. Een met blauw fluweel bekleed sigarendoosje bevatte geliefde snuisterijen – van een minnaar, dacht Polly. Deze items waren de enige in het hele appartement die netjes waren opgeborgen. De highschoolring van een jongen; een zilveren hartje – niet van echt zilver, maar verzilverd – aan een dof kettinkje, zoals je op de kermis kunt winnen of in een souvenirwinkeltje kunt kopen, met een V erin gegraveerd; drie rozenknopjes, verschrompeld zodat ze meer bruin dan geel waren, met lange spelden door de met plakband omwikkelde steeltjes; een stel kralen oorbellen; en een knoop. Alles lag netjes naast elkaar, alsof Rood er vaak naar keek of had gekeken. Polly vond dit het zieligste van deze hele vuilnisbelt vol zielige dingen. Roods minnaar had zo weinig van zichzelf cadeau gegeven dat zijn cadeautjes in een sigarendoosje pasten en niet meer waard waren dan een pakje sigaretten.

Hoewel het appartement boordevol lag met spullen, was het sigarendoosje het enige echt persoonlijke.

Polly vond wereldse goederen niet echt belangrijk, maar iemand die haar huis zou doorzoeken vond foto's van kinderen en vrienden, brieven van studenten, geaccepteerde en afgeslagen uitnodigingen, agenda's met afspraken erin, zelfgemaakte verjaardagskaarten, boeken met een opdracht voorin, prijzen, diploma's, briefjes op memoborden – een samenvatting van het driedimensionale leven van Polly Marchand. Maar in Roods overvloed aan spullen was niets te vinden wat iets zei over haarzelf, alleen maar bewijzen van haar neuroses, verslavingen en depressies. Behalve het sigarendoosje was er geen enkel bewijs dat iemand een stempel op haar leven had gedrukt, of zij op dat van iemand anders.

'Erg op zichzelf,' had Emily de tarotlezeres gezegd.

Ze vulde de leegte, dacht Polly toen ze naar alle materiële zaken keek waar Rood zichzelf mee had omringd.

Onder het bed waarin de Vrouw in het Rood voor het laatst had gelegen, toen nog gebruikmakend van het meubelstuk, toen nog met het licht aan, toen nog door tijdschriften bladerend en sigaretten rokend, vond Polly het tweede persoonlijke item: een fotoalbum versierd met gigantische madeliefjes in de psychedelische kleuren van de jaren zestig, een album dat een meisje van zestien cadeau zou kunnen krijgen. Op haar geheel eigen wijze had Rood haar memorabilia niet onder de zelfklevende plastic vellen gestopt, maar ze er gewoon in gepropt.

Polly zat in kleermakerszit op de vloer – de smerige dampen die hieruit opstegen waren ongetwijfeld minder giftig dan die uit het vieze beddengoed – met het fotoalbum op haar schoot en sloeg het kleurrijke album open. Tussen de binnenzijde van de omslag en de eerste bladzijde zaten kiekjes, oude polaroidfoto's, helemaal verkleurd. Enkele zaten aan elkaar geplakt doordat ze al zo lang op elkaar hadden gelegen. Er was een foto van een man en een vrouw op de trap van een stenen huis. Op de onderste tree lag een omgevallen fiets. Een meisje van een jaar of acht, negen zat ernaast en glimlachte naar de camera. Op twee andere foto's van het gezin stonden de moeder, het kleine meisje en een verlegen tiener. Het gezicht van het oudere meisje was eraf gekrast.

'Dat ben jij, hè?' vroeg Polly aan de geest die haar gezelschap hield. 'Arme meid. Verschrikkelijk dat je jezelf hebt weggevaagd. Ik kan de man of vrouw wel wurgen die ervoor heeft gezorgd dat je jezelf zo haatte.'

Polly legde de foto's weg en sloeg de bladzijde om. Ook hier had Rood foto's onder het plastic geschoven maar niet mooi gerangschikt. Dit waren 'artistieke' foto's zoals ieder meisje dat net een camera heeft gekregen maakt. Eén foto leek door een kwastgat in het hout te zijn genomen. Drie waren van het huis, met de camera in een excentrieke hoek gehouden. De andere waren foto's van een jongen in de verte, zo te zien vanuit een bovenraam genomen. De afstand was zo groot dat Polly niet kon zien of de jongen blij of verdrietig, knap of gewoontjes was. Hij was blank en een puber, maar het kon iedere jongen zijn. Op de verbleekte polaroids maaide hij het gras, plakte hij een band en liep hij het stenen huis van twee verdiepingen in en uit. De fotograaf had vierentwintig foto's van hem gemaakt, een heel rolletje vol.

Polly vroeg zich af of dit onwetende model en de highschoolring iets met elkaar te maken hadden. De Vrouw in het Rood was ooit heel verliefd op hem geweest, maar Polly kon zich niet voorstellen dat deze jongen zijn ring zou geven aan het verlegen meisje dat haar eigen gezicht had weggekrast.

Misschien heeft ze hem gestolen.

'Sorry, liefje. Dat was niet aardig. Natuurlijk heb je zijn ring niet gestolen,' excuseerde ze zich tegenover de onzichtbare vrouw wier lichaam lag te rotten in de badkuip in het vertrek ernaast.

Polly legde deze foto's bij de andere. Toen ze de volgende bladzijde omsloeg, vielen er vergeelde en verkreukelde krantenknipsels uit.

'Nou zeg, ik zie vanavond niets anders dan oude krantenknipsels! De laatste keer dat ik zoveel krantenknipsels bij elkaar heb gezien was toen Gracie nog een parkiet had,' zei Polly. Ze legde ze op haar schoot en streek ze glad. De inkt zou vlekken op het linnen veroorzaken, maar in het eerste uur in dit huis had ze al besloten de broek te wassen en weg te geven aan een liefdadigheidswinkel. Maar tussen toen en nu had ze besloten hem te verbranden.

'Dit zijn zeker veertig artikelen!' riep Polly uit. 'Die ga ik echt niet allemaal lezen, liefje. Het kan me niets schelen hoe lang je ze al hebt bewaard.'

'Raines,' las ze hardop.

In de archiefdoos in de kelder was sprake van de zaak-Raines.

'Verdomme.'

Opeens ging het licht uit. In één klap was het pikdonker in het appartement. Polly gromde, gedesoriënteerd, vermoeid, hulpeloos, vermoeid en verrast.

Duisternis en stilte – zelfs de airco was ermee opgehouden.

'De stroom is uitgevallen,' zei ze tegen de stilte.

Toen hoorde ze geluiden in de woonkamer.

Polly was al zo lang in het universum van de tarotlezeres dat haar eerste gedachte was dat het de geest van de Vrouw in het Rood was. 'Ben jij dat?' vroeg ze voordat ze zich kon inhouden. Het antwoord was een scherpe inademing. Geesten hoefden niet te ademen.

Het geluid in de kamer ernaast hield na haar woorden op. De man – het was vast een man – was stil blijven staan. Polly hield haar adem in om te luisteren. Ze had hem niet binnen horen komen. Dit was geen opportunistische dief; hij was hier al eerder geweest. Alleen iemand met ervaring kon zonder geluid te maken en zonder licht van de overloop naar de woonkamer lopen.

Polly had gedacht dat de gebeurtenissen van deze dag haar adrenalineklieren hadden uitgeput, maar haar hart klopte zo snel dat het bloed dat langs haar oren suisde alle andere geluiden overstemde. In de totale griezelige duisternis werden al haar zintuigen alert: haar oren luisterden ingespannen, haar ogen gingen wijd open, haar neusvleugels sperden zich open, elk zenuwstelsel was op zoek naar informatie waarmee ze dit misschien kon overleven.

Ze twijfelde er niet aan dat het een kwestie was van leven of dood. De moordenaar van de Vrouw in het Rood was in het appartement. Geweld vulde de lucht, een negatieve lading waardoor de haartjes op haar armen overeind gingen staan. Polly was opgegroeid met geweld en ze was de scherpe vibratie in de lucht die daaraan voorafging nooit vergeten.

Tussen de ene ademhaling en de volgende begreep ze wat er werd bedoeld met de uitdrukking dat je leven in een flits aan je voorbijgaat. Ze had gedacht dat het een soort versnelde diavoorstelling was, beelden van het ene prettige moment na het andere.

Maar zo was het niet. Haar hele leven, wie ze was, wat ze had gedaan, alles explodeerde op hetzelfde moment. Een supernova van herinneringen: mensen tegen wie ze had gevochten, mensen voor wie ze had gevochten, mensen van wie ze had gehouden en die ze had gehaat, en die ze was kwijtgeraakt, en die ze had gevonden. Het leven dat ze had gekregen en het leven dat ze had gemaakt. Haar dochters op elke leeftijd. De rotzooi van haar jeugd en de rotzooi in haar tuin. Slechte mensen van wie ze was weggelopen en mensen die ze had omhelsd. De echtgenoot die ze had verlaten en de echtgenoot van wie ze hield. Bijlen en exen, verjaardagsfeestjes en huisdieren, lekke banden en spelwedstrijden, bevallingen, boodschappen, Emily Dickinson, te kleine schoenen, angina. Het was er allemaal.

Toen was het verdwenen. Polly viel terug in een totale duisternis van lichaam en geest. Maar haar levenskracht was er nog. Helemaal. De herinneringen hadden haar levenskracht geactiveerd. Ze zou níet eindigen als nog een stuk vuilnis op de vloer van deze vuilnisbelt. Polly had op haar vierde al geleerd te ontsnappen aan dronken mannen en gestoorde vrouwen. Als ze slecht sliep, werd ze wel eens wakker en dacht ze dat ze woedende voetstappen hoorde boven haar schuilplaats onder de caravan. Ze was toen zo klein geweest dat ze door kattenluikjes en stapels hout had kunnen kruipen, zich in hoog gras had kunnen verschuilen. Hier had ze alleen maar duisternis en stilte. Als de man in de andere kamer een zaklamp bij zich had, was het afgelopen. Zien was in zijn voordeel en ze vroeg zich af waarom hij de stroom had uitgeschakeld.

Hij wilde niet herkend worden.

Omdat ze hem kende.

Het idee dat het Marshall was, beroofde haar heel even van haar wil om te leven. Maar haar leven was te rijk om zomaar op te geven.

'Je zult hem vermoorden,' hoorde ze Rood sissen. 'Je zult je man vermoorden.'

Gracie en Emma, hand in hand, lachend.

Dan moet het maar, dacht Polly.

'Au,' hoorde ze in de andere kamer. Net als zij probeerde de man geen geluid te maken.

Hij had het licht uitgedaan omdat hij de weg kende in het huis. Maar in de afgelopen uren had Polly alles verlegd. Opeens wist ze weer hoe ze de stapels troep had neergelegd; ze had niet slechts een vage herinnering aan waar de dingen waren maar een compleet overzicht van alles wat ze in handen had gehad, waar ze alles had neergesmeten en hoe hard.

Ze wist het precies.

Ze vroeg zich af waarom haar hersenen nog zo goed functioneerden, waarom ze niet verlamd was van angst.

Misschien omdat ze nu iets – iemand – had om tegen te vechten. Bij die gedachte verloor ze iets van haar moed. Fysiek was ze niet sterk; de gevechten in haar leven waren vooral intellectueel geweest. Deze gedachten explodeerden op dezelfde gestaltmanier als bij haar levensverhaal was gebeurd: in een flits zag en begreep ze alles.

De man in het andere vertrek probeerde niet langer stil te zijn en strompelde door de kamer. Er viel een lamp. Tot in detail zag Polly waar ze die lamp achter zich had gegooid, met een scheve kap en met het snoer om de poot gewikkeld. Hierna zou hij op lege whiskyflessen trappen.

Hij gilde en viel. Polly liep twee stappen naar achteren en versmolt met de kast. De zachte muur van hangende en vallende en glijdende kleren drukte tegen haar rug. Het weefsel onder haar voeten absorbeerde het geluid van haar voetstappen. De polyestermuur drukte om haar heen, kronkelde boven haar hoofd, omvatte haar armen en handen, en verzwolg haar ten slotte helemaal.

Een krassend geluid en een licht laaiden op bij de deurpost.

De man had een van de honderden luciferboekjes gevonden die Rood tussen de tijdschriften en peuken had laten slingeren. Polly trok een sjaaltje voor haar gezicht en liet het over haar ogen vallen. Ze wist niet zeker of ze dat deed om niet gezien te worden of om het gezicht van de moordenaar niet te hoeven zien. Door de dunne stof heen kon ze alleen vormen en licht en donker onderscheiden.

De lucifer was opgebrand. Ze hoorde glijdend papier en een onderdrukte vloek.

De *Plus Magazines*.

Polly had ze een voor een over haar schouder gegooid nadat ze ze stuk voor stuk had uitgeschud voor het geval er een briefje of foto tussen de bladzijden zat. Ze vormden een glibberig pad in de woonkamer vlak bij de slaapkamer.

Griezelig rood licht scheen door de dunne stof voor haar ogen en kwam als een ster het firmament van de slaapkamer binnen. Het hopte en danste en toen, met een klik, was het uit.

De moordenaar zei niets. Niet 'Ik weet dat je hier bent' of 'Waar ben je?' of 'Je hoeft niet te proberen te ontsnappen' – allemaal dingen die een moordenaar zou kunnen zeggen. Hij vloekte zelfs niet als hij zijn vingers brandde aan de lucifers of struikelde over een van de vallen die Polly onopzettelijk had gezet.

Hij wilde niet dat ze zijn stem herkende.

Instinctief wist Polly dat dit niet betekende dat hij haar in leven wilde laten, maar dat hij niet wilde dat ze wist wat hij was.

Hij stak weer een lucifer aan. Deze kwam als een vuurbal vlak bij haar gezicht.

Voordat ze zich kon bewegen, ging de lucifer uit en werd ze omringd door een welkome duisternis. Voetstappen verwijderden zich, schuifelden door de dikke laag kleding op de grond. Door een waas zag Polly dat een grote man met zijn rug naar haar toe hurkte. Nog drie lucifers werden aangestoken terwijl hij het fotoalbum op het bed bekeek.

Polly's situatie zou niet verbeteren. Hij zou haar algauw vinden. Hij wist dat ze hier was geweest, hier was. Hij had haar hier waarschijnlijk naartoe gelokt met die kaart, hij was haar hier waarschijnlijk naartoe gevolgd nadat ze de kelder had verlaten.

Nu moedig zijn, zei ze tegen zichzelf. Ze zoog haar longen vol lucht, schreeuwde inwendig zoals vroeger voordat ze in een ijskoude beek sprong en rende opeens de kast uit. Ze sleepte kledingstukken met zich mee en gilde als een speenvarken. Het sjaaltje hing voor haar gezicht, bloesjes, rokken en schoenen vielen voor haar op de grond en zo viel ze de gehurkt zittende man aan. Ze stortte zich op hem, duwend en struikelend. Hij viel om en de vechtpartij was voorbij. De meters stof die zo welkom waren toen ze zich verstopte, zaten nu om haar enkels gewikkeld en ze klapte tegen het nachtkastje.

Haar linkerbovenbeen zat in een ijzeren klem.

Polly vocht zich los en liep als een blindeman op de tast naar de deur naar de woonkamer; Roods kleren leken wel geesten die haar probeerden tegen te houden. Iets zachts klemde zich om haar voeten en ze zakte door haar knieën. Vingers grepen haar enkel, klemden zich eromheen, groeven diep in haar achillespees. Ze gilde het uit van de pijn.

Haar aanvaller gromde van inspanning.

En van plezier.

Polly gleed uit op de wegglijdende tijdschriften en verloor terrein. De vingers van de man leken wel kabels, hij was zo sterk dat hij haar naar achteren kon trekken. Hij was veel sterker dan zij; met gebalde vuisten zou hij haar nieren kunnen pletten; hij had zich op haar kunnen storten en haar nek kunnen breken of haar hoofd op de grond kunnen slaan. Hij deed niets van dit alles; langzaam, alsof hij ervan genoot, trok hij haar naar zich toe, slokte haar op als een slang een muis. Afval stapelde zich op onder Polly's kin, ze verdronk erin. Ze gleed weg op de gladde tijdschriften, haar handen vonden geen houvast. Toen Gracie nog een baby was en nog niet kon lopen, kroop ze over de satijnen beddensprei. Dan greep Polly haar bij haar kleine roze voetjes, trok haar terug in haar armen en kuste haar, en dan kroop Gracie weer weg, lachend. Emma niet. Emma rolde zich om en begon boos te krijsen.

Polly rolde op haar rug, waarbij ze haar gevangen voet pijnlijk verdraaide. Met haar vrije voet trapte ze wanhopig om zich heen. Uit haar keel kwamen dierlijke geluiden, gegrom en gepiep en gebrul. De moordenaar bleef haar vasthouden, met zijn gezicht tegen haar been gedrukt. Ze voelde zijn vochtige adem door de stof van haar broek. Zijn mond gleed van de achterkant van haar knie naar de binnenkant van haar bovenbeen, alsof hij haar wilde bijten. Polly bleef schoppen en voelde dat haar voet langs zijn rug gleed, langs zijn schouders. Uiteindelijk raakte haar hak een bot, ze trapte tegen zijn hoofd of zijn gezicht.

Haar gevangen been glipte uit zijn handen. Ze schopte weer en kroop achteruit als een krab. Voordat ze bij de deur was, moest ze zich hebben omgedraaid en zijn opgestaan, maar dat kon ze zich niet herinneren. Toevallig of bewust vond haar hand haar handtas op de omgekeerde mand. Ze greep hem beet, rende de trap af en de straat op. Misschien werd ze achtervolgd, misschien ook niet. Haar ontsnapping maakte zo veel lawaai dat ze het niet wist.

Buiten leek het licht van de lantaarns onnatuurlijk helder en ongelooflijk geruststellend. Ze rende naar haar auto.

Haar handen trilden zo dat ze de sleutel bijna niet in het contact kreeg. Ze startte de auto en reed over Jackson Avenue. Ze sloeg een zijstraat in. Op elke hoek keek ze achterom. Toen ze Louisiana Avenue overstak, keek ze in de achteruitkijkspiegel. Na al haar ontwijkende manoeuvres realiseerde ze zich dat ze hoopte dat de moordenaar haar achtervolgde, dat ze een zwarte SUV of een glanzende personenwagen zou zien.

Alles, maar geen kersrode pick-up uit 1949.

Charles Whitman. Texas Clock Tower. Dat zie ik mezelf wel doen. Niet nu (geen pistool, haha). Charlie is een marinier, weet je? Dus hij houdt van pistolen en heeft ze ook. Misschien heeft hij een vrouw die van alles wil hebben en misschien is ze zelfs wel lief en zo, maar ze wil van alles hebben en zit hem altijd aan zijn hoofd te zeuren. En misschien had hij op school wel van die leraren die hem altijd van alles vroegen. Misschien denkt die Charlie wel dat iedereen aan hem zit te vreten, stukken vlees van hem afbijt en hij algauw geen vlees meer zal hebben. En dan krijgt hij het gevoel dat de hele wereld alleen maar uit bijters bestaat en dus haalt hij zijn geweer tevoorschijn en besluit een paar bijters mee te nemen als hij sterft. Ja, dat zie ik mezelf wel doen.

31

Marshall had al zo lang niet meer gehuild dat zijn lichaam niet meer wist hoe het moest. Snikken verstierven tot boos gegrom. Hete en schrale tranen kropen uit zijn ooghoeken. Zijn schouders en armen schokten alsof hij zich wilde bevrijden uit klauwen met vlijmscherpe nagels.

De huilbui duurde maar een paar minuten. Tranen waren niet louterend, er was geen opluchting, alleen buikpijn waar zijn spieren zich hadden gespannen in een vergeefse poging uit te braken wat niet uit te braken was.

Ademhalen, psychopathische klootzak, zei hij tegen zichzelf en hij ademde warme lucht in, dik als watten, ademde luidruchtig uit en weer in. Samen met de zuurstof kreeg hij een zweempje gezond verstand binnen. Hij keek omhoog naar de middenbalk van de kelder.

De bijl hing op de plek waar hij hem nog geen vijf minuten tevoren had opgehangen. Hij was niet drie verdiepingen hoger beland om zich als een griezelige reus in een kinderverhaaltje onder het bed te verstoppen. Hij was niet door het donker gevlogen als een levend wezen, als een vleermuis die opstijgt in de nacht om onschuldigen te belagen. Ergens was dat wel een troost.

Het was donker in de kelder en het schoongemaakte metaal glom alleen in Marshalls gedachten. Toch stond hij op en deed het licht uit. Of het waar was wist hij niet, maar allerlei tv-series hadden hem ervan overtuigd dat schrobben met terpentine niet voldoende was. Een technisch rechercheur zou de bijl op de plaats van misdrijf bespuiten met een magische substantie waarna hij blauw zou opgloeien waar bloed in het hout was getrokken, gestold in de barsten tussen de handgreep en de kop.

Er is geen plaats van misdrijf, zei hij tegen zichzelf.

Hij hoorde een sleutel in het slot van de kelderdeur. Polly was thuisgekomen.

'Nee!' riep hij toen de deur naar binnen zwaaide.

Danny gilde, hoog, woest.

'Sorry, man, ik ben het maar, Marshall.'

'Verdomme!' schreeuwde Danny.

'Sorry,' zei Marshall.

'Het is midden in de nacht en de deur zit niet op slot. Wat is er verdomme... Wat doe je hier!' vroeg Danny.

Het was dat Marshall wist dat zijn broer nooit iets sterkers slikte dan aspirine en dat ook nog eens heel zelden, anders had hij gedacht dat Danny high was van iets. 'Ik woon hier,' zei Marshall. 'Rustig maar. Sorry, hoor, dat ik je aan het schrikken heb gemaakt.'

Danny deed de deur dicht, waardoor ook het meeste licht werd buitengesloten. Marshall voelde zich even bedreigd en stond instinctief op.

De dreiging verdween, of hij had het zich verbeeld.

'Het spijt mij ook, broer,' zei Danny. 'Ik had niet zo moeten uitvallen. Ik schrok me dood, weet je. Deur niet op slot, jij zit in het donker te schreeuwen. Ik schrok me rot, het verbaast me dat ik niet met m'n kop tegen de balken klapte.' Danny deed het licht weer aan en keek naar Marshall. 'Waarom zit je trouwens in het donker in de kelder? Waar is Polly? En de meisjes? Je ziet er niet goed uit, Marsh.'

'Polly en de meisjes logeren bij Martha,' zei Marshall lusteloos. Opeens vond hij het staan zo vermoeiend dat hij weer op de trap ging zitten.

Danny ging naast hem zitten. Zijn nabijheid was geruststellend. Zijn broer keek naar de middenbalk die de kelder in tweeën deelde.

'Hij hangt er, hoor. Ik heb hem net weer opgehangen.'

'Ik was niet op zoek naar de bijl,' zei Danny. Het was een aardig maar doorzichtig leugentje.

'Gisternacht hing hij er niet,' zei Marshall. 'Hij was boven. Onder het bed verdomme. Net als eerder.'

'En jij hebt niet...'

'Nee. Ik kan me er niets van herinneren. Ik ben verdomme een weerwolf. 's Nachts verander ik in een roofdier en dwaal ik door de straten, hunkerend naar bloed. Verdomme!' Hij wreef over zijn gezicht alsof hij dat beeld uit zijn gedachten kon wrijven.

'Je bent te streng voor jezelf, Marsh. Er is niemand gewond.'

'Er zat bloed op de bijl, Danny.'

Danny zei niets. Marshall vond dat niet prettig. Hij had behoefte aan geruststellende opmerkingen van iemand anders dan hijzelf.

'Weet je zeker dat het bloed was?' vroeg Danny ten slotte.

'Vrij zeker. Een heleboel, op het blad, de kolf, de handgreep.'

'Net als eerder.'

'Ja. Ik heb hem weer naar beneden gebracht, schoongemaakt met terpentine en daarna de doek verbrand. Ongetwijfeld een misdadige geest.'

'Misschien was het geen menselijk bloed,' opperde Danny.

'Is het dan minder erg? Dat ik door de buurt sluip en honden doodhak? Er is geen excuus voor, Danny. Psychotherapie is zinloos, en de farmaceutische industrie heeft geen middeltjes voor mensen zoals ik. Ik kan geen halfslachtige smoesjes blijven verzinnen. Dat is te gevaarlijk. Polly, Gracie, Emma...'

Even later vroeg Danny: 'Wat wil je dan doen?'

'Zelfmoord plegen,' zei Marshall lachend.

'Zeg dat niet!' zei Danny bang. 'Nooit! Je moet altijd bij me blijven, broer. Je mag er niet zomaar uitstappen.' Hij sloeg zijn arm om Marshall heen. 'We komen hier wel doorheen, hoor. Daar zorg ik voor. Neem je je valium wel voor je naar bed gaat? Juist nu moet je zorgen dat je niet oververmoeid raakt.'

'Ja, maar ik heb het gevoel dat ik een knal voor m'n kop krijg van dat spul.'

'Ze zijn niet eens zo sterk. Je bent gewoon zo opgefokt dat je dat denkt. Je lichaam heeft rust nodig. Wacht maar even.' Danny stond op en keek op hem neer. 'Je moet me beloven...'

'Ik maak mezelf echt niet met de tafelzaag van kant terwijl jij boven bent, hoor,' zei Marshall.

Danny keek hem met een scheve glimlach aan.

Marshall hoorde zijn broer naar boven lopen. Hij hield van dit pand. De kamers waren heel licht. Er waren zo veel ramen en deuren – voordeur, achterdeur, balkondeur, kelderdeuren – dat ze de sloten hadden laten veranderen zodat ze maar één sleutel nodig hadden en niet als cipiers met een enorme sleutelbos hoefden rond te lopen.

Danny's voetstappen kwamen weer naar beneden. Het geluid van zijn zachte zolen deed Marshall om de een of andere reden denken aan *The Doubtful Guest* van Edward Gorey.

'Hier.' Danny gaf hem een stuk of zes witte pillen.

'Wat is dat?'

'Valium. Hetzelfde spul in een nieuw jasje. Die vertegenwoordigers hebben me zo veel monsters gegeven dat ik de halve Derde Wereld zou kunnen ontspannen. Zal ik even naar boven rennen om je de bijsluiter te laten zien?'

'Niet nodig. Bedankt.'

'Neem twee; drie kan ook geen kwaad. Ga maar slapen.'

'Doe ik,' zei Marshall.

Danny kneep even in zijn schouder. 'Ga naar bed. Dat ga ik ook doen. Welterusten, broer.'

Danny's voetstappen gingen weer naar boven.

Marshall hoorde zijn keukendeur dichtgaan. Hij keek naar de pillen.

Wat je krijgt, moet je delen.

Bij die gedachte glimlachte hij.

Zelfs in slechte tijden waren er goede tijden. Omdat ze zeldzamer waren, beleefde je ze bewuster, onthield je ze beter. Misschien was dat de reden dat mannen hun oorlogen zo goed onthielden. Misschien was dat de reden dat hij zijn tatoeage niet had laten verwijderen.

Hij schoof zijn linkermouw omhoog en bekeek de ouwe merktekens. Ruwe groene lijnen, vroeger scherp maar nu vervaagd en verbleekt van ouderdom, vormden de cijfers 1 en 3 en de breuk 1/2. Een klassieke gevangenistatoeage. Hij was verdoofd met goedkope whisky die een van de 'meisjes' van een bewaker had gekregen in ruil voor een blow job. De tatoeëerder was even dronken geweest als de rest. Marshall herinnerde zich de naald, en het bloed, en het gelach.

'Dertien en een half,' had Draco gezegd. 'Eén rechter, twaalf juryleden, een halve kans.'

Marshall schoof zijn mouw naar beneden en keek weer naar de pillen. Lang geleden had hij illegale drugs afgezworen. Hij vertrouwde geen enkele arts en haatte de zogenaamde professionals in de geestelijke gezondheidszorg. Nu was hij verslaafd aan medicijnen, zat in een kelder met een handvol onduidelijke pillen en maakte grapjes over zelfmoord.

Hoe was het zover gekomen?

Tippity.

Nadat hij Elaines hondje bijna had doodgevroren, waren de nachtmerries teruggekomen. Niet zo erg als toen hij nog klein was, maar toch heel erg. Toen had Danny hem iets gegeven om in te slapen. Danny kreeg allerlei monsters, in bruine papieren zakjes.

Marshall had ze na die toestand met Tippity ongeveer een jaar geslikt en was er daarna mee gestopt. Toen hij met Polly trouwde, was Danny bang geweest dat hij weer in de hel zou belanden waar hij altijd in belandde als hij 'emotioneel' werd – Danny's term voor liefde – en had voorgesteld dat hij er weer mee zou beginnen. 'Dan hou je de monsters uit de buurt,' had Danny gezegd.

Hoewel Marshall het vreselijk vond dit toe te geven, sliep hij niet goed als er iemand bij hem in bed lag. En hij was banger geweest voor de monsters dan hij wilde toegeven. Daarom slikte hij die pillen.

Hetzelfde spul in een nieuw jasje, had Danny gezegd.

Dezelfde Butcher Boy van Rochester in een nieuw jasje?

32

Dertien en een half.

De tatoeage wekte herinneringen op die Marshall al zeker vijfentwintig jaar niet meer had toegelaten. Zelfs de goede herinneringen had hij verdrongen, maar ja, hij had nog nooit selectief kunnen zijn. De sluisdeuren stonden open of ze waren dicht. Deze nacht waren ze zo plotseling opengegaan dat de beelden hem meesleurden als een blad op een golf. Het verleden doemde voor hem op, net als het water wanneer de dijken braken, en hij keek ernaar met datzelfde gevoel van hulpeloosheid, met angstige verbazing.

Draco. Dokter Kowalski. Die achterlijke Zweed, Helman of Herman. Dokter Olson. Phil. Phil Maris, zijn wiskundeleraar, de man die hem had geleerd in gedachten te bouwen, de man met wie hij lsd had genomen. De man die hem in de steek had gelaten en daarna had gered.

Marshall herinnerde het zich niet alleen, de mensen uit zijn verleden waren nu bij hem. Hij rook de eeuwige sigarettengeur van Draco's haar. Phil glimlachte, Marshall was een trotse puber. Daarna Kowalski die achteroverleunde in zijn stoel.

Opeens was Marshall vanuit deze levendige herinneringen terug in de kelder.

God, wat had hij Kowalski gehaat! De meeste bewoners van Blok C hadden hem gehaat. Tientallen jeugdige criminelen, onder wie een massamoordenaar en twee messentrekkers, en toch had niemand Kowalski vermoord. Wat een verspilling van talent. Na die mislukte lsd-trip had hij die klootzak nooit meer gezien. In Drummond zei men vaak voor de grap dat het feit dat hij had geprobeerd Kowalski te vermoorden zijn onschuld bewees.

Geprobeerd was het sleutelwoord. Draco was ermee begonnen: hij zei dat als hij er niet in was geslaagd die slappe hufter te vermoorden, hij dus geen koelbloedige moordenaar kon zijn en dat dus iemand anders zijn familie moest hebben vermoord.

Phil Maris had hij daarna ook nooit meer gezien. De ochtend waarop hij uit de ziekenzaal was gekomen, nog steeds versuft door de lsd, maakte de directeur bekend dat Phil een betere baan had aangenomen in St.-Cloud. Het was halverwege het schooljaar; Phil had nooit iets gezegd over een andere baan en hij had van niemand afscheid genomen.

Die 'betere baan' was net zo'n onzin als Kowalski's 'betere baan' was geweest.

Een tijdlang wachtte hij op een brief, wachtte hij op bezoekdag, maar er was geen contact geweest. De directeur weigerde hem Phils nieuwe adres te geven, zodat hij hem ook niet kon schrijven. Hij had geprobeerd er met Rich over te praten, maar die had de pest aan de wiskundeleraar.

Als hij er tegen de bewakers over begon, reageerden ze terughoudend. Dan zeiden ze dezelfde onzinnige dingen als ze vroeger zeiden als een meisje zwanger was geworden. 'Ze is naar een andere school gegaan,' zeiden ze dan of: 'Ze is op bezoek bij een tante in een andere staat.' En dan keken ze elkaar aan met die bepaalde blik op hun gezicht.

Phil had iets stoms gedaan en was weggestuurd. Niet ontslagen; als dat het geval was geweest, zou er geen sprake zijn geweest van die scheve grijnzen en wetende blikken.

Ongeveer een jaar later hoorde hij dat Phil lesgaf op een highschool in St.-Cloud, dus misschien waren het niet allemaal leugens.

Zodra hij een beetje was gewend aan Phils vreemde vertrek, liet hij het rusten. In de jeugdgevangenis was vreemd normaal. Daar vragen over stellen was niet alleen tijdverspilling, het kon je ook in de problemen brengen. Achteraf gezien vroeg Marshall zich af waarom het personeel na Phils vertrek de 'kleine potjes hebben grote oren'-act uit de kast had gehaald. Als hij was ontslagen omdat hij drugs gebruikte, zouden ze het hebben gezegd, zouden ze het hebben gebruikt als een duidelijke les over de kwalijke gevolgen van drugsgebruik.

En Dylan was geen 'klein potje'. Op zijn vijftiende was hij één meter tachtig, tweeënzeventig kilo en veroordeeld voor moord. Wat kon zo erg zijn dat ze daarmee zijn minderjarige oren niet wilden bezoedelen? Als ze dachten dat ze zijn onschuld beschermden, waren ze drie lijken te laat.

En toen, drie jaar later, slaagde Phil erin hem uit Drummond te krijgen. Hij had Phil niet gezien en Phil had nooit contact met hem opgenomen. Het was allemaal achter de schermen geregeld. Omdat Danny een gegeven paard niet in de bek had willen kijken, had hij zich er niet in verdiept. Marshall had dat ook niet gedaan. Hij wilde niets liever dan 'Dylan, de monsterjongen' vergeten en had met een gevoel van opluchting Minnesota verlaten en een andere naam aangenomen.

Zodat hij voor de verandering een 'jongen die echt leefde' kon zijn.

Marshall lachte. Het geluid klonk hol in de vochtige kelder.

Dylan Raines zou nooit een jongen zijn die echt leefde. Op een dag zou die arme knul zich die moorden weer herinneren en dan zou Marshalls kaartenhuis, inclusief zijn zogenaamde huwelijk en geleende gezin, in elkaar storten.

Opeens voelde Marshall de intense behoefte Phil weer te zien, zodat hij hem kon laten zien hoe hij was veranderd en hem kon bedanken omdat Phil hem had geleerd in gedachten te bouwen. Dat wilde hij doen voordat het kaartenhuis in elkaar stortte. Die behoefte was zo sterk dat hij half opstond, alsof hij naar de telefoon of het station wilde rennen om zijn oude leraar op te zoeken.

En met de elektronische oren en ogen van tegenwoordig, de sporen die je achterliet bij elke aankoop, bij elk vliegtuigticket, met elk telefoontje, zou hij hem kunnen opsporen. Phil Maris was niet eens veel ouder dan hijzelf. Hij was nog maar...

'Bijna zeventig,' zei Marshall hardop. Hij liet zich weer op de trap zakken. De man was misschien wel dood of kon zich de moordzuchtige jongen die veertig jaar terug van hem had gehouden misschien niet eens meer herinneren.

Zonder Phil en zijn mind games en de tuin waar ze die laatste avond aan waren begonnen, zou Dylan de Butcher Boy zijn gebleven.

'Dank je wel,' zei Marshall tegen het donkere plafond. 'Waar je ook bent terechtgekomen. Als jij me er niet uit had gehaald, had ik nu ongetwijfeld meer tatoeages en minder tanden.'

Hij dacht terug aan de dag van zijn vrijlating uit Drummond. De man van het gevangeniswezen, meneer Leonard, was een goeie vent gebleken. Hij had hem geholpen met school, met verhuizen en, ook al druiste het in tegen zijn flegmatieke levenshouding, zelfs met de naamsverandering die Danny wilde.

Meneer Leonard was toen al veel te dik en ruim over de veertig, en was nu waarschijnlijk dood. Marshall miste hem ook. Dylan miste hem helemaal niet.

Misschien omdat meneer Leonard Phil niet had gemogen. Dylan had indertijd halfhartige pogingen gedaan Phils telefoonnummer los te krijgen om hem te kunnen bedanken, maar meneer Leonard had dat niet willen geven. Hij zei: 'Het is helemaal niet nodig contact met hem op te nemen. Hij moet jou juist dankbaar zijn.' Dylan had geen tijd verspild aan pogingen het te begrijpen. Hij had nooit geprobeerd zichzelf – of anderen – te begrijpen. Hij was vrij en schudde de sneeuw van Minnesota van zijn laarzen.

Tientallen jaren later vroeg Marshall zich af waarom meneer Leonard zo de pest aan Phil had gehad. Leonard had een goeie vent geleken, recht door zee. Dylans vrijlating was dan misschien wel te danken aan Phil, maar was georganiseerd door het Minnesota Gevangeniswezen. Leonard vond het belangrijk. Waarom zou hij de pest hebben aan de man die dit in eerste instantie voor elkaar had gekregen? En waar zou Phil Maris hém dankbaar voor moeten zijn?

Dylan dacht dat hij, toen hij nog high was, misschien had verteld dat ze samen lsd hadden genomen en dat Phil daarom was weggestuurd, maar omdat niemand er ooit iets over had gezegd, had hij zich wat dat punt betreft na een tijdje gerustgesteld gevoeld. Bovendien deden veel bewakers dingen die vele malen erger waren dan dat en zij werden nooit aangegeven. Ze verdwenen gewoon.

Kindermisbruik.

'Lieve help,' mompelde Marshall.

Phil was niet ontslagen omdat hij lsd had genomen, hij was ontslagen omdat hij zijn broek had laten zakken. Marshall voelde het verraad alsof het gisteren was gebeurd en hij nog steeds elf jaar oud was. Phil vergreep zich aan de jongens. Hij begon weer te huilen, een roestend raderwerk dat pijnlijk roteerde. Opeens hield hij op. Zijn woede was te heet voor tranen. Bliksemsnel vloog zijn vuist tegen de muur tussen de steunbalken.

'Onzin,' schreeuwde Marshall. 'Dat moet onzin zijn!' Phil had Marshall—Dylan nooit aangeraakt. Hij had nooit iets gedaan wat niet door de beugel kon, nooit, geen blik, geen grijns, vier jaar lang niet. Phil had ook nooit met een van de andere jongens gerotzooid, in elk geval niet voor zover Marshall wist. En hij zou het hebben geweten. Iedereen zou het hebben geweten. Over de wiskundeleraar werd niet gepraat, en in de bak had je toch al niet veel om over te praten. Bewakers grinnikten nooit en maakten nooit spottende opmerkingen als ze Phil zagen. Er was niets.

Phil had zijn leerlingen nooit aangeraakt.

Waarom maak je je daar nu druk over, vroeg Marshall zich af. Maar hij máákte zich er druk over. Nu, een leven later, vond hij het ontzettend belangrijk. Phil was een held in een wereld waar veel te weinig helden en veel te veel slechte mensen waren. Hij had van Phil gehouden. Dat had hij hem verteld na die lsd-trip waardoor hij in de ziekenboeg was beland.

Nee, dat had hij tegen Danny gezegd. Was dat soms de reden dat Phil was weggestuurd? Omdat een gedrogeerd joch had gezegd dat hij van Phil hield en iemand aannam dat dit meer betekende dan spirituele liefde?

Marshall schudde zijn hoofd en liet het toen in zijn handen zakken, met zijn ellebogen op zijn knieën gesteund om het enorme gewicht van zijn gedachten te helpen dragen. 'Verdomme.'

Zijn leven viel in duigen, zijn vrouw ging bij hem weg, en juist nu zat hij zich in de kelder druk te maken over Phil Maris, die zeer waarschijnlijk dood was, of met pensioen, of zich weer bij het Peace Corps had aangesloten om ergens in Verweggistan nog meer jongens te helpen.

Hij voelde kiezelsteentjes tegen zijn wangen drukken. De pillen. Danny's pillen. *Iets dat je helpt inslapen.*

Marshall stak zijn arm uit en knipte het licht boven de trap aan. Zijn broer had gezegd dat het valium was. Marshall stopte een paar pillen in zijn mond en wilde ze droog doorslikken, maar om een onverklaarbare reden spuugde hij ze weer in zijn hand.

Er was iets mis mee. Er was iets mis met heel veel dingen. Zijn soms wel en soms niet functionerende geheugen dat tussen de moorden en de poging tot moord op het kleine hondje prima functioneerde; een bijl waarvan hij zich niet kon herinneren dat hij die veertig jaar geleden had gebruikt, maar die hij slapend mee naar boven en weer mee naar beneden had genomen; Phil die was weggestuurd de dag na Kowalski's lsd-experiment; meneer Leonard die zei: 'Hij moet jou juist dankbaar zijn.'

Marshall wilde de puzzelstukjes wanhopig graag in elkaar passen, maar de stukjes die hij had waren niet stevig genoeg om stukjes te worden genoemd. Mistflarden. Gefluister in het donker. Lang geleden al had Marshall geleerd om de donkere hoekjes van zijn geest niet te onderzoeken, om nooit te luisteren naar niet-geautoriseerd gemompel. Op zijn elfde had hij zijn vaders oude bijl gepakt en zijn moeder, zijn vader en zijn kleine zusje Lena afgeslacht. Daarna had hij Ginger vermoord, hun kat. Al die jaren had die kwakzalver van een Kowalski geprobeerd het hem weer te laten herinneren en Dylan had geprobeerd ervoor te zorgen dat dit niet gebeurde. Maar alleen omdát hij het zich niet kon herinneren, hoefden ze hem niet met een lepel te voeren of elke ochtend van het plafond te schrapen.

Dylan wílde het zich niet herinneren en Marshall weigerde naar die jaren te kijken. Zowel de man als de jongen wist dat het het einde zou betekenen als hij het zich zou herinneren. Iemand die gezond van geest was, zou gestoord worden als hij het zich zou herinneren.

Dit was de eerste keer sinds die avond waarop dokter K. en Phil uit Drummond waren gestuurd dat hij aan die slechte ouwe tijd dacht. Of aan hoe die slechte ouwe tijd opdoemde in de goeie ouwe tijd, en hem eerst had beroofd van Elaine en nu van Polly, Emma en Gracie – net zoals hij zichzelf, Rich en de wereld had beroofd van zijn moeder, zijn vader en de kleine Lena.

Polly met haar verdomde tarotkaarten!

Ook daar was iets mis mee. Marshall was dan misschien een gestoorde massamoordenaar, maar hij was niet zo gestoord dat hij geloofde dat een oude in het rood geklede vrouw, die leefde van fooien van toeristen, op de hoogte was van de geheimen van het universum. Of van de geest van zijn vrouw.

Het was een truc. Een smerige truc. Op de een of andere manier had die vrouw de herinneringen die volgens Polly geheim waren te horen gekregen. Polly moest ze aan iemand hebben verteld.

'Nee!' zei Marshall opeens.

Ze had ze inderdaad aan iemand verteld. Aan hem.

33

Marshall was er zo aan gewend zijn broer te gehoorzamen dat hij naar boven ging. Naast het bed bleef hij staan. Daar had hij de afgelopen dagen vaker gestaan. Op zo'n moment had hij als een soort Superman geprobeerd om met zijn röntgenogen door de matras heen te kijken om te zien of hij er misschien onbewust een scherp wapen onder had verstopt. Maar nu was hij niet op zoek naar de bijl. Hij dacht alleen maar aan de pillen die Danny hem had gegeven.

Op een willekeurige andere avond zou hij er zonder bijgedachte een paar hebben ingenomen en zich hebben verheugd op een goede nachtrust. Maar vannacht wilde hij weten wat voor pillen het waren. Wat het was. Wat ze deden. Wie ze had gemaakt. Wat de bijwerkingen waren.

Er was zoveel wat niet klopte. Niet zoveel dat het meteen duidelijk was wat, niet zoveel dat je meteen het alarmnummer belde of je liet opnemen in een afkickkliniek, maar iets klopte er niet. Als hij dit gevoel op een bouwplaats kreeg, begon hij rond te lopen en om zich heen te kijken, hij bleef er zelfs wel eens slapen; dan wachtte hij tot de misleidende kleur of het anachronistische patroon zichzelf openbaarde.

Zijn vrouw en broer kwamen en gingen midden in de nacht als acteurs in een Franse klucht.

Een bijl verscheen en verdween weer.

Een gekrabbeld briefje in de keuken.

Een tarotlezeres die geheimen kende en dreigementen uitte.

Hij kon niets doen tegen zich verplaatsende bijlen, hij kon niets zeggen waardoor Polly niet nog banger voor hem werd, maar wat hij wel kon doen was uitzoeken welke medicijnen hij elke avond slikte.

Nog geen minuut later liep Marshall de trap af naar de keukendeur van zijn broer. 'Danny,' riep hij. 'Ik ben het! Doe open!' Onder de deur door zag hij dat het licht aan was, maar Danny reageerde niet. 'Hé!' Hij klopte aan en probeerde de deurkruk. De deur zat op slot.

Snel haalde hij de reservesleutel uit de kelder en liet zichzelf binnen. Hij hoorde zachte muziek – de een of andere sonate.

'Dan? Danny?'

Het bed was opgemaakt, de handdoeken in de badkamer waren droog en opgevouwen.

'Waar kan hij in vredesnaam...'

Danny had gezegd dat hij naar bed ging. Marshall trok de latjes van de jaloezieën uit elkaar en keek de tuin in. De auto van zijn broer was weg en het hek stond open. Marshall had hem moeten zien, tenzij Danny via de voordeur was vertrokken. Maar hoe Danny ook was vertrokken, Marshall had hoe dan ook de auto moeten horen.

Hij moest de auto hebben weggeduwd – niet moeilijk omdat de verharde oprit iets naar beneden liep – en had het hek niet dichtgedaan. Waarom? Om zijn broer niet wakker te maken? Zoveel rekening hield Danny nu ook weer niet met anderen. Waar was hij naartoe gegaan om drie uur 's nachts, of vier uur, of hoe laat het ook maar was?

Om lithium voor zijn psychotische broer te halen?

De psychiatrische afdeling. De luizenbak. Marshall onderdrukte een rilling. Als kind had hij het al verschrikkelijk gevonden, maar nu zou het waarschijnlijk zijn dood betekenen. Hij schudde die gedachte van zich af zoals hij duizenden nare gedachten van zich had afgeschud en liep naar Danny's werkkamer.

Marshall knipte het licht aan. Wonderbonen, dacht hij, toen hij de pillen op het gladde metalen bureaublad liet vallen. Hun vorm was kenmerkend, maar er waren geen letters ingeponst. Ze waren misschien merkloos en dus niet te traceren. Hij haalde het *Farmaceutisch Handboek* uit de boekenkast, legde het op Danny's bureau, sloeg het open en zocht op kleur, formaat en vorm. De pillen waren niet merkloos.

Het was zolpidem.

'Neem een stuk of twee, drie, als je denkt dat het nodig is. Valium,' had Danny gezegd.

Marshall wist niet veel van medicijnen – dat was zijn broers afdeling – maar zolpidem was in het nieuws geweest. Een van de bijwerkingen was geheugenverlies. Als je ze slikte en niet ging slapen, was de kans groot dat je een paar dingen deed die je je de volgende ochtend niet herinnerde.

Was dat het wat hij had gedaan? De pillen geslikt, met een bijl gespeeld, een chihuahua in de vriezer gestopt, en god mocht weten wat nog meer, daarna in bed gestapt en de volgende ochtend wakker geworden zonder zich dat te herinneren?

Waarom gaf Danny hem een medicijn dat precies dat veroorzaakte wat hij uit alle macht probeerde te voorkomen? Waarom zei hij dat het een lichte dosering valium was?

De fundamenten van Marshalls leven waren even zwak als die van New Orleans nadat ze zo lang onder verontreinigd water hadden gestaan. Gebouwen stonden scheef. Deuren konden niet meer dicht. Ramen konden niet meer open. Er kwamen scheuren in.

Marshall waadde voorzichtig door verraderlijke wateren en opende Danny's dossierkast. Ondanks zijn rijkdom en goede smaak leidde Danny het leven van een monnik. Wat hij had was van de beste kwaliteit, maar hij had niet veel nodig en hij onderhield zijn bezittingen heel goed. Marshall wist niet goed waar hij naar op zoek was en bladerde snel door kassabonnen, garantiebewijzen, computerhandleidingen en de huurcontracten van huurpanden die Danny bezat.

Dat waren er vier, wist Marshall. Twee ervan had hijzelf gerenoveerd en het dak van het derde pand had hij door een ander laten renoveren. Het vijfde pand, gearchiveerd onder de letter V, was nieuw voor hem. Een flatgebouw in de vervallen wijken van Center City. Omdat het anders was, omdat het geheim was, haalde Marshall het dossier uit de la. Een van de appartementen was verhuurd aan V. Werner.

Vondra Werner. Rich had seks met haar gehad toen hij dertien was; daar had hij zich mee beziggehouden toen hij dankzij zijn broertje wees werd. Vondra was geobsedeerd geweest door Rich, smeekte hem nog of zij hem naar Drummond mocht rijden toen hij al drie jaar zelf een rijbewijs had.

Vondra was in New Orleans en Danny had haar een appartement gegeven. Stiekem. Marshall bekeek het contract. Geheim en gratis. Vondra Werner was Danny's... wat? Minnares? Zover Marshall wist had Danny geen lovers, geen vrouwen, geen mannen. Maar kennelijk vertelde Danny hem niet alles. Niet zoals hij Danny alles vertelde.

Volgens het huurcontract was haar beroep 'tarotlezeres, Jackson Square'.

Polly's tarotlezeres?

Marshall stopte het huurcontract terug in het dossier. Een gevoel van onvermijdelijkheid bekroop hem. Marshall moest het weten. Kowalski had gelijk gehad; de waarheid kwam naar boven en liet hem niet los. Hij liep van Danny's werkkamer terug naar Danny's slaapkamer. Danny was te zeer op zichzelf om persoonlijke dingen te bewaren in een vertrek waar ook andere mensen kwamen.

Zijn slaapkamer was even breed als het gebouw, tien meter breed en zeven meter diep. Het bed, op een altaarachtig glanzend zwart podium, stond tegen de muur tegenover de deur. Trainingstoestellen, in combinatie met Danny's voorliefde voor chroom en staal, verleenden de kamer een futuristisch uiterlijk.

Marshall ontdekte het bureau; het had de vorm van een klassieke chippendale, maar het blad was een spiegel.

Hij trok de bovenste la open.

Naast de dasspelden stond een ovaal zilveren doosje met schildpad inlegwerk en ranke pianopootjes. Marshall uitte een kreet, pakte het doosje voorzichtig op alsof het een levend wezen was en liep ermee naar het bed.

Het doosje was van hun moeder geweest. Het stond altijd op haar kaptafeltje. Sinds de politie hem uit hun huis had gesleurd, was dit het eerste ding uit zijn oude leven dat Marshall terugzag. Hij had niets uit het huis willen hebben. Hij bezat geen foto's en hij had Danny nooit gevraagd wat hij met het huis of de meubels had gedaan. Na de dood van hun ouders had Danny veel geld en het huis geërfd. Marshall had nooit gevraagd hoeveel. Aangezien hij hen had gedood, leek het niet gepast naar bedragen te vragen.

Marshall wilde niets uit zijn jeugd; hij was bang voor de herinneringen die ze zouden oproepen. Nu hij op Danny's bed zat verbaasde hij zich erover hoe goed het voelde om zijn moeders juwelendoosje vast te houden. Daar zaten herinneringen in, wist hij, maar dankzij de herinnering aan zijn moeder zouden ze niet te veel pijn doen. Dat had Polly hem geleerd: moeders vergaven hun kinderen. Zelfs de monsters.

De sluiting van het zilveren doosje was een haakje aan de linkerkant – hij vond het geweldig dat hij dat nog wist. Met een nagel verschoof hij het slotje en opende het doosje. Op het bruine fluweel lag het eenvoudige gouden kruisje dat zijn moeder haar hele leven had gedragen. Ze had het ook gedragen in de nacht waarin ze werd vermoord. Marshall had het gezien toen ze zich bukte om hem een nachtzoen te geven.

Ernaast lag een veel kleiner kruisje aan een kettinkje. Het was niet van echt goud en het kettinkje was robuuster. Lena had het prachtig gevonden omdat het precies op het kruisje van mama leek. Toen ze het eenmaal omhad, had ze het nooit weer af willen doen. Het was een wonder dat ze het nooit was kwijtgeraakt of kapot had gemaakt. Marshall glimlachte bij de herinnering aan zijn zusje, maar hield er abrupt mee op; hij wachtte tot de herinnering aan hoe ze was gestorven deze overschaduwde.

Het beeld van zijn tweejarige zusje met haar ronde wangetjes, haar blonde gekrulde haar, het kostbare gouden kruisje in haar mond, wankelde maar bleef. 'Hallo Lena,' fluisterde hij. Hij had nooit meer aan haar durven denken, hooguit vluchtig en als aanvulling op iets anders.

Marshall pakte een koperen penning op, zo groot als een kwartje. Op de achterkant stond gegraveerd: *Ginger Raines, 1341 Epcott.*

De kattenpenning. Ginger had een roodleren halsbandje gehad, herinnerde hij zich, met een penning eraan. Hij begreep niet waarom het bandje in het doosje van zijn moeder lag en legde het terug. Hij haalde er hun vaders trouwring uit. Aan de binnenkant stond een inscriptie: FRANK, MIJN HELD. Ze hadden niet lang genoeg geleefd om hun kinderen te vertellen wat dit betekende. Marshall legde de ring in zijn handpalm en keek ernaar in het felle licht van Danny's bedlampje. Hun vader was trots geweest op de krassen in het zachte goud. 'Een trouwring draag je je hele leven,' had hij zijn zoons verteld. 'Die hoef je nooit af te doen. Net als de liefde, maakt de tijd hem alleen maar mooier.' Marshall was dat vergeten. Veel van zijn oude leven was hij vergeten. Elf jaar. Als een boek dat hij ooit had gelezen en waar hij nooit meer aan had gedacht.

Het laatste ding in het doosje was een paar zilverkleurige hockeysticks, een speldje dat Dylans schoolteam had gewonnen. Tussen zijn zevende en zijn tiende was hij helemaal gek geweest van hockey. Zijn team, de Fighting Marmots, een naam die even onbegrijpelijk was als onmogelijk te scanderen, was kampioen van de staat geworden. Hij was veel te cool om dat speldje te dragen, maar hij keek er graag naar als Rich niet in de buurt was om hem ermee te pesten.

Marshall was nooit erg sentimenteel geweest – zijn leven had nooit aanleiding gegeven tot Hallmark-spreuken – en het verbaasde hem dan ook hoe graag hij deze aandenkens wilde bewaren.

Het was belachelijk te denken dat degenen van wie ze waren geweest via deze aandenkens leefden. Stom om dat te denken. Maar het was wat anders om dat te voelen.

Weer pakte hij zijn moeders kruisje op, hield het gebroken kettinkje vast.

Ze moesten het voor de begrafenis van haar hebben afgenomen en aan Rich hebben gegeven. Marshall dacht daaraan terwijl hij gefascineerd naar het gouden kruisje keek.

Meneer Kroger, de zakenpartner van hun vader, had alles geregeld. Dat had Rich hem verteld toen hij voor het eerst in Drummond bij hem op bezoek kwam. Er was geen begrafenis geweest – meneer Kroger had de lichamen meteen na de autopsies laten begraven – maar ze zouden een herdenkingsdienst houden zodra de pers alle betrokkenen met rust zou hebben gelaten.

Marshall probeerde zich hun vaders partner met zijn rauwe stem voor de geest te halen. Hij had zo groot en zo oud geleken, maar hij kon niet ouder zijn geweest dan vijfenveertig. Hij had Dylan aardig gevonden en gromde altijd naar hem, deed net alsof hij de pest had aan kinderen. Dat klonk griezelig, maar dat was niet zo. Het was leuk.

De forensisch patholoog had de trouwring en de halsketting waarschijnlijk afgedaan. Marshall kon zich niet voorstellen dat meneer Kroger zijn vaders trouwring had afgedaan. Niemand zou de trouwring van een man afnemen voordat hij naast zijn vrouw zou worden begraven. In elk geval geen man uit Minnesota. Datzelfde gold voor de gouden kruisjes. De begrafenisondernemer, de patholoog, de dominee, meneer Kroger, iedereen zou die sieraden met hun dragers naar God hebben gestuurd.

Marshall sloot zijn hand om de restanten van zijn jeugd en voelde de punten van het kruisje en van de hockeysticks in het vlees van zijn handpalm en vingers dringen. Dit was alles wat nog over was van de jongen die hij was geweest voordat hij Butcher Boy was geworden.

De ronde zachte vorm van zijn vaders trouwring klikte tegen het goud van Marshalls eigen trouwring, en hij vroeg zich af waarom zijn moeders trouwring niet ook in het doosje zat.

Bij die gedachte verdwenen zijn warme en vage herinneringen.

Eén ring was afgepakt en één was aan de vingers blijven zitten. Omdat Dylan zijn moeders kruisje als aandenken had en niets anders hoefde te hebben.

Dylan had de sieraden van de lichamen gehaald nadat hij hen had vermoord, en Rich had ze voor hem bewaard. Verstopt voor de politie, waarschijnlijk.

Wie denk je wel niet dat je bent, psychopaat? De Beaver? Dennis the Menace? Een schattig jongetje, geneigd tot duivelse streken? Je hebt iedereen afgeslacht!

'Ik was elf jaar oud, verdomme,' fluisterde Marshall. 'Ik was nog maar een jochie.'

De halskettingen, die van Lena en van zijn moeder, moesten onder het bloed hebben gezeten. Marshall schudde zijn hoofd, probeerde zichzelf te zien terwijl hij door hun samengeklitte haar en hersenen wroette om het laatste sprankje leven te doven.

'Nee!' schreeuwde hij en hij opende zijn hand: de kruisjes, de ring, de hockeyspeld, de koperen penning.

Er was niets van Rich bij. In het doosje met alle dingen van die nacht zat iets van Dylan, van mama, van papa, van Lena en zelfs van Ginger de kat.

Maar van Rich was er niets. Als Dylan deze dingen had gepakt, waarom zou hij dan wel iets van zichzelf hebben bewaard en niet iets van zijn broer, zijn andere beoogde slachtoffer?

34

In de jerrycan die Danny de smalle trap op zeulde zat niet meer dan een paar liter benzine en die brandstof was al een paar jaar oud, maar voor wat hij in dat rattennest boven had gezien moest het voldoende zijn.

Hij was er vrij zeker van dat Polly geen idee had wie haar had aangevallen, maar ze moest wel denken dat het Marshall was. Er was voldoende bewijs tegen Marsh om hem de rest van zijn leven in de gevangenis – voor volwassenen deze keer – te laten belanden. Hij schopte de deur open en liep in het licht van de zaklamp die hij tegelijk met de jerrycan uit de kofferbak had gehaald door de donkere kamers. De smalle lichtstraal speelde over het onopgemaakte bed, de troep op de vloer en Vondra's plakboek.

Hij vroeg zich af of Marshall erin voorkwam, of de rechtszaak in Rochester erin stond. Hij had geen tijd om te kijken. Hij liep achter het licht aan naar de badkamer en scheen met de lamp in de badkuip.

'Gatver, je bent echt walgelijk, hoor,' zei hij tegen de in plastic gewikkelde vrouw. 'Heb je ooit de film *The Blob* gezien, Vondra? Daar had jij de hoofdrol in kunnen spelen!' Hij pakte het douchegordijn met beide handen vast, zette zich af tegen de zijkant van de ouderwetse badkuip op pootjes en tilde haar een paar centimeter op. Het plastic scheurde en het lijk smakte weer terug.

Hij trok het gordijn opzij en zocht iets waarmee hij haar zou kunnen optillen en wat niet zou scheuren. Die rare jurk die ze aanhad was al half van haar lichaam gescheurd. Met ingehouden adem tilde hij een dikke hand op. Rode plastic nagels kletterden tegen de zijkant van het bad en hij maakte een sprongetje van schrik.

Grommend trok hij het lijk over de rand van de badkuip en sprong achteruit toen de wirwar van ledematen en douchegordijn op de vloer smakte. Vondra's dode ogen keken hem door het laagje plastic verwrongen aan als de ogen van een verdronken vrouw.

Hij ploegde door de troep terwijl hij haar naar het bed sleepte en haar er rechtop tegenaan zette. Zo moest het maar goed zijn; hij was niet van plan zijn rug te vernielen door te proberen haar op het bed te leggen. Hij sprenkelde een beetje benzine over het beddengoed. Overal lagen zo veel pakjes sigaretten en lucifersdoosjes dat het zou lijken alsof ze met een brandende sigaret in slaap was gevallen.

Misschien zou de technische recherche het voor de hand liggende over het hoofd zien, maar misschien ook niet. Sinds Katrina was het gebouw niet verzekerd. De eigenaar zou er in financieel opzicht niets mee opschieten. New Orleans stond vol verwoeste gebouwen. Er was niet veel belangstelling voor panden waar een verzekeringsmaatschappij niet voor hoefde te dokken. Dat risico zou hij moeten nemen.

'Een plakboek,' zei hij terwijl hij een van de duizenden lucifers in het huis aanstak. 'Foto's, krantenartikelen. Volgens mij gaat je moordenaar vrijuit; volgens mij ben je door een stommiteit omgekomen,' zei hij. Hij gooide de lucifer weg, hoorde dat hij uitging en streek een nieuwe aan.

Benzinedamp. De benzinedamp was brandbaar, niet de benzine zelf. Danny liep een paar stappen naar achteren, wachtte een minuut zodat de benzine kon verdampen, streek een nieuwe lucifer aan en liet hem op de brandstapel vallen. Een dun blauw tongetje verscheen, kreeg de smaak te pakken en gleed snel over de kleding en het papier.

'Bingo!' zei hij, en hij bleef een paar seconden naar het vuur staan kijken dat zich snel uitbreidde.

Hij wilde dat de woning snel en goed uitbrandde. Hij wilde Polly bellen en haar waarschuwen voordat Marshall haar vond.

Het vuur werd steeds gulziger en begon de troep op te vreten, had de helft van de slaapkamer al opgeslokt. 'Vier miljoen dollar op de bank en ik speel voor schoonmaakster,' zei hij. Terwijl hij naar de voordeur liep, liet hij een spoor benzine achter.

Op enige afstand van het gebouw, waar de brandweer en politie hem niet zouden opmerken en zich afvragen wat hij op dit late uur in deze armoedige wijk te zoeken had, stapte hij in zijn auto, een snelle klassieke BMW-cabriolet. Hij bleef een tijdje achter het stuur zitten luisteren naar het raderwerk in zijn hoofd, tot hij zich realiseerde dat hij met zijn tanden zat te knarsen. Hij pakte zijn mobieltje uit zijn zak.

Even overwoog hij Marsh te bellen, hem te vragen hiernaartoe te komen.

Hij verdiende het hier te zijn. Als hij niet zo vol van zichzelf was geworden door zijn huwelijk en zijn nieuwe gezin, dan zou Vondra nog leven en zouden Polly en de kinderen veilig zijn. Polly Deschamps, niet Polly Marchand.

Er waren maar twee Marchands, broers.

Hij en Dylan hadden de namen gevonden op een grafsteen op een begraafplaats in Metairie. Ze waren nog maar net in New Orleans gearriveerd en daar was de lente net begonnen – de winter in Minnesota was verleden tijd. De azalea's vlamden op, ze ontploften niet dankzij het koele groen van nieuw gras. Vanaf de snelweg hadden ze de bovengrondse graven, zoals ze die kenden uit films en oude zwart-witfoto's, gezien.

De begraafplaats was verlaten op een paar opzichters na. Amerikaanse eiken dempten het geluid van de I-10. Ze dwaalden in perfecte harmonie over de paden en bewonderden de mausoleums. Het was vrediger dan Richard ooit had meegemaakt. Het was heerlijk. Alleen zij tweeën, veilig in de stad van de doden.

Naast twee monolieten stond een mausoleum, klein maar prachtig qua details en ontwerp; het leek wel een poppenhuis. Er stonden maar twee namen op de kleine deur, van baby's die bij de geboorte waren gestorven: Marshall Dillon Marchand, geboren en gestorven op 1 december 1872, en Daniel Richard Marchand, geboren en gestorven op 1 december 1872.

Identieke tweelingen.

Het was een teken geweest, en ze hadden het opgepikt. Vanaf die dag waren ze de gebroeders Marchand uit New Orleans, en het was hen goed gegaan. Zolang ze met z'n tweeën waren gebleven, was alles goed gegaan.

Dat Marsh af en toe een vriendin had vond Danny niet echt erg. Wat wel gevaarlijk was, was het feit dat zijn broer de neiging had geobsedeerd te raken, verslaafd aan een fijne relatie.

Elaine zou het nooit weten, maar Danny had haar leven gered. Zelfs haar minuscule hondje had het overleefd. Dat incident had Marsh' idee dat hij dezelfde gezinssituatie kon creëren als ze in hun jeugd hadden gekend om zeep geholpen.

Tot Polly op het toneel verscheen.

Danny hoopte dat hij Polly, Gracie en Emma kon laten leven, maar Marsh werd te wispelturig. Dat gedoe met die bijl had voldoende moeten zijn om hem wakker te schudden, maar hij verzette zich tegen het onvermijdelijke met een vasthoudendheid die hij bij Elaine niet had getoond.

Danny toetste het mobiele nummer van zijn schoonzus in. 'Polly, met Danny,' zei hij toen ze opnam. 'Waar ben je?'

Ze was op de Fontainebleau and Broad Avenue.

'Niet naar huis gaan, hoor,' zei hij tegen haar. 'Marshall is gek geworden. Ik ben bang dat ik de politie moet bellen, maar ik wilde eerst even met jou praten. Misschien kunnen we hem samen rustig krijgen. Kun je naar me toekomen, kom maar naar eh...' Hij scande de plattegrond die hij in zijn hoofd had. De begraafplaats waar hij en Danny identieke tweelingen waren geworden – de gebroeders Marchand – zou een perfecte plek zijn, maar die was op dit tijdstip gesloten.

Marsh had gezegd dat de kinderen bij Martha waren. Als Danny zich niet vergiste, woonde dr. Martha Durham in de buurt van City Park. 'Naar City Park,' zei hij. 'Voor de Christelijke Jongensschool staat een grote Amerikaanse eik. Daar kunnen we elkaar treffen.'

'Mijn god, Danny...' zei ze. Haar woorden stierven weg als een vergeten droom.

'Lukt dat? We kunnen elkaar ook ergens anders treffen.'

'Nee, City Park... Dat lukt wel.' Ze klonk doodmoe en bang.

Niet zo vreemd, dacht Danny. Het was wel raar dat ze niet zei dat ze was aangevallen.

Misschien wilde ze haar geliefde meneer Marchand niet beschuldigen.

'Ik ben er over een paar minuten,' zei hij. 'Hou je portieren op slot en wacht daar op me. Als je Marchands truck ziet, moet je weggaan. Snel. Het komt wel goed, hoor,' beloofde hij. 'We lossen dit wel op.'

Danny verbrak de verbinding, toetste 411 in en vroeg naar het telefoonnummer van Martha Durham.

Daarna vroeg hij het adres.

35

Danny had zijn jaloezieën dag en nacht dicht. Marshall had er veel moeite voor gedaan om de oude schuiframen weer in orde te krijgen, zoals hij dat deed bij elk huis dat hij renoveerde, maar aan Danny's woning had hij net zo goed niets kunnen doen. Zijn broer was van mening dat je buiten buiten moest houden.

Hij had geen idee waarom – behalve dan dat de duisternis meer zonden bedekte – maar hij deed het licht uit voordat hij op Danny's bed ging zitten. Hij wilde de herinneringen aan de levens in zijn hand niet meer kunnen zien, maar hij hield ze stevig vast, hij putte er moed uit. Voor de eerste keer in zijn leven probeerde hij zich, bewust en vastbesloten, de nacht van de moorden te herinneren. De nacht waarin hij Butcher Boy was geworden en waarin zijn jeugd tegelijk met zijn familie was afgeslacht.

Mack de Reus had hem uit zijn slaap gerukt – of de diepe slaap van bewusteloosheid. Hij was dizzy geweest door de medicijnen die zijn moeder hem had gegeven. Hij had het gevoel dat zijn hoofd zodra hij het bewoog zou openbarsten en zijn hersenen eruit zouden stromen. De agent had hem keihard geslagen. Marshall herinnerde zich zijn pijn en zijn angst. Hij had gedacht dat ze allemaal werden vermoord.

Die vent, die gigantische agent, had hem door de gang gesleept en gedwongen naar Lena te kijken. Toen wist hij dat ze allemaal zouden worden gedood, dat de slachtpartij al was begonnen. Hij herinnerde zich dat hij had gevochten om weg te komen, weg van die als politieagent verklede man. Dylan dacht dat die man verkleed was. Echte agenten vermoordden niemand zonder echte reden.

Marshall probeerde zich nog meer te herinneren, hij probeerde de periode te zien voor de politie was gekomen: hijzelf alleen, gek, een jongen, die probeerde het kettinkje van de hals van zijn zusje af te trekken.

Maar hij had niet hoeven trekken. Haar hals was in de lengte doorgehakt; ze was bijna doormidden gehakt, van haar hoofd tot onder haar smalle schoudertjes. Het kettinkje was dan dus ook doormidden gehakt. Hij probeerde zich een beeld te vormen van zichzelf, die jongen, Dylan, die de bijl neerlegde en het gouden kruisje uit het bloed pakte.

De enige jongen die hij kon zien, was het doodsbange kind dat probeerde te ontsnappen aan de man die volgens hem zijn zusje had vermoord. Hij kon zich niet herinneren dat hij de Butcher Boy was.

'Psychopathische klootzak' had Mack hem genoemd.

Traumatisch geheugenverlies. Psychotische aanval.

Marshall herinnerde zich dat Mack hem nog steviger bij de nek pakte toen hij Lena zag liggen. In het donker, in Danny's kamer, voelde hij dat weer. De agent stapte over Lena heen, sleepte hem achter zich aan. Doodsbang dat zijn voeten het bloed van zijn zusje zouden aanraken, greep hij het been van de agent beet. Mack sloeg hem van zich af.

Later, tijdens de rechtszaak, zei de agent dat hij dacht dat Dylan zijn pistool wilde grijpen.

Zijn moeder lag op de drempel van haar slaapkamer, met haar gezicht naar beneden, met haar lange bruine haar naar voren. Hij schrok van de hoeveelheid bloed en de felle tekenfilmachtige rode kleur.

Om het kruisje van haar hals te kunnen halen, had hij in de natte massa moeten woelen, het kettinkje eruit graven en eraan trekken tot het brak.

Hij probeerde dat zichzelf – Dylan – te zien doen, maar het enige wat hij zag waren vlinders, hoe prachtig ze waren geweest in Kowalski's kantoor, hoe ze waren doodgegaan.

De kus, de laatste goede herinnering.

Dylan had zijn vader niet gezien. Dat kon Marshall zich tenminste niet herinneren. Een groot deel van zijn leven werd gemarkeerd door 'dat kan ik me niet herinneren'. Hij had zich erbij neergelegd dat de bron van Butcher Boy het enige was dat de moeite van het herinneren en vergeten waard was. De rest van de herinneringen aan zijn jonge leven zaten verborgen achter die paradox.

Nadat het monster de jonge Dylan had ingekapseld, had niemand meer aan hem gedacht. Marshall had niet meer aan hem gedacht. Butcher Boy in Drummond had niet meer aan hem gedacht. Op elke manier die van belang was, was Dylan die nacht ook vermoord, net als zijn moeder, vader en Lena.

'God, wat mis ik jullie,' hoorde Marshall zichzelf jammeren. 'Ik hield van jullie.' Het voelde raar om die woorden uit te spreken. Hij wist niet of dat wat hij achter in zijn keel proefde de ergste vorm van hypocrisie of van vrijheid was. Vóór Drummond, misschien wel sinds de rechtszaak, had hij zichzelf verboden liefde voor zijn familieleden te voelen, om ook maar iets te voelen. De sieraden hadden al die gevoelens weer opgeroepen.

'Ik hield van jullie,' zei hij weer. Hij werd overmand door de gecumuleerde emoties van veertig jaar en vanbinnen begon er wat te smelten; het ijs brak, gletsjerachtige stiltes werden vloeibaar en stroomden door de kale uitgesleten plekken.

'Mama en papa, ik hield van jullie. Jullie zoon Dylan hield van jullie.'

Dylan, de echte levende jongen, de jongen van voor die nacht, kwam weer tot leven en Marshall zag hem, was hem. Met zomersproeten, met door de zon geblondeerd haar.

Lachend.

Het verbaasde hem hoeveel hij als kind had gelachen. Hoeveel plezier hij had gehad, als kind in Minnesota in de jaren zestig. Misschien hadden de laatste stuiptrekkingen van de Norman Rockwell-tijd, vóór de drugs, schietpartijen op school en nieuwsuitzendingen 24 uur per dag, het kleinsteedse Amerika wel veranderd.

Hij had vrienden, kinderen die sport superbelangrijk vonden: Little League in de zomer, hockey in de winter. Tussendoor bouwden ze kastelen van hooibalen en maakten ze als ze konden ritjes met de liften in de gebouwen in het centrum.

Fietsen.

Marshall lachte hardop.

Ze hadden duizenden kilometers gefietst. Ze fietsten de hele zomer naar elkaars huis, en naar de rivier, en naar het meer. Ze fietsten in de winter als ze op het ijs uitgleden. Een jongen op een fiets was vrij.

Ricky, en David, en Charlie, en Al – god, wat hadden ze een plezier gemaakt.

Jongetjes die hielden van hun moeders en vaders, hun vrienden, hun fiets, John Wayne, en de Groene Lantaarn, kleine jongens die niet van de ene nacht op de andere veranderden in psychopaten.

Rich, hoewel hij niet veel ouder was, had zich niet veel met hen bemoeid, behalve om hen een nare tijd te bezorgen.

Een rottijd.

Rich had zichzelf na Dylans rechtszaak opnieuw uitgevonden. Dat was Marshall ook vergeten. Dylan was zo blij geweest dat er nog iemand van hem hield dat hij bereid was zo ongeveer alles over het hoofd te zien. In Drummond was Rich zijn enige levenslijn geweest.

Die broer – de Drummond-broer – was er niet altijd geweest, realiseerde Marshall zich. Net zoals Butcher Boy Dylan had verborgen, had Richard – de nieuwe, verbeterde Drummond-Richard – Rich verborgen.

'Rottijd' was een understatement.

Rich had hen verschrikkelijk gekweld. Hij was er zo goed in dat hij vrijwel nooit werd betrapt. Meestal hadden Ricky, Charlie – niemand – niet door dát hij het deed tot het te laat was, en dan waren ze de pineut.

Rich had een zwart gat waar lieve jongensdingen hoorden te zijn. Hij gaf niet om dingen zoals andere jongens. Hij huilde niet als hij pijn had. Als iemand anders pijn had lachte hij, maar meestal bestudeerde hij ze als een wetenschapper een rat. Als er een ongelukje was gebeurd, riep hij iets te laat om hulp, of helemaal niet. Als hij wist dat de kat in de garage was opgesloten of dat het hek openstond en de kleine Lena zomaar de straat kon oplopen, waarschuwde hij niemand.

Charlies mama wilde niet dat hij met Rich speelde, en Ricky's moeder vond het niet goed dat Dylan kwam logeren als dat betekende dat Rich ook meekwam. Ze wilden zelfs niet dat hun kind in hetzelfde huis was als Rich.

Hoe was het mogelijk dat hij dat allemaal was vergeten? Hoe was het mogelijk dat hij elf jaar van zijn leven was vergeten?

Omdat Rich de grote broer werd die Dylan nodig had. Rich was het beste deel geworden van Dylans verwarde, gestoorde leven. Hij kwam in Drummond bij hem op bezoek, sprong voor hem in de bres. Dylan – Marshall – was vergeten dat zijn broer ooit anders was geweest. Misschien had het verlies van zijn familie Rich fundamenteel veranderd.

Na drie moorden is Rich de aardige knul?

Dat is een verdomd dun zilveren randje.

Marshall herinnerde zich dat Rich – de pre-Drummond-Rich – grappig kon zijn, leuk zelfs, maar als de jongere kinderen bij hem in de buurt kwamen ging er altijd iets mis.

Het was niet zo dat hij hen kneep of stompte, nee, Rich deed hen nooit pijn. Het was gewoon zo dat ze gewond raakten als Rich in de buurt was. Charlie was bijna dood geweest toen Rich hem had uitgedaagd om bij laag water van een spoorwegbrug te duiken. Charlie was Rich' gemakkelijkste doelwit omdat hij altijd wilde bewijzen hoe stoer hij was.

We waren negen, en heel stoer.

Ricky had iets met slangen, een fobie, dat wist Marshall nu. Toen hadden ze Ricky gewoon een doetje gevonden. Rich wachtte tot ze over een omgevallen boomstam een ravijn overstaken en toen pas gooide hij een waterslang naar Ricky die hij in zijn zak had gestopt.

'Vangen!' Marshall kon het hem nóg horen roepen. Een vrolijke kwajongensstreek. Behalve dan dat Ricky zeven meter naar beneden was gevallen en zijn rechterenkel brak en zijn schouder verstuikte.

Rich faciliteerde, Marshall realiseerde. Onhandige kinderen werden naar gevaarlijke rotsen geleid. Gevoelige kinderen kregen griezelige verhalen te horen. Dikke kinderen werden volgepropt, pestkoppen werden opgehitst, verlegen kinderen vernederd, gemene kinderen aangemoedigd.

Rich kende geen grenzen. Af en toe werd hij betrapt op leugens of kleine wreedheden. Als hij streng werd bestraft, werd hij wrokkig; als hij een milde straf kreeg, neerbuigend. Hij had nooit spijt. Als het hem uitkwam zei hij dat het hem speet, maar achter hun rug om bespotte hij hun ouders. Hij had nooit spijt van wat hij deed.

Marshall kon zich vaag herinneren dat hij begon te vermoeden dat Rich' gedrag niet helemaal normaal was, maar toen stierven zijn ouders en zijn kleine zusje, en werd hij naar Drummond gebracht, waar Rich de norm was voor grote broers, en vaders, en ooms.

Toen was de nieuwe Rich, Richard, verschenen.

Waarom was zijn broer zo plotseling veranderd? Had een drievoudige moord Dylan eindelijk interessant genoeg gemaakt om zich met hem bezig te houden?

Toen Charlie en Ricky gewond waren geraakt, was Dylan degene geweest die hulp had gehaald. Rich had alleen maar toegekeken terwijl ze huilden en worstelden. Charlie zou gewoon zijn verdronken als Dylan hem niet was nagesprongen. Daarbij was hij twee teennagels kwijtgeraakt.

Had Rich – Richard – gewoon naar hem zitten kijken toen hij in Drummond zat?

Rich was een gemene rotzak geweest toen hij klein was. De realiteit verschoof en Marshall wist, wíst, dat hijzelf een goede jongen was geweest, een aardige jongen, een echte jongen.

Misschien had Dylan het niet gedaan.

Misschien had hij het niet gedaan.

Marshall wilde lachen, maar hij kreeg geen lucht. Die fantasie had hij al heel vaak gehad. Zoals in de film *The Fugitive* vonden ze de man met één arm die zijn gezin had vermoord.

'Beheers je,' fluisterde hij tegen zichzelf. 'Je draait helemaal door. Ademhalen!'

Duizend en meer ochtenden was hij wakker geworden en had hij zijn ogen geopend en had hij allereerst naar zijn handen gekeken – gekeken of ze schoon waren of sporen droegen van zijn misdaden.

Kleine jongens met schone handen werden niet wakker onder DNA-materiaal.

Maar in die tijd was er nog geen DNA. Toen kon men met geen mogelijkheid controleren wiens bloed het was.

Misschien was het alleen het bloed van Rich geweest, van de snee in zijn been, en niet het bloed van papa, mama of Lena. 'Onzin,' zei Marshall.

Hij was de enige in het huis geweest die niet gewond was. Zijn pyjama was helemaal rood. Rich had de snee in zijn been en de ooggetuigenverklaring; Rich had Vondra als alibi. Dylan had de bijl, Mack de Reus en de woede van het publiek.

Slag.

Dunk.

Dertien en een half.

36

Polly reed de Volvo tot vlak voor de azalea's die rondom de parkeerplaats van City Park stonden. Danny had gezegd dat ze in de auto moest blijven zitten met de portieren op slot, maar dat kon ze niet. Ze zat al uren in de aircodampen van sigarettenrook en in de onzichtbare walm van verknipte dromen – de verschaalde lucht was in haar huid en haar haren getrokken. Ze moest bewegen en frisse lucht inademen.

Het zou snel dag worden, maar het was al zeker twintig graden. Polly ademde de geurige lucht in en wreef de damp, als een balsem, in haar hals. Even vergat ze de afschuwelijke gebeurtenissen van de nacht en ze maakte de twee bovenste knoopjes van haar bloes los zodat de troostende realiteit van de natuurlijke wereld onder het soepele weefsel kon glijden. De muggen lieten haar met rust. Wat het ook was dat in het appartement van de Vrouw in het Rood in de lucht had gehangen, het maakte Polly onverteerbaar, zelfs voor de meest hongerige wezens.

Een kwartier later was Danny er nog niet. Ze wilde niet weer in de auto gaan zitten en begon te ijsberen. Het gravel onder haar voeten knerste luid, waardoor het getjilp en het geschuifel van de nachtdieren verstomden.

Haar rechterenkel en haar kuiten deden pijn. Haar nagels waren smerig en gescheurd. Haar kleren waren vies. Een man, mogelijk haar echtgenoot, had haar aangevallen in het huis van een dode vrouw. Haar zwager zei dat ze niet naar huis moest gaan omdat haar man gek was geworden.

Opeens was Polly te moe om te blijven staan.

Vijftien meter van de Volvo vandaan lag een omgevallen eik. Een tak zo dik als de stam van een volwassen boom lag als een zacht glooiende achtbaan op de grond.

Polly ging erop zitten, met haar voeten zwaaiend als een kind. Vaak als ze in haar eentje na zonsondergang buiten was, voelde ze zich net een kind. Toen ze nog jong was, was de duisternis haar vriend geweest, haar mantel van onzichtbaarheid als mensenetende reuzen over de wereld rondliepen.

Als er ruzie ontstond glipte ze door het luikje in de achterste slaapkamer naar de bagageruimte onder de caravan. Daarvandaan rende ze over de open ruimte – het gazon noemde haar moeder dat, waar het onkruid af en toe werd gemaaid – en verstopte ze zich in een gat tussen de wortels van een omgevallen boom. Haar verstopplekje was aan drie zijden omringd door de rottende stam van de boom.

In de bossen van Mississippi moesten bosmieren en lieveheersbeestjes, muggen en teken zijn geweest, maar Polly kon zich niet herinneren dat ze ooit was gestoken of gebeten. Ze herinnerde zich dat ze zich veilig voelde, onzichtbaar en onkwetsbaar. Ze was dicht genoeg bij de caravan om het geschreeuw te kunnen horen, maar het klonk ver weg, in de realiteit van een ander klein meisje. Zo voelden de afgelopen twintig uren ook: die vreselijke dingen waren wel gebeurd, maar ze waren iemand anders overkomen, lang geleden. Op dit moment was ze veilig, onzichtbaar in de armen van een nachtboom.

Noot na noot kwam het nachtelijke concert weer op gang: één piepje, daarna tien, een nachtvogel, de gefluisterde pauken van klauwen in het kreupelhout.

De tijd verstreek in zijn eigen rustige tempo.

Gehypnotiseerd door de warmte en de levendige stilte, liet ze haar gedachten vanuit de diepte opstijgen.

Marshall is 'gek geworden', had Danny gezegd.

Gek? Waanzinnige gekte? Muren kapotslaand met de bijl? Servies van het balkon smijtend? Verkrachtend en plunderend vanuit een Vikingbarkas?

'Gek' had Danny gezegd.

Polly zag haar man de met bloed besmeurde bijl schoonmaken. Ze had een vermoorde vrouw gevonden, een vrouw die geheimen kende die Polly alleen aan hem had toevertrouwd.

Toen Marshall op de keldertrap had zitten huilen, wilde ze hem vasthouden, naast hem gaan staan, ongeacht wat hij had gedaan.

Dat was liefde. Een echtgenote deed dat. Een moeder deed dat niet.

Gek.

Marshall Marchand was het tegenovergestelde van gek. Polly kon zich niet voorstellen dat hij gevaarlijk werd en als een bezetene tekeerging. Hij was in elk opzicht voorkomend. Alles wat hij deed was doordacht, weloverwogen.

Stille wateren?

Alles was mogelijk.

Danny was een groter mysterie. Gracie voelde dat ook. Ook al vond Gracie haar oom aardig, toch had Polly meer dan eens gezien dat Gracie naar hem keek zoals een kat een onbekende hond in de tuin in de gaten houdt. Emma niet. Emma zou zelfs bij Lucifer op schoot kruipen en aan zijn hoorns trekken.

Haar mobieltje ging en opeens voelde ze zich zichtbaar en kwetsbaar. Het was Marshall; zijn naam verscheen op de display. Polly drukte op de groene knop. 'Hallo?' zei ze onzeker.

'Polly, ben jij dat? Je stem klinkt vreemd. Waar ben je?'

'Marshall?'

'Ja. Ik moet met je praten. Waar ben je? Jezus, het is een heel lang verhaal. Ben je bij Martha?'

Hij lachte. Polly vond het een onplezierig geluid.

'Marshall, ik heb een lange, rare dag achter de rug. Je klinkt vreemd. Ken je iemand die de Vrouw in het Rood wordt genoemd?' vroeg ze. 'Ze woont in een vuilnisbelt aan Loyola.'

'Loyola. V. Werner. Vondra.' Hij klonk vaag.

V. Een fraai geschreven V op een zilveren hartje in het juwelendoosje. V, Vondra.

'Waar ben je vannacht geweest?' Polly verbaasde zich erover dat ze niet schreeuwde. Ze was verbazingwekkend normaal. 'Ben je weg geweest? Je belt me met je mobieltje. Waar zit je?'

'Ik ben weg geweest. Niet weg, maar weg van de telefoon. Kom alsjeblieft naar huis, Polly. Waar zit je?'

'Ik heb een afspraak met je broer. Hij zei dat je gek was geworden.'

Koplampen verstoorden de rust van de nacht, er kwam een sportwagen aanrijden.

'Danny is er.'

'Zeg niets tegen hem. Dit is belangrijk. Kom naar huis. Praat met me. Praat niet met hem.'

De koplampen van de auto van haar zwager doofden. Het vage licht van de straatlantaarns beschenen de stoel naast hem.

'Ik moet wel,' zei ze. 'Hij heeft Emma en Gracie bij zich.' Ze deed haar mobieltje uit.

Emma zat bij Gracie op schoot.

Geen gordels, dacht Polly, alsof dat het grootste gevaar van die nacht was.

Donker en slank stond de auto in het licht van de straatlantaarns. Vanbinnen kwamen de zachte klanken van rustige jazz. De meisjes hadden hun pyjama aan. Polly stapte het licht in en rende over het gravel naar de auto.

Danny vouwde zichzelf uit de auto. 'Jullie blijven in de auto,' hoorde Polly hem zeggen. 'Ik laat de motor wel aan, dan blijft de airco werken. Maak je maar geen zorgen, ik ben zo terug.'

'Polly,' zei hij, zichtbaar opgelucht. Hij hield haar tegen en pakte haar handen. Ze had het gevoel dat ze van hout waren. Ze voelde zijn aanraking amper. 'Marshall wist waar de meisjes logeerden, daarom heb ik ze maar opgehaald. Sorry voor al dit geheimzinnige gedoe, maar de zaken lopen een beetje uit de hand.'

Hij glimlachte zijn oude scheve glimlach, en Polly voelde zich vreemd opgelucht. Hij was niet gek. Dat leek tenminste zo. In deze nacht vol waanzin was rationeel gedrag bijzonder geruststellend.

'Wat is er aan de hand?' vroeg ze. Haar stem klonk hol in haar oren.

'Mijn god, wat is er met jou gebeurd!'

Polly keek naar beneden, naar haar smerige, gescheurde kleren. Ze streek met een hand door haar haar. Het piekte, als stro uit een baal hooi. 'Ik ben aangevallen. Volgens mij...' Ze kon hem niet vertellen wat ze dacht. Het werd echt als ze het hardop zei.

Danny keek haar doordringend aan. Het vage licht was achter hem en ze kon niets lezen in zijn ogen.

'Marshall is Marshall niet,' zei hij vriendelijk.

'Je man is niet wie je denkt dat hij is,' had de tarotlezeres gezegd.

'Onze ouders zijn niet bij een auto-ongeluk om het leven gekomen. Marshall... zijn echte naam is Dylan Raines. Ik heet Richard, Richard Raines.'

De zaak-Raines. Butcher Boy.

'Dylan was een probleemkind. Hij heeft zeven jaar in een jeugdgevangenis in Minnesota gezeten. Toen hij vrijkwam, heb ik hem hier mee naartoe genomen. Ik heb onze namen veranderd zodat hij een nieuw leven kon beginnen.'

Polly knikte. Het dove gevoel was doorgetrokken van haar handen naar haar hoofd naar haar keel, en haar hoofd schommelde even mal als een pop op het dashboard.

'Kun je met hem praten, denk je?' vroeg Danny vriendelijk. 'Ik dacht dat als we samen met hem gingen praten, we hem misschien zouden kunnen kalmeren, hem kunnen overhalen hulp te zoeken.'

Danny hield haar handen nog steeds vast. Polly trok haar vingers uit de zijne. Haar armen hingen levenloos langs haar lichaam.

'En de meisjes?' Ze fluisterde. 'Wat doen we met de meisjes?' herhaalde ze. Nu praatte ze te hard. Berichten uit haar hersenen bereikten haar organen niet snel of helder.

'Ik dacht dat ze misschien met jou konden meerijden. Ik rij achter je aan. Kun je dit wel? Het hoeft niet, hoor. Ik kan het misschien ook wel alleen,' zei hij, maar het klonk niet alsof hij het zelf geloofde.

'Ja,' kon ze nog net uitbrengen. 'Richard,' zei ze.

'Ja.'

'Er is een dode vrouw... Ik was in haar appartement...' Polly wist niet hoe ze de zin moest afmaken.

'Vondra Werner,' zei Richard. 'Ik weet het, Marsh vertelde het me. Ze was een vriendin van me. Dylan – Marshall – haatte haar. Ze heeft tegen hem getuigd.'

'Heeft Marshall me aangevallen?'

'Ja. Het spijt me.' Danny wachtte of ze iets zou zeggen, maar Polly ontdekte dat ze niets te zeggen had. De realiteit was te vreemd geworden om in woorden te vangen.

'Als we dit willen doen, moeten we maar gaan,' zei hij vriendelijk.

'Ja.' Haar blik dwaalde naar de auto. Emma en Gracie kletsten met elkaar. 'De meisjes zouden hier niet moeten zijn.'

'Volgens mij is het geen goed idee ze terug te brengen naar Martha. We kunnen ze wel beneden in mijn bed stoppen. Dan weet Marshall niet eens dat ze er zijn. Zichtbaar onzichtbaar,' zei hij, misschien in de hoop dat ze zou glimlachen.

'Oké,' zei Polly stijfjes. Ze voelde de uitputting op haar oogleden drukken. De verwondingen van de aanval begonnen pijn te doen. Dezelfde pijn omhulde haar hart, kneep hem zo fijn dat ze elke hartslag kon voelen.

Terwijl ze haar dochters op de achterbank van haar Volvo zette en de gordels vastmaakte, moest ze houvast zoeken aan het portier. Haar man was niet wie ze dacht dat hij was.

Rood had gezegd: 'Je zult je man vermoorden.'

Was dat ook voorbestemd?

Met de autosleutels in haar hand liep ze om de auto heen. Danny hield haar tegen. 'Geef maar,' zei hij en hij nam de sleutels uit haar gevoelloze handen. 'Je lijkt veel te moe om te rijden. We halen mijn auto later wel op.'

Zonder op haar instemming te wachten opende hij het portier en ging achter het stuur zitten. Hij draaide het contactsleuteltje om en de motor kwam tot leven. Polly was bang dat hij zonder haar zou wegrijden en ze rende naar het andere portier en sprong naar binnen.

'Ik had wel op je gewacht, hoor,' zei hij.

'Ik ben heel goed in staat om te rijden, hoor,' zei ze, veel vijandiger dan nodig was.

Ze draaide zich om en keek naar Emma en Gracie. Ze lagen lekker tegen elkaar aan op de achterbank, als yin en yang, met hun voorhoofd tegen elkaar, knieën opgetrokken en hun voeten in elkaar gestrengeld.

'Die arme kinderen zijn uitgeput,' zei Polly.

'Slapen ze?'

'Doodmoe,' antwoordde Polly en ze wilde meteen dat ze een ander woord had gebruikt. Dit was geen nacht om de goden te verzoeken.

'Maar beter ook,' zei Danny. 'Ik wilde niets zeggen met hen erbij, maar ik weet zeker dat je allemaal vragen hebt.'

Daar dacht Polly heel lang over na. In werkelijkheid wilde ze geen antwoorden van Danny. Ze wilde wel antwoorden, maar dan van Marshall. Danny was niet helemaal onschuldig aan deze situatie. Als Marshalls leven een leugen was, dan was Danny's leven dat ook.

In de slaapkamer op de derde verdieping brandde licht. Beneden was het donker. 'Hij is waarschijnlijk met het licht aan in slaap gevallen,' zei Danny, meer tegen zichzelf dan tegen Polly. Zijn woorden klonken onecht, maar Polly wist niet waarom. Voordat ze het doorhad, was Danny al uitgestapt en opende hij het achterportier.

'Jij neemt Emma,' zei hij. 'Ik neem Gracie. Ze is een beetje zwaar, zelfs voor mij.'

'Ze zijn geen baby meer, hoor,' zei ze scherper dan ze wilde. 'Ze zijn te oud om als slapende peuters te worden gedragen.' Ze had geen idee waarom ze net deed alsof haar dochters ouder en onafhankelijker waren dan ze waren.

'Nooit te oud om te worden gedragen,' zei Danny en hij nam Gracie in zijn armen. Ze was wakker – dat wist Polly; een moeder wist zoiets altijd – maar deed net alsof ze sliep in de hoop dat ze naar boven werd gedragen. Emma sliep echt. Ze hing slap over Polly's schouder toen ze haar blote benen om zich heen sloeg. Emma kreeg lange benen, als een veulen.

Ze zou langer worden dan Gracie.

Het ongelooflijk heerlijke gevoel dat haar kind zich tegen haar aan nestelde, verdreef het verdoofde gevoel. Iets aan de liefde van een kind was zo sensueel, goed en puur, een echte band.

Ze had ze bij Martha moeten laten, weg van wat ook maar kon gebeuren.

Ze hád ze bij Martha gelaten; Danny had ze opgehaald, zonder haar toestemming te vragen, ook al had hij haar gewoon kunnen bellen.

'Wacht!' riep ze toen hij naar de deur van de kelder liep. Opeens kon ze de gedachte dat hij Gracie naar het donker zou dragen niet verdragen. Ze werd overvallen door de vrees dat ze haar dochter nooit zou terugzien. Ze gilde: 'Wacht op mij, verdomme!'

Danny bleef staan en keek achterom. 'Natuurlijk wacht ik op je. Gaat het wel goed met je?'

'Dank je,' zei ze zo beleefd mogelijk. Zijn vraag beantwoordde ze niet. Die was absurd.

Waarom zou iemand zelfs maar dénken dat het goed met haar ging?

37

Opeens viel er fel licht op Marshalls ogen. Hij was zo verdiept geweest in het verleden dat hij niemand had horen aankomen.

'Marsh!' De stem van zijn broer was schor door de schok hem daar te zien. 'Ik dacht dat je sliep.'

Marshall zag Danny met zijn dochter in de armen, gekleed in een nachthemd. Gracies ogen waren open en haar gezicht uitdrukkingsloos. Ze probeerde de volwassen wereld te begrijpen. Met het zesde zintuig van een kind begreep ze dat ze nu maar beter niet op haar gebruikelijke rechtstreekse manier kon vragen wat er aan de hand was.

Marshalls vingers sloten zich om de aandenkens uit zijn jeugd die hij nog steeds in zijn hand had.

'Ga staan, Gracie,' zei hij op neutrale toon. 'Oom Danny kan zo'n grote meid niet te lang dragen.'

Polly stond met Emma op haar heup naast Danny. Achter hen doemden stalen lampen op, als in een nachtmerrie van een tandarts.

'Polly, breng de meisjes naar boven en naar bed,' zei Marshall. Het was geen bevel, maar een smeekbede.

'Niet doen, Polly,' zei Danny. 'God mag weten wat hij boven heeft. Blijf maar bij mij. Anders kan ik je niet beschermen.'

Hij klonk zo zeker van zichzelf dat Marshall heel even weer Dylan was, en Dylan was ervan overtuigd dat hij tot iets gruwelijks in staat was.

Gracie wriemelde. Danny zette haar neer, maar hield haar dicht bij zich met een arm beschermend over haar borst. 'Polly, volgens mij is het tijd dat je je man leert kennen. De meisjes ook. Ik help ze wel met de transitie.'

'Dylan Raines,' zei Marshall tegen zijn vrouw. 'Ik ben Dylan Francis Raines uit Rochester, Minnesota.' De woorden klonken als een leugen; het was te lang geleden dat hij Dylan Raines was geweest. 'En ik ben Marshall Marchand, je echtgenoot.' Hij klonk schizofreen. Hij zag dat Polly bang werd. Hij durfde niet naar Emma of Gracie te kijken.

'Vertel haar dat je onze ouders en ons kleine zusje hebt vermoord,' zei Danny met een verdriet dat door Marshalls botten trok.

Toen Danny weer iets zei, sprak hij met een hoge stem, ter wille van de kinderen. 'Dat deed hij niet omdat hij gemeen wilde zijn, maar omdat hij een tijdje geestelijk gestoord was. Dit vertel ik niet om jullie bang te maken,' zei hij en hij drukte een kus op Gracies hoofd, 'maar omdat mijn broer weer ziek is. Hij raakt tijd kwijt – hij doet dingen en daarna vergeet hij dat hij ze heeft gedaan. Als dat gebeurt, raken mensen gewond. De mensen van wie hij het meest houdt, raken gewond.'

Het heldere, mosachtige groen in de ogen van zijn vrouw werd ijskoud.

Polly geloofde Danny. *Dylan geloofde Rich.*

De herinnering aan wie hij als jongen was geweest, aan hoe de dingen waren, glipte weg.

Marshall opende zijn hand en stak hem uit. Zijn broer keek zonder herkenning naar de objecten uit het juwelendoosje van hun moeder, en Butcher Boy glipte in Marshalls ruggenwervel, als een zwaard in de schede.

Danny opende zijn mond om iets te zeggen, maar deed hem abrupt weer dicht. Hij had zich gerealiseerd wat Marshall in zijn hand had. In dat korte onbewaakte ogenblik las Marshall zijn eigen onschuld in Rich' gezicht. Niet in Danny's gezicht, zelfs niet in Richards gezicht, maar in Rich' gezicht – het oude gezicht van toen hij nog een jongen was, voordat hij had geleerd het plezier te verbergen dat hij voelde als hij de jongere kinderen kwelde, als hij ongelukken uitlokte.

Rich keek naar de gouden kruisjes, de trouwring en het speldje met de hockeysticks, en heel even vloog er een zelfvoldane, sluwe blik over zijn lippen, als de tong van een slang. Op dat moment keek hij Marshall aan en verkneukelde hij zich.

'Wat zijn dat?' vroeg Polly. Ze verbrak de betovering.

'Het zijn trofeeën,' zei Marshall op vlakke toon. Hij kon zijn blik niet van zijn broer afwenden, en hij kon de gedachten niet tegenhouden die als lava door zijn hoofd stroomden, heet en onverbiddelijk. De gedachten van een halve eeuw.

'Het zijn trofeeën,' herhaalde Danny. 'Dylan heeft ze van de lijken van onze ouders en ons zusje gehaald. Ik ontdekte dat hij ze in zijn hand hield, precies zoals nu. Ik heb ze van hem afgepakt, zodat de politie ze niet zou vinden. Wekken ze herinneringen in je op, broer?'

Marshall wilde opstaan. De angst op het gezicht van zijn vrouw weerhield hem. Zij kon de trots in Danny's houding en de tevredenheid in de stand van zijn lippen niet zien.

'Je moet hem niet geloven, Polly,' zei Marshall, maar hij had er weinig fiducie in. Als Danny – Rich – de tevredenheid over wat hij Dylan had aangedaan verborgen had gehouden, zou Marshall hem ook hebben geloofd.

'Polly, neem de meisjes alsjeblieft mee naar boven. Danny en ik moeten praten.'

'Hier blijven,' beval Danny. De druk achter Danny's masker bouwde zich op. Marshall voelde het in zijn eigen schedel, een scherpe pijn. Polly reageerde nijdig op Danny's toon. Marshall hoopte dat ze zich zou verzetten en samen met haar dochters de kamer zou verlaten.

Danny pakte Gracie steviger vast. 'Polly, heeft Marsh je verteld wat er met zijn verloofde is gebeurd, wat er bijna is gebeurd? Hij heeft haar hondje bijna vermoord. Waarom wilde hij niet dat Gracie een katje kreeg, denk je?'

Marshall zag dat zijn oudste dochter zich van hem afsloot. Het verhaal van die vroegere moorden had haar niets gezegd. Dat leek te veel op een film. Maar als iemand een hondje vermoordde, vond een kind dat gemeen.

'Hij verdoofde dat meisje door iets in haar champagne te doen en stopte haar hondje in de vriezer zodat het dood zou gaan,' zei Danny.

De champagne, het zoenoffer van Danny. Zo had hij het dus gedaan zonder hen wakker te maken! Hij gunde Marshall niet eens de kleine triomf van de ontdekking. Danny had het hem zojuist verteld.

Danny wilde dat hij het wist. Danny wilde erkenning.

'Te lang geen erkenning voor je daden gehad, broer?' vroeg Marshall.

Danny glimlachte. Die glimlach had oprecht kunnen lijken voor iemand die hem niet kende. Marshall zag dat het een spottende glimlach was. Die had hij ook gezien toen Rich Charlie de les las over de gevaren van duiken toen hij hem in het ziekenhuis opzocht. Toen hij Ricky's ouders vertelde dat hij echt niet wist dat hun zoon doodsbang was voor slangen. Toen hij Dylan vertelde hoe erg hij het vond dat Phil Maris was weggestuurd.

'Polly, waarom ben je vannacht teruggekomen? Waarom heb je Emma en Gracie mee naar huis genomen?'

'Danny heeft de meisjes opgehaald...' begon Polly.

'Waarom heb je mijn vrouw en mijn dochters hier vannacht naartoe gebracht?' vroeg Marshall aan zijn broer. Deze keer stond hij op, maar de manier waarop Danny zijn onderarm tegen Gracies luchtpijp drukte weerhield hem ervan de afstand tussen hen te overbruggen. 'Je dacht natuurlijk dat ik verdoofd zou zijn door de zolpidem. Waarom nam je hen hier mee naartoe als je dacht dat ik versuft zou zijn?'

'Ik was bang voor hen, Dyl, bang dat je wilde doen wat je al eerder hebt gedaan, iedereen vermoorden behalve je broer.' Hij glimlachte zijn oude scheve glimlach en legde zacht een hand op Gracies haar. Het had een vriendelijk gebaar kunnen zijn, maar Marshall wist dat het dat niet was.

Danny wilde haar nek breken.

38

'Ik heb het hier helemaal mee gehad,' siste Polly. 'Kom mee, meisjes, oom Danny en Marshall moeten het samen maar uitzoeken.'

Hulpeloos moest Marshall toezien dat Polly zich omdraaide en naar de slaapkamerdeur liep. 'Polly...' begon hij, maar wat kon hij zeggen? Het is niet zoals je denkt? Ze kon maar beter weggaan. Hij hoopte maar dat zijn broer Gracie zou laten gaan.

Danny, met een halve glimlach en zijn hand nog steeds op Gracies haar, keek hem aan.

'Kom mee, Gracie,' zei Polly. Emma probeerde haar moeder tegen te houden. 'Niet nu, liefje.' Weer probeerde Emma Polly tegen te houden en nu bukte Polly zich zodat Emma iets in haar oor kon fluisteren.

Ik ben bang. Papa is gek geworden. Was dat wat zijn elfachtige dochtertje zei?

Polly tilde haar hoofd op en keek naar Danny die met zijn rug naar haar toe stond, met Gracie in zijn armen, en toen naar Marshall die naast het bed stond. Hij zag allerlei emoties over haar gezicht vliegen. Marshall kon ze niet lezen. Maar toen dat voorbij was, was haar vastberaden blik onmiskenbaar.

'Danny, lieverd, ik weet dat jij en Marshall met elkaar moeten praten,' zei ze met een lief stemmetje en zo vleiend dat het Marshall gewoon pijn deed. 'Maar zou je zo lief willen zijn om me te helpen de meisjes in bed te stoppen? Je begrijpt natuurlijk wel dat we ons veiliger zouden voelen als je ons nu niet alleen zou laten.' De laatste woorden zei ze met een stem waar Marshall week van werd, met een stem die maar weinig mannen zouden kunnen weerstaan.

Danny kon dat wel, maar deed het niet. Dit was de kans waarop hij had gewacht. 'Natuurlijk. Ik vind het ook beter je niet alleen te laten. Dat is gewoon niet veilig.' Met een knipoogje naar Marshall liep hij naar de deur en Gracie huppelde onhandig met hem mee. Voordat hij zich omdraaide en met Polly meeliep naar de keuken, glimlachte hij naar Marshall en streelde Gracie over haar haar. 'Wacht hier op me,' zei hij.

Marshall wist precies wat hij bedoelde.

Toen waren ze weg; hij hoorde de deur achter hen in het slot vallen.

Hij zou het alarmnummer kunnen bellen, maar als de politie eraan kwam met gillende sirenes zou Danny Polly en de meisjes zeker vermoorden. Als hij achter zijn broer aanging, zou hij Gracies nek breken zonder er zelfs maar over na te denken. Als hij niets deed...

Als hij niets deed, zou alles zich herhalen.

Er trokken zenuwtrekjes door zijn lichaam, een aanval van tegenstrijdige commando's. Trillend zette hij een stap, toen nog een. Boven hoorde hij een zachte plof – zijn keukendeur die dichtging. Voetstappen fluisterden op de achtertrap.

Kwam Danny terug, met Gracies slanke hals in de kromming van zijn arm en hand, om te luisteren of hij achter hen aan kwam?

Marshall bewoog weer, zacht deze keer; hij probeerde geen geluid te maken op de hardhouten vloer. In de keuken bleef hij staan om te luisteren. De stilte was niet geruststellend. Het zenuwachtige trillen van zijn handen werd erger. Marshall was nu banger dan hij ooit was geweest nadat zijn ouders waren vermoord. Hij was niet meer gewend aan fysieke angst. Als je toch een koelbloedige moordenaar was, maakte je je niet echt druk over andere roofdieren. Hij was niet bang voor zichzelf, maar de felle angst om zijn gezin voelde als een levend wezen dat zoveel adrenaline in zijn lichaam pompte dat hij niet stil kon blijven staan.

Boven hoorde hij een dreun en hij was de keukendeur al uit en halverwege de trap toen hij onder zich een geluid hoorde, uit de kelder. Hij draaide zich om en zag een donkere hijgende figuur naar boven rennen.

'Danny,' zei hij, en zijn broer bleef staan. De trap was donker, maar door het raam van de tuinkamer viel het licht van de straatlantaarns naar binnen. Het was genoeg om het te kunnen zien: Danny had de bijl in zijn hand. Vaag licht glinsterde op zijn wangen en over zijn wenkbrauwen. Het glinsterde op zijn tanden toen hij glimlachte. Niet zijn gebruikelijke glimlach. Deze glimlach was niet menselijk. Het was een kille, spottende en geamuseerde glimlach. Hij glimlachte om de zwakheid en het falen van zijn medemens.

'Leg neer,' zei Marshall. Zijn stem trilde even erg als zijn handen.

'Het is noodzakelijk, broer. Jij hebt het noodzakelijk gemaakt. Ik ben hier alleen maar om de troep achter jouw kont op te ruimen. Zoals altijd. Jij en ik samen, de gebroeders Marchand. Ik zei je toch dat je het niet mocht verknallen! Nu heb je het weer gedaan. Je hebt ze weer vermoord.'

De gebroeders Marchand, de identieke tweeling, doodgeboren. Marshall zette een stap in Danny's richting.

'Heeft geen zin, broer,' zei Danny waarschuwend. 'Het is over. Het is voorbij. Ze zijn al dood. Simpel klusje, zo zacht en lief. Ik heb deze bijl alleen maar opgehaald voor de finishing touch, opdat de geschiedenis zich herhaalt. Daar zijn jury's dol op. Maar ik zal de politie niet bellen, hoor, tenzij je me daartoe dwingt.'

Het enige wat Marshall hoorde was: Ze zijn al dood. Brullend als een gewond dier viel hij zijn broer aan. Het blad van de bijl raakte zijn wang. Hij voelde de klap maar geen pijn. Voordat Danny weer kon toeslaan, had Marshall de greep te pakken, met zijn handen tussen die van zijn broer op het handvat. De wenteltrap was smal; Marshalls schouders klapten tegen de muur tijdens hun gevecht. Danny's gezicht, verlicht door het licht van de straatlantaarns, was even ontspannen en rustig alsof ze een spelletje deden.

Er stroomde bloed uit Marshalls wang op de rug van zijn hand, het druppelde op de steel van de bijl waardoor het hout glad werd. Zijn hersenen brandden. Zijn lichaam leek een op hol geslagen machine. Weer brulde hij en hij wierp zich met al zijn kracht op Danny. Verrast liet Danny de bijl los en viel achterover van de trap. Hij werd opgeslokt door de schaduwen toen hij in de kelder op de grond smakte.

Opeens was het absoluut stil. Toen hoorde Marshall een gefluister, niet meer dan een ademtocht. 'Dylan?'

Met de bijl nog steeds in zijn hand liep Marshall langzaam de trap af.

'Rich?' De tijd haalde zichzelf in. Mack de Reus was maar een paar minuten hier vandaan. Rich zat in elkaar gedoken onder aan de trap, met zijn hoofd tegen de muur in de hoek. Het licht dat van buiten kwam, scheen niet ver genoeg naar binnen, zodat Marshall zijn gezicht kon zien.

'Help me, Dyl.'

Marshall hurkte neer bij zijn broer; het was er zo krap dat zijn billen de ene wand raakten en de kop van de bijl de overkant. 'Ben je gewond?' Het was niet Marshall die dit vroeg; het was Dylan. Marshall baalde verschrikkelijk van de bezorgde klank in zijn stem.

Dylan hield van zijn broer.

'Ik heb iets gebroken. Je hebt me verdomme kreupel gemaakt.' Danny begon te lachen en dat geluid verjoeg het laatste restje Dylan uit Marshalls ziel.

Marshall stond op en rende naar boven, naar zijn appartement. Het staccato gelach volgde hem in een giftige wolk.

39

Met drie treden tegelijk rende Marshall de trap op. Hij sloeg met de bijl op de deur naar zijn en Polly's keuken. Danny had hem op slot gedaan. Marshall zwaaide met de bijl en hoorde de deurpost versplinteren. Eén trap en hij was binnen. Het licht in de keuken en de eetkamer was aan. Beide vertrekken waren leeg. Hij rende naar de trap en voor het eerst liep hij zonder dat hij de hardhandige greep van Mack de Reus in zijn nek voelde.

De overloop was leeg. De deur van zijn werkkamer stond open. De deur van de slaapkamer van hem en Polly was dicht. De adrenaline verdween even snel uit zijn aderen als het erin was gestroomd.

Net als toen, net als Dylan, wilde hij niet zien wat er in de slaapkamer lag. Marshall zag visioenen van zwart-witfoto's van zijn vader in het tweepersoonsbed, met zijn gezicht doormidden gehakt; ze verdwenen, veranderden in Polly's gezicht. Lena verscheen, haar kleine lichaam vernietigd. Lena verdween, werd Emma.

Sirenes.

De politie was gearriveerd. Marshall had de bloederige bijl in zijn handen, hij was de enige die rechtop stond te midden van het bloedbad. Danny – Rich – lag gewond onder aan de trap.

Zoals toen. Net als toen.

Hij stond er nog steeds toen twee jonge agenten met getrokken pistool naar boven kwamen. 'Leg die bijl neer! Leg die bijl neer! Leg die bijl neer!' riepen ze tegen hem.

Marshall draaide zich naar hen om.

'Neerleggen!' riep een van hen en hij haalde de trekker over.

Door de scherpe knal liet Marshall de bijl los. Toen de kogel in de muur sloeg, een paar meter bij zijn hoofd vandaan, viel de bijl uit zijn handen.

'Hij ligt op de grond! Hij heeft hem laten vallen, verdomme!' riep de ene agent tegen de andere. Ze waren allebei heel jong, allebei heel bang.

'Het is oké,' hoorde Marshall zichzelf zeggen. 'Jullie moeten in de slaapkamer gaan kijken. Je mag me wel boeien als je dat prettiger vindt.'

Zijn meegaandheid stelde hen gerust, stelde hen in staat hun angst om te zetten in woede.

'Je hebt verdomme gelijk dat we je gaan boeien! Je hebt verdomme gelijk!' gromde de agent die zo had geschreeuwd. Hij liep zijwaarts, als een krab, met zijn pistool op Marshall gericht.

'Kunnen jullie een ambulance bestellen? Mijn broer is gewond, hij ligt op de achtertrap. Volgens mij heeft hij zijn rug gebroken.'

'Je bent wel trots op jezelf, hè klootzak?'

De zoon van Mack de Reus.

Marshall lag geboeid en met zijn gezicht tegen de vloer van de overloop gedrukt. Hij draaide zijn hoofd en zag hen de deur van de slaapkamer opendoen. Het was goed dat hij geboeid was. De gevangenis zou ook goed zijn. Nee, niet goed, dacht Marshall. Niet goed of slecht. Niets eigenlijk. Alleen maar één lang onafgebroken niets. Zonder Polly was zijn leven zijn gevangenis.

Hij wilde dat ze hem ergens hadden neergelegd waar hij het niet kon zien. Maar omdat hij dat kon, moest hij wel.

'Verdomme,' vloekte de agent toen de deur niet meegaf. De zoon van Mack hief zijn pistool om het slot kapot te schieten, zoals je wel op de tv zag.

'Hou op, wil je wel eens ophouden met schieten?' zei de andere agent. 'Hij zit niet op slot, maar er ligt iets voor.'

Ze duwden er met hun schouders tegenaan en daarna ging de deur een paar centimeter open. Nog een duw en dat wat ervoor had gelegen viel om met een dreun die door Marshalls lichaam resoneerde. De deur zwaaide wijd open. De politieagenten stonden aan weerszijden van de deurpost, met hun pistool in de aanslag, met hun rug tegen de muur. Marshall kon naar binnen kijken.

Polly was er. En Emma en Gracie. De meisjes op het grote bed, ze leken niet groter dan elfjes. Polly, lijkbleek en met een granieten uitdrukking op haar gezicht, stond bij het voeteneinde met haar gezicht naar de deur. Ze had een mobieltje in haar ene hand en een vleesmes in de andere.

Bereid om voor haar kinderen te sterven.

Maar dat had ze niet gedaan en Marshall begon te huilen van opluchting. In de afgelopen weken had hij vaker gehuild dan ooit. Deze tranen vloeiden gemakkelijk; het waren vreugdetranen die hem niet verblindden, maar warm en troostend aanvoelden.

Polly en de meisjes leefden. Het niets dat hem te wachten stond, zou altijd vol mensen zijn. Waar hij deze keer ook gevangen zou zitten, zelfs als hij de doodstraf kreeg, in gedachten zou hij hen zien. Hij zou nooit alleen zijn. Marshall sloot zijn ogen zodat hij de haat in de blik van zijn vrouw en de angst in de ogen van zijn kinderen niet zou hoeven zien. Op die manier zou hij alleen maar herinneringen hebben waar hij mee kon leven.

'Laat vallen! Laat het mes vallen!' hoorde hij de agent schreeuwen. Hij hoorde iets op de vloer kletteren.

Toen hielden Marshalls hersenen ermee op en hij verwelkomde de bewusteloosheid.

40

Het was lente en het regende. Marshall voelde de eerste warme druppel op zijn gezicht. Hij wist niet waar hij was en hij wilde het niet weten ook. Hier wilde hij blijven, op deze plek waar het zo zachtjes regende. Een andere realiteit, de realiteit buiten deze cocon, drukte tegen zijn ontwakende geest, maar dat negeerde hij.

Toen voelde hij een hand op zijn schouder en hij wist dat hij op het punt stond wakker te worden.

'Nee,' mompelde hij. 'Laat me gaan.'

'Shh. Shh. Het komt wel goed.' Polly's stem gaf Marshall de moed zijn ogen te openen. Ze zat naast hem en streek het haar van zijn voorhoofd. 'Je ligt in het ziekenhuis,' zei ze. 'We zijn allemaal oké, jij ook.' Hij probeerde zijn hand op te tillen om haar gezicht aan te raken, maar daar had hij de kracht niet voor. Hij deed zijn ogen dicht omdat hij ze niet langer open kon houden.

'Je geloofde me,' zei Marshall zacht. Na een leven vol leugens van Richard, wist hij niet wat hij geloofde. 'Zeg iets tegen me,' fluisterde hij. 'Zodat ik weet dat je hier echt bent.'

Polly's zachte kreetje drong door de medicijnen die ze hem hadden toegediend. 'Nee schat, ik geloofde je niet. Het spijt me heel erg, maar ik wist niet wat ik moest geloven. Emma heeft ons gered. Zij zag de lippenstift.'

'Lippenstift,' herhaalde hij. Het woord zei hem niets, maar de klank van de stem van zijn vrouw was als een balsem, en hij wilde dat ze nooit ophield met praten. 'Vertel het me.' Zijn stem was ijl, maar ze hoorde hem en hij wist dat ze haar gezicht dicht bij zijn mond hield. De geur van haar haren drong tot hem door, ondanks de steriele ziekenhuislucht.

'Ja, lippenstift. Dat verhaal is te lang om te vertellen zonder een glas wijn en een gemakkelijke stoel. Ik hou het er maar bij dat ik ben aangevallen – niet gewond, mijn schat – maar dat ik niet wist door wie. Dat was in Vondra's appartement, en daar lagen heel veel rode lippenstiften. Emma zag een veeg rode lippenstift op Danny's rug en toen wist ik dat hij in Vondra's appartement was geweest.

'Emma zag dat toen wij met z'n vijven in Danny's slaapkamer waren. We zaten allemaal gevangen in dat gruwelijke tableau vivant,' lachte Polly. 'Ik had het gevoel dat ik op het toneel stond tijdens de laatste akte van *Hamlet*. Toen ik me realiseerde dat Danny gevaarlijk was, dacht ik dat als ik hem maar in beweging kon krijgen, als hij het maar goedvond dat Gracie mee naar boven kwam... Ik dacht dat als hij niet vermoedde dat ik het wist... Ik weet niet goed wat ik dacht.' Ze gaf hem een zoen, licht en heerlijk.

'Je bent verbazingwekkend. Na alles wat je die nacht al had meegemaakt, heb je Danny toch nog kunnen overtuigen.' Marshall sloeg zijn ogen weer open. Toen hij zijn vrouw zag, verdween de nevel van drugs en horror.

'Schat, op de dag dat ik een man niet nog eens voor de gek kan houden, mag je me op een ijsschots leggen als prooi voor de ijsberen.'

Ze ging wat verzitten en Marshall voelde de kou tussen hen in kruipen.

'In de kelder vond ik een doos vol papieren. Het waren aantekeningen en krantenartikelen die de gruwelijkste dingen vergoelijkten.'

'Je hebt ze gevonden,' zei Marshall met een holle stem.

'Met een beetje hulp van je broer. Het was jouw handschrift.'

'Huiswerk,' zei Marshall. Al die jaren waarin hij zich had beziggehouden met de slechtheid van de mens, met het opschrijven van verklaringen voor onverklaarbare daden bedreigden de weinige hoop die hij voelde.

Polly wachtte.

'In elk geval was het in het begin huiswerk; daarna is het denk ik een gewoonte geworden. Toen ik in Drummond was...'

Polly keek verbaasd en Marshall realiseerde zich opeens hoeveel van zijn leven hij geheim had gehouden, hoeveel van zichzelf hij geheim had gehouden. De drang haar alles te vertellen, elke kleine uitdaging en angst en vreugde, haar alles te vertellen over de jongen die zo bang was geweest, de jongen die de vlinders had gezien en die zich aan zijn moeders kus had vastgeklampt, de tiener die zo weinig hoop had gehad dat hij de andere jongens de 13 1/2 op zijn onderarm had laten tatoeëren zodat hij nooit zou vergeten dat hij in zijn leven maar een halve kans had – minder, geen schijn van kans – was zo groot dat hij in de lach schoot. Zonder dat hij het merkte ging zijn lachbui over in een huilbui. Als ze dat wist, zou ze misschien niet meer van hem houden.

'Moet ik je slaan, lieverd?' vroeg Polly bezorgd.

'Nee,' zei hij toen de tranen weer veranderden in gelach bij het horen van haar stem. 'Ik ben niet hysterisch. In elk geval niet heel erg. Ik ben opgegroeid in Drummond, een jeugdgevangenis in Minnesota. Toen ik elf was, ben ik daarheen gestuurd. Het is een heel lang verhaal,' zei Marshall, opeens moe van zijn verleden.

'Nou, ik heb Shakespeare's *Coriolanus* zeven keer gelezen en Dickens' *Bleak House* twee keer.'

God, wat hield hij van haar.

'Toen ik elf was, is mijn familie vermoord: mama, papa en Lena, mijn kleine zusje, zelfs de kat. Ze zijn niet bij een auto-ongeluk om het leven gekomen. Ze zijn vermoord. Daar ben ik voor veroordeeld.'

'Maar je was nog maar een jongen!' riep Polly ongelovig uit.

'Ja. De kranten noemden me Butcher Boy. Ik was de jongste in Minnesota die ooit voor moord is veroordeeld.' Marshall kon het niet opbrengen om zijn vrouw aan te kijken, maar hij kon zijn ogen ook niet van haar afhouden. Hij wachtte op dat moment van afschuw waarop de mensen zich van Butcher Boy afsloten, even definitief alsof ze een ijzeren celdeur dichtsloegen en de grendel ervoor schoven. Op Polly's gezicht zag hij alleen maar bezorgdheid en hij realiseerde zich dat ze even zeker was van de afloop van dit verhaal als van de laatste scène van *Coriolanus*. Ze wist dat hij het niet had gedaan; ze wachtte alleen tot ze zou horen hoe de akte afliep.

'Ik hou van je,' zei hij.

'Dat weet ik, lieverd.'

'En die tatoeage, 131/2, waar je naar vroeg? Die kreeg ik in Drummond. Daar ben ik zeven jaar geweest. De gevangenispsychiater, een klootzak die Kowalski heette, heeft me "huiswerkopdrachten" laten maken. Dan gaf hij me een krantenartikel over de een of andere gruwelijke moord en dan dwong hij me me te verplaatsen in de moordenaar, zijn gedachten te denken, zijn ziekte in mijn geest te voelen en dan op te schrijven waarom ik een dergelijke moord zou plegen. Volgens mij dacht hij dat ik, als hij me daar maar vaak genoeg toe dwong, me wel weer zou herinneren dat ik mijn familieleden had vermoord. Misschien wilde hij alleen maar dat ik zou zeggen dat ik dat had gedaan. Die vent wilde de een of andere bestseller uit me wringen of zo.'

'Hij was dus eigenlijk een volwassen Butcher Boy!' zei Polly vol afschuw. 'Waarom moest hij zo nodig een kleine jongen kwellen om zijn boek te krijgen?'

'Omdat ik niet meer wist dat ik dat had gedaan; ik kon me niet herinneren dat ik mijn familieleden had vermoord. Ik had kougevat en mijn moeder had me medicijnen gegeven, en ik sliep alsof ik dood was. Mijn god,' zei hij toen dat woord in zijn hoofd echode.

'Het is al goed, lieverd.' Polly raakte zijn wang aan waarna de pijnlijke herinnering wegebde.

'Die klootzak wilde dat hij degene was die ervoor had gezorgd dat ik het me weer herinnerde, of ervoor had gezorgd dat ik toegaf dat ik het me herinnerde. Tegen de tijd dat hij daar zijn zinnen op had gezet, zat ik al zo lang in Drummond dat ik opstandig was geworden. Het meeste van wat ik opschreef, was in feite alleen maar tegendraadsheid. Omdat ze me Butcher Boy noemden, wilde ik Butcher Boy zijn. Maar die artikelen waren smerig, gewelddadig.'

'Dat weet ik. Ik heb ze gelezen.'

Voordat Marshall dat had kunnen verwerken, zei Polly: 'Ik heb ook een lang, lang verhaal en volgens mij had je broer Danny dat script van begin tot eind kunnen schrijven. Je huiswerkopdrachten lagen in de kelder, zodat ik ze wel móést vinden.'

Marshall knikte. Hij wist dat hij naar haar verhaal zou moeten vragen, naar haar moest luisteren. Polly was zo gekwetst door haar verleden. Maar de behoefte om te vertellen was sterker dan de behoefte om te luisteren en hij vertelde verder: 'Hoe meer ik die verdomde dingen las – die teksten over mensen die andere mensen afslachtten – en probeerde in het hoofd van de moordenaars te kruipen, hoe beroerder ik me voelde. Ik wist dat ik het had gedaan. Als allerlei mensen een kind vertellen dat hij iets heeft gedaan, gelooft hij dat hij het heeft gedaan. De psychologen bedachten allerlei redenen waarom ik het me niet kon herinneren, en ik geloofde hen. Waarom ook niet? Ik was elf en zover ik wist waren zij de deskundigen. Ik wist dus dat ik mijn moeder, mijn vader en Lena had vermoord – ik wist het, maar dat heb ik dus nooit gevoeld. Weet je wat ik bedoel? Ik heb me nooit een moordenaar, een soort psychopaat gevoeld. Ik voelde me nog altijd de jongen die hockey speelde, de jongen die viste. God, het was raar. Toen wist ik niet dat het raar was. Het voelde als lucht en stenen muren, alleen daar. Het grootste deel van mijn leven heb ik rondgelopen met het idee dat ik een tijdbom was die op het punt stond te ontploffen en alle mensen om me heen zou vermoorden. Tippity – de hond waar ik je over heb verteld – die was niet in de vriezer gesprongen. Iemand had haar bek en pootjes met tape vastgeplakt en haar er daarna in gelegd. Ik dacht dat ik dat had gedaan. Ik kon me niets van die avond herinneren, net als vroeger. Ik dacht dat het was opgewekt doordat ik zo'n goede relatie met Elaine had.' Toen hij dat zei, realiseerde Marshall zich dat hij dat niet had 'gedacht'. Danny had hem dat verteld, en Danny had die fles champagne meegenomen die twee volwassenen had gevloerd. Er had iets in gezeten. Danny. De drugsdealer van Le Cure.

'Hij deed het,' zei hij schor, met een droge keel. 'Danny deed het. Danny gaf me die drugs en hij verplaatste die dingen. Mijn broer. Mijn broer.' Marshall voelde zich ellendig.

Dankzij Polly's koele vingers en gemompelde lieve woordjes kwam hij weer tot zichzelf.

'Net zoals hij al eerder had gedaan?'

'Ja.' Marshall keek naar de schaduwen van zichzelf en Polly op de muur van de ziekenkamer. Hij zag twee jongens, Dylan en Richard. 'Hij moet met die afwijking zijn geboren. Ik vind het niet gemakkelijker om te weten dat hij het heeft gedaan dan te denken dat ik het heb gedaan. Hij wilde het weer doen. Jou en de meisjes.' De kilte in zijn ziel was verschrikkelijk. 'Ik wil hem niet haten,' zei hij zacht.

Even zeiden ze niets. Marshalls ademhaling werd rustig. Zijn gedachten werden rustig. Polly hield zijn hand vast.

'Je vroeg of ik je geloofde,' zei Polly.

Marshall werd heel stil. Hij wilde dat ze hem geloofde, dat moest gewoon, dat ze in hem geloofde toen hij ongelofelijk was.

'Het was niet alleen de lippenstift op het overhemd van je broer, hoewel dat geruststellend concreet was. Het kwam voor een deel omdat ik Danny niet geloofde. Ik zou willen dat ik kon zeggen dat ik je geloofde, maar alleen in sonnetten wijst de liefde je de juiste weg. Als je kinderen hebt, kun je er niet in berusten als ze in gevaar zijn. Met bepaalde fouten kan een moeder onmogelijk leven. Als ik twintig of dertig was geweest, had ik misschien blinde liefde kunnen voelen, onvoorwaardelijke liefde. Maar nu niet meer. Er zijn twee voorwaarden: Emma en Gracie. Een deel van me geloofde dat je me niet bedroog. Een deel van me weet dat iedereen een ander kan bedriegen.' Met haar vingertoppen streelde ze zijn wang. Zijn verdriet ebde weg na die aanraking. 'Het spijt me, lieve schat. Ik kan niet eens mijn excuses aanbieden omdat ik je niet onvoorwaardelijk heb geloofd; die liefde – dat vertrouwen – moet je leren als je jong bent. Het eerste wat ik als klein meisje leerde, waren manieren om te overleven.'

Marshall liet dat even bezinken. De wetenschap dat ze had kunnen geloven dat hij een monster en een moordenaar was, deed minder pijn dan hij had verwacht. Hij had niet eens in zichzelf geloofd. Hij had in Danny geloofd.

'Dat is beter,' zei hij ten slotte. 'Gecivileerd gedrag is gebouwd op voorwaarden. Ik hou van je beide voorwaarden.'

'Volgens mij hebben ze er geen trauma aan overgehouden,' zei Polly. 'En ik hoop dat dat zo blijft.'

'Er zullen krantenartikelen over verschijnen, over de oude moorden, over wie ik ben en wat Richard heeft gedaan en wat Danny heeft gedaan,' waarschuwde Marshall. 'Die zaak was indertijd landelijk nieuws. Het kon wel eens lastig worden hen daarvan af te schermen.'

'Volgens mij is de wederopbouw van New Orleans al voldoende nieuws. Ze hebben waarschijnlijk niet eens genoeg ruimte voor een oud verhaal,' zei Polly glimlachend. 'We moeten maar hopen dat de meeste buren het te druk hebben met hun eigen problemen om ze te lezen.'

'Ik ga ze lezen,' zei Marshall. 'Ik ga ze lezen en dan ga ik proberen te ontdekken waardoor een moordenaar de behoefte krijgt te moorden, waarom mijn broer het leven van onze gezinsleden heeft genomen en daarna, op elke mogelijke manier, mijn leven heeft genomen. Huiswerk. Dat heb ik al zo lang gedaan, mezelf proberen te vinden.'

'Nou, lieverd, je kunt nu wel ophouden met zoeken. Gracie en Emma en ik hebben jou gevonden.'

41

Richard Raines kreeg levenslang, zonder kans op vervroegde vrijlating. Omdat hij door zijn verwonding zijn onderlichaam niet kon gebruiken tot de zwelling van zijn ruggengraat was afgenomen – als dat al zou gebeuren – werd hij opgenomen in het zwaarbewaakte ziekenhuis van de staatsgevangenis in Pollock, Louisiana.

Twee keer per maand reed Marshall naar Pollock om zijn broer op te zoeken.

Het leek erop dat Danny genoot van deze bezoekjes. Hij gebruikte het bezoekuur om te vertellen wat hij met Marshalls leven had gedaan. Danny gebruikte de tijd om te vertellen hoe hij Vondra had gebruikt en misbruikt, haar als spion vlak bij Marshalls kantoor had neergezet, Polly's geheimen aan haar had verteld, de directeur had verteld dat Phil Maris pedofiel was en Dylan had verkracht, en Phil, Sandra en verschillende anderen had vermoord. Enkele moorden verzon hij alleen maar om de gekwetste blik te kunnen zien op het gezicht van zijn broer aan wie hij alles had gegeven en die hem in de steek had gelaten.

Marshall luisterde onaangedaan, behalve toen hij hoorde dat Phil was vermoord. Terwijl Danny elke gruwelijke gebeurtenis vertelde en steeds herhaalde, raakte hij steeds meer overtuigd van zijn eigen onschuld, van zijn eigen gezonde verstand. En dat van zijn vrouw. De tarotlezeres was door Danny geïnstrueerd om op Polly te wachten, zodat de ontbinding van Marshalls huwelijk in gang kon worden gezet.

Zelfs toen Marshall niet meer gerustgesteld hoefde te worden, bleef hij de rit maken. Dat deed hij omdat Rich het voor Dylan had gedaan, omdat Dylan van zijn broer hield. En hij deed het omdat Danny was veroordeeld tot een rolstoel en omdat Danny's gemis aan controle – over zichzelf en, wat hij nog veel erger vond, over anderen – een kwelling voor hem was. Marshall maakte de rit om Danny zo te kunnen zien, omdat Marshall Danny haatte.

De naam van Dylan Raines was gezuiverd, maar Marshall besloot de naam Marchand te houden. Die paste beter bij de naam Pollyanna.

Richard Raines. Vermoordde zijn moeder, vader, zusje en de poes.

'We komen op de overloop en Pat vindt het lichtknopje. Je zult de volgende zinnen niet willen afdrukken, maar god weet dat het zo is gegaan. Midden op het kleed – zo'n lang smal gangkleed – lag een baby, een meisje van nog geen twee, doormidden gehakt. Ik moest bijna overgeven, en Pat zag eruit alsof het hem net zo verging.

'We horen beneden geluiden en ik denk dat het de moordenaar misschien is. Of een gewonde. Pat gaat eerst.

'In de achterste slaapkamer zijn twee jongens. Eerst dachten we dat ze allebei waren vermoord. Het been van de oudste was er bijna afgehakt en hij had zo veel bloed verloren dat hij lijkbleek was. De andere jongen lag nog steeds in bed, maar eerst wisten we niet eens dat het een kind was, weet je? Het leek gewoon alsof iemand een emmer rode verf over het beddengoed had uitgestort.

*'Blijkt dat deze knaap – die nog in bed lag – niets mankeerde; hij ligt alleen te slapen als een baby. Dat dachten we toen tenminste. De ambulance arriveert en dus lopen de ambulancebroeders overal doorheen om die jongen met zijn afgehakte been te redden als deze kleine kl**tzak wakker wordt uit zijn schoonheidsslaapje. Hij ziet dat zijn broer meer dood dan levend naar buiten wordt gedragen en begint te lachen als een hyena.'*

Epiloog

Huiswerk? Het is onzin, dat weet je toch? God weet dat ik genoeg van Dylans huiswerk heb gelezen. Mijn kleine broertje is net als jullie, ook een schaap. Zielig. Ik zal je vertellen waarom ik het heb gedaan – waarom we het doen. Omdat de schapen het niet doen.

In de hele wereld is er geen enkele man – en dan bedoel ik echt een man; vrouwen zijn schapen van schapen – die niet mij zou willen zijn, die niet wil doen wat ik doe. Jullie willen allemaal weten hoe het voelt om te moorden, hoe al dat bloed op je handen voelt. Die hufter van kantoor, die rotzak die je auto snijdt, die zoetsappige serveerster die hete koffie in je kruis laat vallen – jullie zouden dolgraag het leven uit die ellendige mensjes willen zien doven.

De mens is niet geëvolueerd om van zijn buurman te houden. Hij is geëvolueerd om zijn buurman te vermoorden, en de vrouw van zijn buurman te verkrachten, en de eigendommen van zijn buurman in bezit te nemen.

Wil je weten waarom ik Vondra bij me hield? Omdat ze in het getuigenbankje voor me heeft gelogen en ik haar dankbaar was? Toe nou toch! Vondra was nuttig. Ze hield Marsh' kantoor voor me in de gaten. Deed dat tarotding. Ik hield haar bij me in de buurt omdat ze me eraan herinnerde waarom ik was wie ik was. Waarom ik deed wat ik deed. De wereld heeft mensen zoals ik nodig om mensen als Vondra uit de weg te ruimen, mensen zoals jij.

Jack the Ripper. Hij heeft Londen een dienst bewezen. Haalde rothoeren van straat. Dahmer ruimde flikkers uit de weg die de meeste rechtse christenen dood wensten. Wij zijn de vuilnismannen van de wereld. De ongediertebestrijding.

Ik heb het huis die avond schoongemaakt. Heb die slappe rotzakken uit de weg geruimd die probeerden mijn leven te bepalen. Mama was dol op haar kleine Dylan. Ik heb haar de stuipen op het lijf gejaagd. Als ze naar mij keek, werd ze doodsbang, maar als ze naar mijn broertje keek zag ze hartjes en bloemetjes. Frank – papa – dacht dat ik beter op mijn plek was op die jongensschool. Discipline. Regelmaat. Uitdagingen. Religieuze oriëntatie. Spirituele leiding. Codewoorden voor 'sluit dat joch op om hem te hersenspoelen'.

Ik was niet zacht en poezelig als die kleine Dylan. Als Frank naar me keek, was het alsof de oude wolf naar de jonge wolf keek: hij wist dat ik hem zou verslaan zodra ik sterk genoeg was. Maar hij was geen wolf. Hij had zich laten castreren door de docenten en dominees en andere zeikerige kunstenaars. Daarom wilde hij mij castreren.

Die nacht was de nacht waarin ik in bloed ben herboren, zoals die christenhonden zeggen. Dylan was bewusteloos van die hoestsiroop, van die ouderwetse met codeïne erin; Lena was verdrietig. Ik was het al van plan sinds ik zeven was. Zes. We worden geboren om te moorden zoals een puppy wordt geboren om zijn voedsel te doden. Een tijdlang is het alleen maar spel – grommen en aanvallen – en dan op een dag voelt hij die instinctieve drang en dan verscheurt de puppy een eekhoorn, dan een konijn, dan een reekalfje, en als hij volwassen is een eland. Jullie – slappelingen, schapen – hebben dat instinct uit je laten slaan. Maar jullie missen het wel. God, wat missen jullie het! Jullie verafgoden de moordenaars omdat jullie zelf willen moorden, zelf die behoefte voelen. Maar jullie kijken alleen maar toe.

Ik heb mijn leven geleid op de manier zoals was voorbestemd, niet in een hok met mijn wollige blatende broeders.

Ik was van plan Frank en mama in hun slaap te vermoorden. Ik schrok me rot toen mama wakker werd en begon te gillen als een speenvarken en wegrende, terwijl Franks bloed van haar af drupte. Daarna rende ze als een idioot over de overloop, met haar wapperende nachtpon en zwaaiend met haar handen. Dat was echt leuk! Ik moest er zo hard om lachen dat het me bijna vijf minuten kostte om haar stil te krijgen.

Lena stelde niets voor.

De kat was alleen maar voor de lol.

Ik loop vanuit de kelder naar boven, ik zit onder het bloed, en opeens gaat het licht aan bij de Werners, onze buren, en dan zie ik dat Vondra naar me kijkt, als een vis op het droge. Toen dacht ik dat ze begreep wat er aan de hand was, maar inmiddels twijfel ik daaraan. Hoe dan ook, ik heb haar geneukt zodat ze haar bek hield. Ik had haar toen ook wel kunnen vermoorden, maar ik dacht dat ik haar maar beter bij me in de buurt kon houden.

Mijn enige echt stomme actie was mijn been. Ik dacht dat ik mezelf had vermoord. Maar dat bleek in mijn voordeel uit te pakken. Die paljassen van de politie waren zo van slag door alles dat ze nergens echt goed naar keken. Dylan was er, hij had die bijl en het bloed, en ze sloofden zich allemaal uit om hem te beschuldigen.

Ik had Dylan tegelijk met de anderen willen vermoorden. Hij was een ongelooflijke lastpak. En dan had je nog die geldkwestie. De bezittingen van mama en Frank zouden worden verdeeld. We waren zo rijk dat ik ook aan de helft genoeg zou hebben gehad, maar ik had het zonde gevonden de helft aan Dylan te geven. Wat had hij ermee moeten doen? Beugels kopen voor zijn vriendjes soms?

Ik had Dylan de moorden in de schoenen kunnen schuiven, of hij nu leefde of dood was – zelfde verhaal, alleen deze keer sloeg ik mijn broer te hard, en broer sterft in zijn pyjama – maar nadat ik hem had geslagen, dacht ik dat ik zijn nek had gebroken zonder hem te vermoorden. Ik dacht dat hij van top tot teen verlamd zou zijn, of toch in elk geval zijn onderlichaam. Ik zou het geweldig hebben gevonden om te zien hoe die knaap die iedereen zo geweldig vond zou omgaan met het feit dat hij de rest van zijn leven in een buisje moest pissen.

Nu ben ik degene die in een buisje pist. Stelletje achterlijke schapen, jullie kunnen nu je achterlijke lachjes wel lachen, maar dat verandert niets aan de zaak. Dylan is veertig jaar lang van mij geweest. We waren een tweeling. We stonden elkaar nader dan een tweeling. Dylan was mij.

Zo was het: ik veranderde hem in mij.